Carl Clowes

SUPER FURRIES, PRINS SEEISO, MISS SIBERIA – A FI

I bawb sy`n ymladd dros Gymru
yn erbyn y ffactora

Carl Clowes

SUPER FURRIES, PRINS SEEISO, MISS SIBERIA – A FI

y Lolfa

Argraffiad cyntaf: 2016

© Hawlfraint Carl Clowes a'r Lolfa Cyf., 2016

Dymuna'r cyhoeddwyr gydnabod cymorth ariannol
Cyngor Llyfrau Cymru

Cynllun y clawr: Y Lolfa

Rhif Llyfr Rhyngwladol: 978 1 78461 157 6

Cyhoeddwyd, rhwymwyd ac argraffwyd yng Nghymru gan
Y Lolfa Cyf., Talybont, Ceredigion SY24 5HE
gwefan www.ylolfa.com
e-bost ylolfa@ylolfa.com
ffôn 01970 832 304
ffacs 832 782

Cynnwys

Cyrraedd Llanaelhaearn

NID YW'N LLAWER o le i gyd, ond yn Llanaelhaearn ar gyrion penrhyn Llŷn o'n i p'nawn Sadwrn braf o haf 1970, yn chwilio am Fryn Meddyg mewn pentref sydd ar yr ymddangosiad cyntaf yn ddigon di-nod ei olwg wrth odre'r Eifl. Natur y chwilio, yn syml, oedd gweld a oedd y practis meddygol 'un-dyn' yn y pentref yn rhywbeth y dyliwn ystyried o ddifri ar gyfer gyrfa a lleoliad ein dyfodol fel teulu.

Dw i'n dweud 'di-nod' ac, eto, wrth sefyll yn y fynwent o flaen eglwys hynafol Sant Aelhaearn, daeth y fath wefr o weld harddwch dilychwin Cwm Coryn a'r Gyrn Ddu o'm mlaen a Thre'r Ceiri tu cefn imi. Ymweld â Bryn Meddyg oedd fy mhrif orchwyl y p'nawn hwnnw, tŷ a godwyd ar gyfer meddyg yr ardal yn 1889 fel y gallai ei gwasanaethu adeg roedd y chwareli ithfaen gerllaw yn eu hanterth a phentrefi'r fro ar eu prifiant. Tŷ cerrig, nobl ei olwg oedd Bryn Meddyg, fyddai'n edrych yn gartrefol iawn ar set gyfres *Doctor Finlay* ers llawer dydd. Safai Bryn Meddyg fel 'plas' ar derfyn y pentref ac mewn gwrthgyferbyniad llwyr â rhan helaeth gweddill tai yr ardal wrth i mi dystio yn y blynyddoedd i ddod. Wedi imi gamu ymlaen at y drws ffrynt, wrth gwrs roedd 'na amheuaeth a nerfau. A oedd hwn, mewn gwirionedd, yn cynnig gwir gyfle i'm tynnu oddi wrth fy ngwaith ôl-radd yn Ysbyty Christie ym Manceinion? Croesffordd go iawn. Gwraig atebodd y drws a finnau'n gofyn braidd yn betrusgar a fyddai modd imi siarad â Dr James. 'Let me see, I think he's through, reading some farming magazine' ac i ffwrdd â hi. Daeth yn ôl mewn eiliadau

7

a'm croesawu i'r tŷ. Roedd y feddygfa'n meddiannu un ystafell pen blaen y tŷ gyferbyn â lolfa'r teulu lle roedd Wil James yn darllen ei gylchgrawn – *BARN*! Un o'r De oedd Wil James ac, wedi bod yn Llanaelhaearn ers pum mlynedd, yn awyddus rŵan i fynd yn ôl i'w wreiddiau. Doedd 'na ddim llawer o gyffro na pherswâd yn ei lais wrth iddo egluro natur y practis; efallai mai blinder oedd hynny – wedi'r cyfan, roedd y practis un-dyn hwn yn golygu bod ar ddyletswydd dydd a nos bob diwrnod o'r flwyddyn heb unrhyw drefniant i gael amser i ffwrdd. Gan fod y practis yn un oedd yn 'dispensio' hefyd, roedd 'na fferyllfa yng nghefn y tŷ. Braw yn wir! Wedi'r cyfan, doedd hyfforddiant mewn ysgol feddygol y '60au ddim wedi'm trwytho yn rhai o'r moddion oedd yn dal i gael eu defnyddio yng nghefn gwlad Cymru!

Digon i feddwl amdano felly wrth imi yrru yn ôl i'm gwaith ym Manceinion a'r fflat ar gampws Ysbyty Christie o'n i yn ei rannu gyda'm ngwraig Dorothi a Dafydd ein mab un oed, ein hunig blentyn ar y pryd. Astudio i fod yn arbenigwr oncoleg o'n i a hynny yn waith o'n i yn ei fwynhau yn fawr. Roedd y flwyddyn gyntaf yn canolbwyntio ar ffiseg yn bennaf, ac, newydd gymhwyso yn hynny roedd un rhan ohonof yn edrych ymlaen at y gwaith clinigol oedd i ddod. Ond, roedd 'na rywbeth arall yn cnoni oddi fewn. Wrth gwrs, roedd y fflat yn lle dienaid i fyw a magu plentyn ond, yn fwy na hynny, roedd yr hysbyseb oedd wedi ymddangos am bractis Llanaelhaearn yn y BMJ yr wythnos gynt yn cynnig cyfle imi symud i Gymru, ailsefydlu gwreiddiau Cymraeg y teulu, rhywbeth na chefais pan oeddwn i'n blentyn, a magu ein teulu mewn amgylchedd heb ei ail. Doedd y penderfyniad ddim yn hawdd – gyrfa 'ddisgwyliedig' a 'diogel' ar y naill llaw neu'r antur llawn ansicrwydd ond cyffrous ar y llaw arall. Yr olaf a orfu neu, o leiaf, y penderfyniad i wneud cais a enillodd y dydd gan adael y gweddill i ffawd!

Am fod y practis yn un ar gyfer meddyg ar ei ben ei hun, roedd cyfrifoldeb am ei lenwi yn aros gyda'r Pwyllgor Ymarferwyr Teulu lleol ac, o fewn y mis, daeth y llythyr hollbwysig, yn cynnig cyfweliad imi yng Nghaernarfon. Fel unrhyw feddyg arall, roedd gen i brofiad o weithio mewn ysbytai ar ôl graddio, (Manchester Royal Infirmary, Stepping Hill yn Stockport a Llangwyfan yn Sir Ddinbych), ond roedd fy mhrofiad mewn practis yn gyfyngedig – cyfyngedig, ond yn ddwys serch hynny, gan fy mod i wedi cael y profiad o weithio sesiynau yn ardal y dociau yn Salford rhwng swyddi ysbyty. Yr arfer oedd cynnal dau 'syrjeri' awr yr un mewn llefydd *lock-up* yng nghanol ardal ryfeddol o dlawd ac amddifad; yn pwyso yn fwy byth oedd nifer y bobl oedd yn eich disgwyl bob tro; byth llai na 70 o gleifion yr awr a'r nyrs ar y ddesg yn ceisio eu didoli yn ôl yr angen! Gan fod rhywun yn gorfod symud ymlaen i'r ail syrjeri, doedd hi ddim yn bosib i aros ymlaen chwaith. Dw i ddim yn siŵr ai hyn, a'r gwydnwch oedd ei angen i oroesi profiad o'r fath, wnaeth ddylanwadu ar y panel dewis, ond, er gwaethaf cystadleuaeth gan feddygon eraill, gan gynnwys pâr o feddygon priod, llwyddais i gael y cyfle ac roedd pennod newydd yn fy ngyrfa ar fin dechrau.

O gyrraedd Llanaelhaearn ar Hydref 1 y flwyddyn honno, daeth Bryn Meddyg felly nid yn unig yn fan gwaith ond yn gartref newydd inni fel teulu. Dyliwn ddweud ar y cychwyn, er bod Dorothi yn hanu o Iwerddon roedd y weledigaeth o fyw yng nghefn gwlad, a magu'r plant yn Gymraeg, yn rhywbeth yr oeddem ein dau'n ei rannu yn llwyr. O'n i wedi cyfarfod Dorothi yn fy mlwyddyn gyntaf, yn wir yn y tymor cyntaf, ym Mhrifysgol Manceinion – Dorothi yn astudio Therapi Iaith a Lleferydd yno, gan nad oedd yr un cwrs yn Iwerddon ar y pryd. Yn y dyddiau hynny, roedd y darpar-therapyddion yn ymuno â'r myfyrwyr meddygol am ddarlithoedd anatomeg mewn darlithfa Fictorianaidd. Yno, un p'nawn wrth imi geisio cropian i fewn yn hwyr i'r cefn, sef pen ucha'r ddarlithfa serth ei grisiau, baglais yn y fath fodd fel bod fy mriffces yn mynd i un cyfeiriad a finnau i gyfeiriad arall gan lanio ar fy wyneb. Gwnaeth y fath gynnwrf nid yn unig atal y ddarlith ond achosi i bawb droi i weld pwy oedd yr hwyr-ddyfodiad pechadurus! A dyna'r argraff gyntaf gafodd fy nghydymaith oes ohonof – bachgen 18 oed eithaf tew ei olwg, yn codi ei ben dros y rhes o feinciau tu ôl iddi ac, yn waeth byth, yn gwisgo 'dici-bo'. Yn ôl y sôn, yr hyn aeth trwy ei meddwl ar y pryd oedd – 'am wali'! Er hynny, priodi wnaethom ni yn 1966! Roedd hynny flwyddyn ar ôl i Dorothi raddio a threulio cyfnod yn gweithio yn ôl yn Ard Mhacha (Armagh) fel rhan o'i chytundeb wrth dderbyn grant. Yn fuan wedi hynny, penderfynom brynu ein cartref cyntaf, sef Graianfryn, Raca rhwng Penisa'rwaun a Deiniolen. Tŷ oedd hwn, yn rhan o stad y Faenol, â'r les ar werth am £1,250. Fe'i prynwyd wrth y les-ddaliwr ac, er bod Dorothi'n gweithio, yr adeg hynny nid oedd yn bosib i ferch gael morgais ei hun ac, felly, defnyddiwyd fy ngrant i dalu hwnnw dros gyfnod tra'n bod yn byw ar incwm Dorothi. O fewn dwy flynedd, roedd y rhydd-ddaliad ar gael gan y Faenol ac fe'i prynwyd am £1,250 ychwanegol, gan gynnwys hen fwthyn Frongeisia dros y ffordd.

Er fy mod i'n gweithio yn Lloegr pan anwyd Dafydd ar Ddydd Gŵyl Dewi 1969, roedd Dorothi wedi sefydlu ei hun yn Graianfryn yn barhaol cyn dyddiad disgwyliedig y geni fel bod modd sicrhau cenedligrwydd ein newydd-anedig! Rŵan, wedi imi gael y practis yn Llanaelhaearn, gyda'r rheidrwydd i symud i Fryn Meddyg, nid oedd dewis ond gwerthu ein cartref cyntaf yn Raca.

Roedd cyrraedd Llanaelhaearn yn brofiad na wna i byth mo'i anghofio. Yn yr wythnos cyn i Dorothi ymuno â fi, arhosodd Dr Wil James ym Mryn Meddyg a hynny er mwyn i'r trosglwyddiad fod yn un llyfn. Cyfle imi ddod yn gyfarwydd â'r anghyfarwydd a gofyn unrhyw gwestiynau o bwys am y drefn yn y practis. Roedd fy noson gyntaf yn profi'n her ac yn dyst na fedrwch fyth gynllunio popeth. Geiriau cloi gan Wil James y noson honno, 'dw i'n siŵr y bydd popeth yn iawn – er eich bod ar alwad, anaml iawn mae 'na alwad yn y nos gan fod pobl yn gwybod eich bod ar ben eich hun ac yn gorfod gweithio bore wedyn'. Prin bod hynny'n wir heddiw ond roedd ei eiriau i'w profi'n ddigon gwir yn ystod f'amser yn Llanaelhaearn – ond nid y noson honno! Roedd yn hanner awr wedi un yn y bore pan aeth y ffôn – mam yn bryderus am ei babi oedd yn crio yn ddi-baid. Yn y cynnwrf – a rhaid imi gyfadde yn fy hanner-cwsg – mae'n debyg i ran o'r neges fynd ar goll a'r cwbl glywais i oedd 'ffordd Llithfaen... a gadael y golau tu allan ymlaen i chi, doctor– '. Doedd dim mo'r enw na'r cyfeiriad iawn gen i hyd yn oed. Er hynny, doedd dim byd amdani, er gwaethaf geiriau cysur Wil James, ond gwisgo amdanaf a rhuthro at y fam bryderus a'i babi. A dyna fy mhroblem gyntaf! Roedd yr hen 'chwilen' VW wedi parcio o flaen y tŷ a ble oedd yr agoriad? – yn ddiogel tu fewn!

Roedd yr amser a dreuliais yn torri i fewn i'm car fy hun wrth feddwl am y fam yn ei phryder yn teimlo fel hydoedd. Daeth rhyw oleuni ymhen ychydig wedi imi chwilota am offeryn addas yn y feddygfa. Siswrn gyda phen blaen crwn ar gyfer torri bandais a gafodd fy sylw yn y diwedd, a gwthiais hwnnw i fewn i ffenest fach 'chwarter-light' cyn dal y bachyn a'i wthio o'r ffordd. Llwyddiant, ac i ffwrdd â fi am Lithfaen. I'r rhai hynny sydd ddim yn gyfarwydd â hi, rhuban o bentref yw hi a godwyd yn bennaf ar gyfer gweithwyr y chwareli o gwmpas yr Eifl. Wedi imi gyrraedd Llithfaen, rhyw ddwy filltir dros y bwlch o Lanaelhaearn, dyma fi yn chwilio am y goleuni a addawyd – a chwilio, a chwilio. Cyrraedd pen pella'r pentref heb yr un golau amlwg. Ar ôl mentro ar hyd y lôn ddwywaith, penderfynais gnocio ar ddrws yr unig dŷ lle roedd 'na unrhyw oleuni i'w weld. Daeth gwraig ifanc i'r drws mewn amser a babi yn ei chôl; llwyddiant? Na, bwydo'r babi oedd y fam a neb yn sâl yn y tŷ, ond diolch yn fawr i chi, doctor. Wrth feddwl, roedd hi'n hynod yn ei hymateb – gŵr dieithr yn cnocio ar ei drws am 2 o'r gloch y bore yn chwilio am fabi dienw mewn tŷ heb enw! Doedd hi ddim yn stori gredadwy iawn!

Roedd y pwysau arna i yn ymylu ar banic erbyn hyn; mam bryderus wedi ffonio o leiaf tri-chwarter awr yn gynt, ar binnau am gyflwr ei babi a finnau heb ddangos fy wyneb. Doedd dim dewis bellach ond mynd yn ôl am Lanaelhaearn a Bryn Meddyg ond, fel o'n i'n cyrraedd y pentref, gweld golau ar y chwith yng Nghae Llyn, rhes o dai oedd wedi ei gosod ychydig yn ôl o'r lôn a wal 'glawdd' tua 5 troedfedd o uchder

11

yn ei gwahanu wrth y lôn. Penderfynais fentro a gofyn eto felly, ond sut i gyrraedd y drws ffrynt? Doedd 'na ddim golau stryd. Felly, cerddais i un pen y wal a methu dod o hyd i'r un fynedfa. Cerdded i'r pen arall a'r un oedd y stori. Doedd dim amdani ond dringo'r wal! A dyna lle roeddwn i, am 2 o'r gloch y bore ar fy ngalwad cyntaf gyda bag Gladstone yn fy llaw, yn straffaglu dros wal gan gredu bod rhywun am fy ngweld y noson honno! Cefais groeso gan y fam amyneddgar, dim gair blin a'r geiriau yn felys i'm clust, 'Mae o'n gymaint yn well rŵan, doctor, ond diolch i chi am alw.' Ychydig o archwiliad er hynny ac yn ôl i'm gwely yn dawelach fy meddwl bod y bychan yn iawn ond, ar yr un pryd, yn gwybod bod 'na sawl gwers wedi ei dysgu – gwrando yn astud a holi mwy – 'ffordd Llithfaen' ac nid 'ffordd yn Llithfaen' oedd yr allwedd i'r dirgelwch y noson honno!

Ymhen dyddiau daeth Dorothi a Dafydd i ymuno â fi yn ein cartref newydd. 'Blaw am yr ymweliad ychydig o wythnosau yn gynt, prin o'n i adnabod yr ardal o gwmpas yr Eifl, ond o'r diwrnod cyntaf llifodd y cyfarchion a'r anrhegion – syml, ond gwerthfawr – cacen, bisgedi, te, siwgr ac, wrth gwrs, anrhegion di-ri i Dafydd Ieuan. Yn ei ganol yn ein croesawu roedd Margaret Rose, y 'dispenser'. Yn gyn-nyrs yn Ysbyty Môn ac Arfon, Bangor, roedd Margaret i'w phrofi yn ased gwirioneddol werthfawr imi yn ystod f'amser yn Llanaelhaearn. Yn ogystal â bod yn 'fferyllydd' ac yn nyrs, hi hefyd oedd y 'derbynnydd' ac yn gweithredu rhyw fath o *triage* ar fy rhan – hynny yw, hidlo'r cleifion oedd angen sylw gen i wrth rai nad oedd ei angen. Yno hefyd, a daethant yn rhan anhepgorol o fywyd bob dydd Bryn Meddyg, oedd Lena, Bryn Iddon a Cemlyn Williams, Rhes Ceiri. Roedd Lena nid yn unig yn gymorth o gwmpas y tŷ ond yn gwneud y gwaith hollbwysig o warchod fel bo'r angen. Roedd Cemlyn (neu Cremlyn i ddefnyddio ei lysenw oherwydd ei dueddiadau adain chwith!) ar y llaw arall yn help o gwmpas yr ardd wedi iddo dreulio ei oes fel chwarelwr a labro i godi'r atomfa yn Nhrawsfynydd yn y '60au.

Yno, dechreuodd y llif o gleifion i'm gweld fesul un â'u croeso cynnes nhw. Wnes i feddwl dim ar y pryd ond cofiaf sawl un yn sôn am fy nillad – 'rydych yn gwisgo yn wahanol inni, doctor' – a oedd, mae'n debyg, yn adlewyrchu'r ffaith fy mod i wedi bod yng nghanol y *swinging sixties* mewn dinas yn Lloegr. Ond roedd yr wythnosau cynnar yn arwain at wers arall hynod o bwysig imi. Wrth i feddyg 'ar ben ei hun' ymddeol o'i waith, yr arferiad oedd i bob claf dderbyn llythyr gan y Pwyllgor yng Nghaernarfon i ddweud hynny, a phwy oedd yn cymryd ei le; doedd dim rhaid i'r claf wneud dim mewn gwirionedd 'blaw ei fod eisio newid practis. Er hynny, natur chwilfrydig pobl wnaeth arwain ambell un i'm gweld dw i'n siŵr; pwy oedd y gŵr hwn efo'r enw Anghymreig a sut feddyg oedd o beth bynnag? Ar ddechrau'r '70au roedd yr ardal bron yn gyfan gwbl Gymraeg ac, wrth groesawu pobl a'u cymell i eistedd yn y gadair gyferbyn, peth digon naturiol oedd i wneud hynny yn yr iaith frodorol. Ond, o wybod dim amdana i, 'mond yr enw dieithr ar lythyr Saesneg o Gaernarfon, roedd fy nghyfarchiad yn syndod ac yn sioc i rai, ac ni fydda i byth yn anghofio'r wynebau wrth imi eu cydnabod – yn gyntaf, y wên wrth iddyn nhw ymlacio a'r geiriau wedyn yn dweud y cyfan 'o doctor, dw i mor falch eich bod chi'n siarad Cymraeg'. Doedd 'na ddim sôn am y Gymraeg yn yr hysbyseb swydd na'r disgrifiad swydd chwaith nac unrhyw gwestiwn imi am yr iaith yn y cyfweliad. Gan fod 80% o berthynas claf â'r meddyg yn ymwneud â chyfathrebu, rhaid gofyn pam mae'r gwasanaeth yn ymddangos mor ddi-hid ac mor barod i anwybyddu'r iaith?

Doedd pob 'croeso' ddim yn mynd mor esmwyth. Rhyw bythefnos ar ôl imi gychwyn ar fy ngwaith, cofiaf ŵr yn galw i fewn ac yn fy nghroesawu mewn acen lydan o'r Black Country, 'Welcome doctor, I'm sure you'll be very happy here; it's a great place to live apart from this bloody language'. Sut i ymateb? Ni wn, oherwydd f'enw, a oedd yn chwilio am rywun o'r un anian ond y cwbl o'n i'n medru cynnig yn ôl, gan geisio cadw fy mhroffesiynoldeb, oedd 'thank you for the welcome, my wife and I enjoy the language and it's one of the reasons we came here to live'. Doedd yr iaith ddim yn destun trafodaeth rhyngddom ni wedyn!

Roedd y practis yn ymestyn i Glynnog yn y Dwyrain a draw i Bistyll yn y gorllewin, yn ogystal ag ychydig o deuluoedd yn y pentrefi ar gyrion Eifionydd ac Arfon. Er bod canolbwynt y practis ym Mryn Meddyg, ddwywaith yr wythnos o'n i'n mynd i Festri Capel Maes-y-Neuadd, Trefor i weld y ffyddloniaid, a phob dydd Mawrth a dydd Sadwrn ro'n i'n mentro i Lithfaen a chynnal y fflam mewn hen gwt sinc yng nghanol y pentref. Anodd credu'r fath amgylchiadau heddiw – gynt yn siop i gigydd y pentref (a'r bachau cig yn dal ar y wal!) roedd 'na lawr concrid, dim dŵr *mains*, mynediad i'r cwt i fyny stepiau heb ganllaw, a thu fewn yn ddim ond mainc ar gyfer y cleifion i eistedd, a phared yn eu gwahanu wrth y lle 'gwaith'. Yno, roedd gen i fwrdd, jwg dŵr a basn, dwy gadair a mainc archwilio – ac yn hollbwysig, fflasg gyda choffi wedi ei ddarparu gan Wil, Tŷ Croes gyda Besi, Plas yn y cefndir yn cynnig cymorth yn ôl yr angen.

Roedd Wil yn ei 80au pan gyrhaeddais y practis ac yn byw dros y ffordd i'r feddygfa. Trefn ddigon anffurfiol oedd gen i o ran talu Wil a dwywaith y flwyddyn roedd yn f'atgoffa – 'ffair pen tymor y penwythnos 'ma, doctor' – yn adlewyrchiad o'r oes oedd wedi hen ddarfod! Roedd Wil, ynghyd ag Ifor Evans yn siop Trefor, yn gwbl allweddol o ran 'gweinyddu'r' drefn oedd gen i. Ar ôl imi gynnal y cymorthfeydd ymylol yn y boreau bob wythnos, o'n i'n mynd â'r presgripsiynau yn ôl i Fryn Meddyg, rheini yn cael eu dispensio gan Margaret Rose cyn i'r cyfan fynd yn ôl at Wil neu Ifor erbyn y p'nawn gan adael i'r cleifion eu codi o'r fasged benodedig. Y fath ymddiriedaeth! At ei gilydd roedd y drefn yn gweithio, ond roedd 'na eithriadau fel ffeindiodd Medwyn, Y Felin pan ddaeth i'r tŷ i nôl ffisig i'r plant. Methodd gyrraedd y drws wedi iddo gael ei rwystro gan Padrig, ein cawr o fleiddgi Gwyddelig chwareus. Dawnsiodd Medwyn i'r chwith, wedyn i'r dde i'w osgoi ond doedd hyn ddim yn tycio ac i ffwrdd â fo â'i gôt wedi ei rwygo'n ddarnau – ymddiheuriadau, Medwyn!

Doedd y syrjeri yn Llithfaen ddim yn brysur fel rheol – efallai rhyw hanner dwsin o gleifion yr awr ar gyfartaledd a chyfle felly i gael fy ngwynt a synfyfyrio ar yr olygfa odidog draw dros benrhyn Llŷn. Cofiaf un bore, a hwnnw yn ddistaw heb yr un claf wedi bod i'm gweld; clywais sŵn ochr arall i'r pared lle yr eisteddai'r cleifion, a gan feddwl bod rhywun am fy ngwasanaeth, agorais y drws yn barod i gyfarch y cyfryw 'glaf' 'mond imi weld dafad yn gwthio ei ffordd heibio!

Roedd fy ngallu ieithyddol yn y Gymraeg yn eithaf da erbyn imi gyrraedd Llanaelhaearn – er bod fy nghefndir yn Gymraeg ochr fy mam, prin oedd yr iaith gartref ac felly yn f'arddegau es i ati o ddifri i ddysgu'r iaith. Mynychais wersi nos gan Joe Wright [Rhosllannerchrugog yn wreiddiol] ar ôl gadael y brifysgol ac, wedyn, wythnos ar gwrs Geraint Wyn yng Ngholeg Harlech gyda Geraint Percy yn diwtor neilltuol. A dyna'r cyfan; o'n i wedi arfer siarad Cymraeg efo'r chwarelwyr yn ysbyty'r frest yn Llangwyfan a chleifion o Feirionnydd yn Ysbyty Christie a roedd f'amgylchedd byw yn gefnogol, neu o leiaf mi oedd y rhan fwyaf o'r amser! Roedd gen i welyau yn Ysbyty Bryn Beryl fel rhan o'm gorchwyl practis, ac wedi bod yn gwrando ar newyddion Radio Cymru rhyw fore yn fuan ar ôl imi ddechrau, gwelais un o'r cyfranwyr y bore hwnnw – Dr Caradog Griffiths, Pwllheli – yn y maes parcio wrth imi gyrraedd drws yr ysbyty. Hwn oedd y tro cyntaf imi ei gyfarfod, ac wrth imi fynegi fy ngwerthfawrogiad o'i gyfraniad y bore hwnnw, cefais fy nal yn gegrwth – 'I don't know why you're bothering with Welsh. I'm from Four Crosses and the best thing I ever did was to learn English properly' ac i ffwrdd â fo. Ymateb creulon, ond eithriad oedd hynny. Yn sicr, cynhaliol iawn oedd y gymuned drwyddi draw ac i rywun fel Dorothi, nad oedd erioed wedi clywed y Gymraeg nes iddi fy nghyfarfod yn y brifysgol, roedd yn gymorth mawr. Ymdrochi yw'r gair sy'n cael ei ddefnyddio bellach, ond gyda Margaret Rose, Lena, Cemlyn, y cleifion a ffrindiau yn y cefndir, yn fuan iawn daeth hi'n rhugl a hyderus hefyd – digon hyderus yn y genhadaeth yn wir fel y gwnaeth hi ar-y-cyd â Jean Tomlinson, Trefor sefydlu'r gangen Uned Feithrin gyntaf yn yr ardal yn fuan ar ôl inni symud.

Ond, doedd y dyddiau cynnar ddim heb eu heriau. Prin

o'n i wedi ffeindio fy ffordd o gwmpas y pentref pan drawodd newyddion yr ardal oedd am newid bywydau pawb yn y fro a'n ffordd ni o fyw fel teulu – bygythiad i'r ysgol.

Edrych Dros y Dibyn

SAIF YSGOL LLANAELHAEARN yn adeilad amlwg a chadarn yng nghanol y pentref, yn ffocws ar gyfer addysg plant y fro ers ail hanner y 19eg ganrif. Am fraw felly oedd clywed bod rheithor y plwyf, y Parchedig William Roberts, wedi galw cyfarfod cyhoeddus i drafod bygythiad y Cyngor Sir i gau'r ysgol prin pythefnos wedi inni ymgartrefu ym Mryn Meddyg. Roedd hi'n noson wlyb, ddiflas o hydref wrth imi ymlwybro am yr ysgol, ychydig yn bryderus am yr hyn a'm hwynebai. Prin o'n i'n adnabod trwch y gynulleidfa ond, gyda'r ysgol o dan ei sang a phawb ar dân dros ei chadw yn agored, yn fuan iawn cefais fy nenu i fewn i ysbryd y noson gan nad oedd neb yn pryderu yn fwy na fi o weld un o gonglfeini'r pentref yn cael ei fygwth ac adnodd i'n plant yn diflannu. Sail y bygythiad oedd Adroddiad Gittins 1967, a gomisiynwyd gan y Swyddfa Gymreig i ystyried y ffordd orau i ddarparu addysg gynradd yng Nghymru. Ymysg ei argymhellion roedd yn cymeradwyo cau ysgolion gyda llai na thri o athrawon neu 50 o blant, a gyda 27 o blant a dau athro roedd Ysgol Llanaelhaearn yn darged amlwg am y fwyell. Doedd nemor ddim gwariant wedi bod ar yr ysgol ers blynyddoedd, megis y tân côcs yng nghornel y dosbarth a'r dirywiad cyffredinol yn adnoddau'r ysgol. Er hynny, roedd yr ysgol wedi cynhyrchu pobl ddisglair gan gynnwys awdur yr adroddiad a roddodd fodolaeth i'r Ddeddf Iaith gyntaf yn 1967, y bar-gyfreithiwr enwog Syr David Hughes Parry. Gwelwyd dirywiad cyson yn niferoedd y plant yn yr ysgol o 98 ar y brig yn 1903, a hyn yn adlewyrchu ffawd y chwareli ithfaen gerllaw ynghyd â'r newid patrwm mewn amaethyddiaeth. Ond roedd 'na arwyddion o'r niferoedd yn codi eto hefyd. Ysgol

Bryncroes ym Mhen Llŷn oedd yr ysgol gyntaf ar y rhestr o 17 ysgol i'w cau ond gwelodd yr awdurdodau wrthwynebiad ffyrnig i'w cynlluniau. Methodd Bryncroes â goroesi, ond heb os llwyddodd yr ymgyrch 'na i osod 'agenda' defnyddiol ar gyfer Llanaelhaearn, yr ail ar y rhestr.

Mae'n rhyfedd sut mae un digwyddiad yn medru newid cwrs bywyd rhywun ond dyna yn union a ddigwyddodd. Doeddwn i ddim yn ymgyrchydd yn y brifysgol er gwaetha'r ffaith fod y '60au yn cael eu cyfri'n ddegawd gwrthryfelgar. Diddordeb yn sicr, ac oriau lawer yn yr Undeb yn trafod gwleidyddiaeth, ond erioed wedi protestio. Rŵan roedd brwdfrydedd y bobl, ynghyd â'n dyheadau ni fel teulu, yn gyfuniad nad oedd modd ei wrthod ac, felly, yn yr amser sbâr oedd gen i, doedd 'na ddim dewis ond ymuno yn y frwydr! Ac am frwydr – parhaodd am ddwy flynedd i gyd, yn gyfuniad o ddeisebu yn lleol, ralis yn y pentref ac yng Nghaernarfon, llythyrau cyson i'r wasg yn lleol a chenedlaethol, erthyglau mewn cylchgronau addysg, lobïo'r cynghorwyr sirol a'r aelod seneddol, y swyddfeydd addysg yng Nghaerdydd ac, wrth gwrs, y Swyddfa Gymreig. Prin oedd y sylw a roddodd yr awdurdodau inni ar y dechrau, a phan ymddeolodd y brifathrawes gwrthodwyd ein cais i hysbysebu'r swydd; yn hytrach, danfonwyd rhywun 'llanw' i wneud y gwaith. Dysgais i lawer am amrywiol dactegau cyrff cyhoeddus a sut i ymgyrchu 'radeg yma. Doedd iechyd y Parchedig William Roberts ddim yn dda a chefais fy hun yn gwneud mwy byth ond, fel aeth yr amser yn ei flaen a dim newyddion cadarnhaol, roedd y gymuned yn dechrau anobeithio a'r gri gynyddol yn aros yn y cof: 'pam ydach yn trafferthu, doctor? Cau hi wnawn nhw'.

Dyna oedd y drefn yn nhyb y rhan fwyaf – roedd yr awdurdodau wedi dweud! Doedd o ddim yn fy natur i roi'r gorau iddi a threfnwyd un rali arall yng Nghaernarfon ar b'nawn roedd y Cyngor Sir yn cyfarfod i roi sêl terfynol ar y 'cau'. Gyda Seindorf Arian Trefor yn arwain, cafwyd gorymdaith i fewn i'r dref cyn ymgynnull ar y Maes ger cofgolofn Lloyd George. Ond daeth tro ar fyd pan gyrhaeddodd neges y rali yn hollol annisgwyl gyda'r newyddion bod y sir wedi gwyrdroi eu polisi ac, felly, am gadw'r ysgol yn agored. Trodd y rali brotest yn rali ddathlu! Does dim dwywaith, arweiniodd y penderfyniad at newid agwedd yn y pentref yn fwy cyffredinol ac arweiniodd at sawl ymgyrch arall yn ei thro.

Y gyntaf o'r rhain oedd yr ymgyrch i hysbysebu swydd Prifathro fel swydd barhaol. Yr honiad oedd na fyddai'r ysgol yn denu rhywun teilwng. Anghywir! Profwyd hynny gyda 36 o ymgeiswyr ar gyfer y swydd – y cyhoeddusrwydd a phenderfyniad pobl yr ardal i ymladd a wnaeth y gwahaniaeth – ac, o fewn wythnosau, fe benodwyd John Roberts yn athro dawnus a llawn ymroddiad i'r swydd. Fe ymunodd â Miss Marged Elis i greu tîm cryf iawn y byddai unrhyw ysgol fach yn falch ohono, fel wnes i dystio wrth i'n plant fynd drwy'r drefn. Y cam nesaf oedd sicrhau y gwelliannau gwir angenrheidiol yn yr ysgol. Cyndyn oedd yr awdurdod i wario, ond gyda'r Cynghorydd Sir Glyn Williams yn gefn inni fe lwyddwyd i ddenu gwariant o £35,000, a gwedd-newidiwyd yr ysgol gyda tho newydd ac uniad hen dŷ'r ysgol â'r ysgol ei hun. Ychwanegwyd adnoddau newydd yn y gegin ynghyd â llyfrgell newydd, ac erbyn 1973 roedd gennym ysgol roedd pawb yn medru ymfalchïo ynddi. Doedd 'na ddim edrych yn ôl!

O'm profiad i, mae Ysgol Llanaelhaearn yn llwyddo, ond mewn ysgol mor fach mae hyn yn dibynnu llawer ar allu a phersonoliaeth y staff. Felly ydoedd hefyd o ran fy mhrofiad addysg gynradd i ond o dan amgylchiadau tra gwahanol. Cafodd fy mam Mary Gwyneth ei geni yn Llanberis, yn ferch i'r chwarelwr Hugh Thomas ac Ani ei wraig. Bu i Mam gyfarfod fy nhad tra oedd yn gweithio yn siop ei frawd ar Stryd Llyn, Caernarfon. Er o deulu tras Swydd Stafford yn wreiddiol, cafodd fy nhad ei fagu ym Manceinion. Dw i ddim yn siŵr am faint roedden nhw'n byw yn yr hen sir Gaernarfon, ond symud i Fanceinion wnaethon nhw i chwilio am borfeydd brasach mae'n rhaid! Doedd 'na ddim gair o Gymraeg rhwng fy nhad a'm mam. Un peth yn anad dim oedd yn nodweddu fy mam oedd ei phenderfyniad fy mod am gael addysg dda a pheidio byth â bod yn yr un sefyllfa â'i theulu ei hun. Collodd ei thad o'r sarcoidosis pan oedd yn 47 oed, yn bennaf oherwydd ei waith fel chwarelwr yn Ninorwig. Bu farw taid cyn imi cael fy ngeni, ond mae'n debyg ei fod yn un oedd yn canu mewn nosweithiau llawen, ac fel gymaint o ddioddefwyr eraill, gwnaeth hynny wyrthiau i'w atal dweud – a'i hyder! Fy mam, a'i chwaer Eluned, oedd yr unig rai o'r saith plentyn gafodd Hugh ac Ani i gyrraedd oed oedolyn wedi i bump o'i brodyr a'i chwiorydd farw yn blant bychain neu, yn achos Letitia, yn laslances.

Addysg, felly, fel cymaint o'r genhedlaeth 'na oedd y ffordd i sicrhau dyfodol gwell, a dewis Mam oedd fy nanfon i ysgol fach breifat ar gyrion pentref Prestwich yng ngogledd Manceinion pan o'n i'n ddwy oed. Cliff Grange oedd enw'r ysgol a dwy Wyddeles oedd wrth y llyw – Mrs Connolly a Miss Lavery – chwiorydd o Swydd Corc yn Iwerddon yn wreiddiol. Does gen i ddim cof am faint barhaodd Cliff Grange wedi imi ddechrau yno, oherwydd yn fuan wedyn symudwyd yr ysgol i fyngalo y ddwy wraig ar stad gyfforddus yn Sedgley gerllaw. Miss Lavery oedd yn gyfrifol am y plant bach a Mrs Connolly yn edrych ar ôl y plant hŷn. Ni wn pam y caewyd Cliff Grange, ond tybed a oedd yr arogl chwisgi a oedd yn fy nghyfarch bob bore rywbeth i'w wneud â'r peth? Er hynny, ac er gwaetha'r ffaith fod rhaid imi gerdded efo fy mam tua dwy filltir ym mhob tywydd i gyrraedd yr ysgol bob bore, mae gen i gof da iawn o'r profiad cynnar 'na. Dosbarthiada' bychain iawn – doedd yr ystafelloedd ddim yn caniatáu mwy na hanner dwsin yr un! Cofiaf ddigon o sôn am ddaearyddiaeth a syms, 'sgrifennu *copperplate*, hyd yn oed cael fy nhrwytho mewn Esperanto ond, yn hollbwysig, yr awyrgylch cynnes. Yn amlwg roedd Mam yn teimlo ei fod yn werth yr arian oherwydd prin o'n i yn ei gweld 'blaw ei bod yn gweu, gwnïo neu gymhennu dillad ar gyfer cymdogion yr ardal er mwyn ennill ychydig o bres i'm cynnal.

Roedd y cyfnod 1970–73 yn fodd i ddeall fy nghymuned yn Llanaelhaearn yn dda; nid yn unig 'mod i'n gweld llawer o'r pentrefwyr yn ddyddiol yn rhinwedd fy ngwaith, ond roedd amgylchiadau wedi'm cymell i gydweithio â nhw yn eu hymdrechion arwrol i sicrhau buddiannau'r pentref. O ganlyniad, deuthum yn gyfarwydd â rhai o'u problemau, eu hanes, eu gwerthoedd a'u dyheadau, a roedd hynny'n fodd hefyd i'w deall yn well fel unigolion fyddai'n dod i'm gweld yn y feddygfa. Am y tro cyntaf – yn sicr, doedd o ddim yn destun ar fy nghwrs meddygol – roedd rhywun yn dechrau deall effaith dirywiad cymuned ar yr ardal, a'r berthynas rhwng ffactorau megis tlodi, tai gwael, diffyg gwaith, yr economi wan ac iechyd. Law yn llaw â llwyddiant achub yr ysgol, tyfodd fy hyder mewn delio â phobl ynghyd â'm hadnabyddiaeth o lywodraeth leol a chanol ac, yn wir, fy niddordeb mewn cymunedau gwledig a'u goroesiad yn gyffredinol.

Roedd y sefyllfa dai yn Llanaelhaearn yn y '70au yn wirioneddol drychinebus. Yn ôl Arolwg Tai Cymru 1986, roedd canran y tai oedd heb y cyfleusterau sylfaenol yn waeth yn Nwyfor na'r un dosbarth arall yng Nghymru. Doedd 'na ddim un tŷ newydd yn y pentref ers 40 o flynyddoedd a dim ond un siop oedd yno o'i gymharu â saith cyn yr Ail Ryfel Byd. Caewyd 'gwaith mawr' Trefor chwe mis ar ôl imi ddechrau yn y practis, a gyda hynny y cyfrifoldeb o fod yn feddyg olaf y chwarel. Mae'r offer o'r cyfnod yno yn dal gen i, gan gynnwys y llif *stainless steel* ar gyfer torri ambell aelod clwyfedig i ffwrdd – diolch byth na ddaeth y swyddogaeth honno i'm rhan! Roedd y pentref yn prysur ddadfeilio a nifer o dai yr ardal yn cael eu prynu fel tai haf – nid tai anghysbell ond tai teras yng nghanol y pentref. Cododd hyn fy ngwrychyn i'r fath raddau nes i fi un waith, wedi iddi nosi, fynd am dro i lawr i Dyddyn Drain a phaentio 'SPECULATORS OUT' ar wal wrth ochr y lôn. Doedd Dorothi ddim yn ymwybodol fy mod i am wneud, ond wedi imi gyrraedd adref â hoel mwyar duon ar hyd fy nghot, roedd rhaid imi gyfaddef ac egluro 'mod i wedi gwthio fy hun i ganol llwyni wrth geisio osgoi goleuadau ambell gar! Mae'n rhaid fy mod i wedi defnyddio paent da gan fod yr 'arwydd' yno 25 mlynedd yn ddiweddarach nes i'r ffordd gael ei lledu.

Mae dirywiad yr ardal yn amlwg yn y tabl isod gyda thraean

21

o'r boblogaeth wedi ei cholli ers yr adeg roedd y chwareli yn
eu bri. Effeithiodd hyn yn enbyd ar ysbryd a morâl yr ardal,
a hynny i'w weld ar wynebau'r cleifion o ddydd i ddydd ac yn
natur y cyflyrau oedd yn fy wynebu yn rheolaidd – clefydau'r
galon, pwysedd gwaed uchel, clefyd siwgr ac iselder.

Poblogaeth y Plwyf

1921	1543
1931	1654
1951	1323
1961	1242
1971	1059

Ymunais â Chymdeithas Tai Gwynedd yn 1971, cymdeithas
o wirfoddolwyr a ddenodd arian gan y cyhoedd a'i fuddsoddi
mewn tai yn lleol ar gyfer Cymry ifanc. Yn fuan iawn, ces fy
hun ar y Pwyllgor Rheoli a chael cyfarfod, am y tro cyntaf,
pobl fel Brian Morgan Edwards, Dewi Jones, Bruce Griffith,
Ieuan Parri, Ifan Gwyn, O P Huws, Maldwyn Lewis a Dafydd
Iwan, pobl fyddai â chryn ddylanwad ar rai o'm hymdrechion
yn y blynyddoedd i ddod. Brian, yn Gymro di-Gymraeg a
chenedlaetholwr brwd o Abertawe, a fo yn anad neb oedd y
meistr ar y meddylfryd 'can-do' – hynny oedd ei gyngor fel gŵr
busnes wrth i Dafydd Iwan a Huw Jones awgrymu bod angen
cwmni recordiau i hyrwyddo'r sin Gymraeg. 'Do it then' oedd
yr ateb swta i unrhyw her fyddai o fantais i Gymru a'r iaith!
Sbardunwyd Tai Gwynedd yn yr un modd. Cychwynnodd o
sgyrsiau am bryderon y farchnad dai ar gyfer pobl ifainc yng
nghefn gwlad. Roedd yr hinsawdd creadigol hwn yn fêl imi, ac
yn fuan wedyn roedd y profiad yn cael ei ddefnyddio i bwrpas
ehangach yn Llanaelhaearn.

Dadeni yn y Fro –
Antur Aelhaearn

DILYNWYD Y FRWYDR i arbed yr ysgol gan gyfnod o ddadansoddi! Roedd y dadleuon yn syml mewn gwirionedd – yr ysgol wedi wynebu'r fwyell am fod nifer y plant yn gostwng a'r nifer hwnnw'n dirywio oherwydd bod cymaint o bobl ifainc yn symud i ffwrdd i chwilio am waith.

Nifer Disgyblion yr Ysgol
1903	98
1922	84
1956	43
1964	36
1970	27

Roedd hi'n ddigon hawdd darogan y dyfodol. Onibai bod 'na adfywiad i'r pentref, er y gwelliannau yn yr ysgol, yn fuan iawn byddai'n wynebu'r un bygythiad i'w chau eto. Codwyd y cwestiwn yn syml – beth oedd yn bosib inni ei wneud ein hunain i ymateb i'r sefyllfa? Daeth y criw oedd wedi bod wrthi gyda'r ymgyrch ar ran yr ysgol at ei gilydd a sefydlu Cymdeithas y Pentrefwyr. Y nod yn syml oedd ceisio hyrwyddo buddiannau'r pentref. Taclo'r broblem diffyg tai, hwyluso caniatâd cynllunio, gwella derbyniad teledu, creu llwybr diogel ar hyd ffordd fawr y pentref – unrhyw beth mewn gwirionedd fyddai'n gwella ansawdd bywyd y boblogaeth. Er yn ymdrechgar, doedden ni ddim yn llwyddo lawer, ac yn weddol fuan daethom i ddeall bod angen newid ein 'strategaeth'. Wedi'r cyfan, pam dylai'r

23

Cyngor Sir yng Nghaernarfon gynnig sylw arbennig i'n pentref bach ni yn fwy na'r degau o bentrefi eraill yn y sir?

Oherwydd gwreiddiau Dorothi yn Iwerddon roedd yn arferiad gennym, ers imi ddod i'w hadnabod yn y '60au, i dreulio rhywfaint o amser yno bob blwyddyn – ymweld â'i theulu ac wedyn crwydro'r wlad. Tua diwedd y '60au, wrth inni ymlwybro drwy Swydd Corc a chyrraedd Baltimore, gwelsom fod 'na ynys Gaeltacht o'r enw Oileán Chléire, tuag wyth milltir oddi ar yr arfordir a chanddi rhyw 160 o drigolion. Aethom yno am y diwrnod ar gwch yr ynys, y Naomh Ciarán, a dod yn ymwybodol am y tro cyntaf fod y bobl yn ceisio datblygu'r ynys a gwarchod eu hunaniaeth. Roedd 'na siop a gweithdy ger yr harbwr ond prin oedd y cyfle y p'nawn hwnnw i grwydro a deall y cyfan. Rhyw bum mlynedd wedi hynny, felly, tybed a oedd 'na ateb i'n problemau ni ar yr ynys anghysbell hon? Beth am inni edrych yn fanylach? Roedd angen tipyn o ymchwil ac, o wneud hwnnw, cafwyd gwybod mai offeiriad Pabyddol, y Tad Tomás Ó Murchú, oedd yn arwain y frwydr i warchod y Gaeltacht drwy sefydlu cydweithfa gymunedol neu *community co-operative* ar yr ynys. O fewn dyddiau, estynnwyd gwahoddiad inni ymweld ag o.

Fy nghyfaill Emrys Williams a finnau aeth, a chroesi ar y llong o Abertawe i Corc gyda'r bwriad o ddal y bws ymlaen i Baltimore, man cychwyn y croesiad i Oileán Chléire. Roedd hi ychydig cyn y Pasg 1973, ac fel mae'r tywydd yn medru bod adeg 'na o'r flwyddyn, roedd yn noson wyllt ac yn groesiad digon hegar. Golygodd hynny fod y llong yn cyrraedd Corc deirawr yn hwyr y bore wedyn a ninnau wedi methu'r unig fws i Baltimore y diwrnod hwnnw! Doedd 'na ddim dewis ond bodio ar draws y wlad os oedden ni am gyrraedd yr ynys mewn pryd y noson honno. Fe lwyddwyd i gyrraedd Baltimore a'r porthladd a oedd ar un adeg yn fan cychwyn mordeithiau i America. Heddiw, roedd ein cwch bach ni'n edrych yn llai na digonol i wynebu môr yr Iwerydd ond, wedi i'r storm ostegu a'r môr dawelu yn y bae, i ffwrdd â ni. A roedd popeth yn iawn nes inni gyrraedd môr agored yr Iwerydd.

Slabyn o gwch tua 15 troedfedd oedd gennym, gyda chaban bach yn y pen blaen. Yno roedd y 'capten' wrth y llyw ac yno efo fo offeiriad oedd wedi arfer gweinidogaethu ar yr ynys. Roedd yr awr a hanner nesaf yn hunllef gydag Emrys a finnau'n sefyll tu ôl i gaban bychan y capten yn ceisio osgoi'r tonnau a ddôi amdanom yn ddi-baid – dros ochr y cwch siŵr iawn ond dros y caban hefyd gan lanio ar ein pennau bob hyn a hyn. Wna i byth anghofio bloedd Emrys fel aeth un don â'i sbectol oddi ar ei ben gan lanio ar ymyl y cwch. A dyna lle roedd o wedyn, ar ei hyd yn gafael efo un llaw ar y polyn 'mellt' oedd yn sownd (roedd yn gobeithio) i'r caban ac yn ymestyn efo'i law arall am ochr y cwch, a'i sbectol hollbwysig. Dw i ddim yn siŵr pwy oedd yr un mwyaf pryderus, Emrys yn cyflawni'r fath gampwaith neu finnau'n ei wylio a meddwl fy mod yn mynd i'w golli! Stopiodd yr injan yn rheolaidd. Y tro cyntaf i hynny ddigwydd roeddem ni'n meddwl bod y byd ar ben – yng nghanol y môr tymhestlog a chreigiau miniog lluaws o bobtu, pwy oedd yn mynd i'n hachub rŵan? Ond, o glywed sgwrs y capten â'i gydymaith, deallais mai modd i osgoi'r gwaethaf o'r tonnau oedd y cam hwn. Bu'r offeiriad yn gweithio ar yr ynys am saith mlynedd a doedd o ddim yn gysur o glywed rhywun mor brofiadol â fo'n gofyn oni fyddai'n well inni droi yn ôl!

Ond cyrraedd wnaethom ni a'r hen goesau fel jeli wrth inni sefyll ar y cei. Wedi aros yno am ychydig o funudau, daeth y Tad Tomás i lawr yr allt i'r harbwr, ein cyfarch a chydymdeimlo â ni. Doedd y cymeriad Father Ted ddim wedi ei greu ar y pryd ond buaswn yn taeru ei fod o wedi ei seilio ar y Tad Tomás, dyn caredig, cymwynasgar a llawn brwdfrydedd heintus.

Wedyn, cafom ein hebrwng i fyny i'n llety lle roedd Mrs Ryan yn ein lletya am y tri diwrnod. Roedd y croeso'n gynnes iawn wrth gwrs ond, ar ôl cynnig panad, fe'n dangoswyd i'n hystafell. Dw i ddim yn siŵr ai ymateb i'n hwynebau ni oedd hi, ond y geiriau anfarwol sydd yn aros yn y cof – 'bydd eich gwelyau i fyny mewn ychydig'. Roedd yr ystafell yn hollol foel a chyfeirio oedd hi at y ffaith bod ein gwelyau wedi croesi efo ni yng nghrombil y cwch ac, ar y gair, dyma dractor yn aros tu allan i'r bwthyn ac i fewn â'r gwelyau, y matresi a'r sbrings angenrheidiol! O gyfarfod y Tad Tomás y noson honno a'r dyddiau wedyn, gwelsom waith arloesol y gydweithfa gymunedol a sut oedd y rhan fwyaf o'r boblogaeth wedi prynu siâr yn y mudiad er mwyn sicrhau datblygiad yr ynys a ffyniant i'r iaith. Fe welsom, gydag edmygedd, ffatri, caffi a gweithdy gwneud crefftau a'r corff llywodraethol Gaeltarra Éireann, â'i gyfrifoldeb am hybu'r Gaeltacht, yn gefn i'r cyfan. Doedd dim corff tebyg yng Nghymru, ond tybed, serch hynny, a oedd hwn yn fodel addas i Lanaelhaearn?

Wedi inni ddychwelyd, trefnwyd cyfarfod cyhoeddus yn Neuadd Llanaelhaearn. Adeilad sinc nid ansylweddol wrth ochr y ffordd fawr yng nghanol y pentref ydoedd a chartref i hogia snwcer y pentref, a'r noson honno roedd cynulleidfa deilwng iawn yno i wrando ar ein profiad a'n meddyliau. Y farn unfrydol oedd y dylid ymchwilio i'r posibiliadau o greu rhywbeth tebyg yn Llanaelhaearn. Gan nad oedd y fath beth â chydweithfa gymunedol yn bod yng ngwledydd Prydain ar y pryd, roedd angen cyngor arbenigol arnom gan y Welsh Agricultural and Organising Society yn Aberystwyth. Y cyngor hwnnw oedd y dylid sefydlu'r co-op fel Cymdeithas Ddiwydiannol a Darbodus (IPS) o dan Ddeddf Cymdeithasau Diwydiannol a Darbodus 1965, a chyflwynwyd y farn honno i gyfarfod cyhoeddus arall lle y'i derbyniwyd a rhoddwyd y broses ar waith.

Ar 1 Ionawr 1974 sefydlwyd Antur Aelhaearn fel y gydweithfa gymunedol gyntaf yng ngwledydd Prydain a dewiswyd pwyllgor rheoli, neu Senedd, i fod yn gyfrifol am yr achos. Dewiswyd y gair Senedd ar ôl yr arfer o'i ddefnyddio ar gorff rheoli Enlli ers lawer dydd. Roedd gan bawb ar restr etholwyr Llanaelhaearn yr hawl i brynu un siâr am £1 fel y byddai gan bawb hawliau cyfartal. Gyda 243 o bobl ar y rhestr etholwyr, doedd hynny ddim yn mynd i ddenu llawer o arian ac felly, yn ogystal, cynigiwyd 'stoc benthyg', gan ddenu buddsoddiadau naill ai ar fenthyg, ar log i'w sefydlu'n flynyddol, neu'n ddi-log fel y dewisodd llawer. Roedd y cynnig hwn yn agored i'r byd ond heb yr hawl i bleidleisio yng ngweithgaredd yr Antur.

Mynegiant o gefnogaeth oedd hwn yn bennaf felly. Aeth rhai ohonom o gwmpas y pentref a'r ffermydd cyfagos gyda thaflen – a'i chlawr wedi ei llunio gan yr arlunydd lleol adnabyddus John Baum – i egluro natur yr Antur a cheisio cael pawb i ymaelodi. Wrth gwrs, roedd 'na amheuaeth gan ambell un – 'peth politicaidd,' chwedl rhai, ond roedd y rhan fwyaf yn deall yr egwyddorion ac ymrwymodd trwch y bobl i ymaelodi. Roedd y gwaith o 'atgyfodi'r' pentref yn dechrau o ddifri.

Roedd aelodau'r Senedd yn gymysg o ran eu cefndir – dau ffermwr Robert Ellis a John Rowlands, athrawes Gwenno Mai Jones, gohebydd Emrys Williams, adeiladwr William Arthur Evans, saer coed Wil Hughes, gweinyddwr Tom Roberts, nyrs Laura Tofarides, clerc Joan Jones, a finna. Doedd y profiad *entrepreneuraidd* ddim yn amlwg ymysg yr aelodau ac, felly, roedd y camau cyntaf yn rhai gofalus iawn – beth oedd yn addas i'r ardal ac, yr un mor bwysig, beth oeddem ni'n medru ei fforddio. Roedd y pwrs yn araf lenwi wrth i'r gair fynd ar led ein bod ni'n dechrau ar y gwaith, a gyda £1000 wedi ei hel dechreuwyd meddwl o ddifri am y cam nesaf. Doedd 'na dim ffasiwn beth ag adran ddatblygu economaidd yn y Cyngor Sir 'radeg honno a doedd Awdurdod Datblygu Cymru (WDA) ddim wedi cychwyn ar ei waith, a'r unig gyngor busnes oedd ar gael oedd trwy CoSIRA – Council for Small Industries in Rural Areas – a'i swyddfa bellennig. Doedd y syniad o greu 'cynllun busnes' ddim yn gyfarwydd inni ar y pryd chwaith! Wedyn, drwy ffawd, ymddangosodd hysbyseb gan ŵr a oedd yn was sifil yn Aberystwyth, yn nodi ei fod eisio ymsefydlu fel crochenydd mewn ardal Gymraeg. Roedd ei deulu'n hanu o Nefyn, ac er iddo gael ei fagu yn Lerpwl roedd yn awyddus i wella ei Gymraeg. Roedd Steffan Rhys yn briod gyda phlentyn, ac wedi cyfweliad llwyddiannus cafodd wahoddiad i ymuno yn y fenter. Prin oedd y llefydd addas yn y pentref ar gyfer gweithdy o'r fath a chynigiwyd y garej eang ym Mryn Meddyg iddo. Yng Ngorffennaf 1974, wedi inni gael caniatâd cynllunio, symudodd Steffan i fewn gyda'i odyn a'i olwyn daflu newydd. Roedd y cyffro yn arbennig ac rwy'n cofio sefyll yn y garej fel plentyn bach yn agor y bocsys anferth gyda chryn foddhad. Cynhyrchodd waith defnyddiol fel llestri yn ogystal â gwaith unigryw llawn dychymyg, megis jwg yn seiliedig ar Frenin Gwrtheyrn ac ellyllon ffantasïol i ogleisio'r dychymyg! Cofiaf iddo greu potiau persawr bach a finnau'n prynu cyflenwad o bersawr, o dan drwydded, a'u gwerthu'n lleol fel Awel yr Eifl. Llwyddiant, neu felly o'n i'n meddwl ar y pryd. Y gwanwyn dilynol, wrth inni gael ymholiad gan ambell gwsmer, dyma fi'n mynd ati i gael cyflenwad o botiau o'r stôr. Gwerthu'r cyntaf a'r cwsmer yn achwyn nad oedd 'na bersawr ynddo. Trio un arall a'r un oedd y stori. Ella bod rhywun wedi anghofio llenwi'r rhain, meddwn i, ond o fynd i lawr y rhes yr un oedd y stori gyda phob un! Yr hyn oedd wedi digwydd, wrth gwrs, oedd bod y persawr, â sail gwirod iddo, wedi anweddu drwy'r grochen dros fisoedd y gaeaf! Gwers bwysig arall!

Un o'r camau mwyaf mentrus a mwyaf heriol yn hanes yr Antur ar y pryd oedd sicrhau tir yng nghanol y pentref. Idwal 'barbwr', neu Idwal Hughes, oedd biau'r tir dros y ffordd i siop Glanrhyd, rhyw hanner acer o dir digon corsiog ei hanes a oedd wedi cael ei lenwi yn raddol dros y blynyddoedd. Trefnais fynd i weld Idwal a gofyn a oedd ganddo ddiddordeb ei werthu. Roedd eisio wythnos i feddwl am y peth gan ei fod eisoes wedi ei gynnig i Glanrhyd. Wythnos yn ddiweddarach, fe alwodd Idwal heibio Bryn Meddyg ac fe gytunwyd ar y pryniant am £500. Roedd yr Antur yn berchen ar dir fyddai'n ein galluogi i symud ymlaen i'r cam nesaf. Yn anffodus, achosodd y gwerthiant gryn ddrwgdeimlad yng Nglanrhyd ac ni faddeuodd Gwilym imi am hyn. Cofiaf iddo alw ym Mryn Meddyg yn fuan wedi imi gytuno i brynu'r tir yn f'annog i wadu fy mod i wedi gwneud y fath beth. Efallai fy mod yn 'wyrdd' yn y dyddiau hynny ac, yn sicr, yn newydd-ddyfodiad i'r ardal a ddim yn deall deinamics y pentref, ond o'n i'n cymryd yn ganiataol, wedi i Gwilym wrthod cynnig Idwal fwy nag unwaith, mai dyna *oedd* ei benderfyniad. Roedd y profiad hwn yn un anffodus, oherwydd roedd gen i feddwl y byd o fam Gwilym, gwraig hoffus a charedig tu hwnt imi ac i'r teulu a hithau yn byw o dan yr un to â'i theulu, a does dim dwywaith i'r ffrwgwd hwn greu cryn gagendor rhwng Gwilym a finnau byth wedyn.

Roedd 'na gyhoeddusrwydd i fwriadau'r Antur o'r cychwyn, dim byd yn syfrdanol yn y dechrau ac yn gyfyngedig i'r wasg leol yn bennaf. Ond, fe ddaeth tro ar fyd ymhen dim wedi inni gofrestru. Ymysg y cyntaf o'r rheiny oedd y *Birmingham Post* a gyhoeddodd erthygl olygyddol ar ein hymdrechion yn Ionawr 1974:

Self Help

'The Lord helps those who help themselves goes the proverb. It is one that has been positively taken to heart by the inhabitants of the little Caernarvonshire village of Llanaelhaiarn who have set up a limited company to infuse new life into their community which, like many others of its kind, is threatened by the drift of young people to the towns. They hope to create career opportunities in the village (population 200) and to preserve something of the local way of life.

All power to their elbows. In these days when so many small communities lose their character and become commuter refuges or sites for other people's second homes, it is good to see one showing such a will to survive and adopting such a resourceful means of achieving this end.'

Roedd hyn yn ddigon i ddenu sylw y Bnr. Hartheimer, diwydiannwr o ganolbarth Lloegr a gysylltodd i ddweud, petasan ni'n medru dod o hyd i weithwyr ar ei gyfer, mi fyddai o'n fodlon symud rhan o'i fusnes *enamelling* Shaw Munster Cyf. i'r pentref, gymaint oedd ei edmygedd o'n hymdrechion. Roedd hwn yn gynnig ar blât, neu felly yr oeddem ni'n ei weld ar y pryd. Wedi estyn gwahoddiad, daeth i weld aelodau'r Senedd ac ar ôl sicrhau mai cyflogau yr un peth ag yn ei brif ffatri fyddai gennym, ac mai pobl leol fyddai'n cael gwaith, fe wnaethom daro cytundeb.

Y cam nesaf oedd ddod o hyd i adeilad addas. Cafodd hen sgubor sylw gennym ond, ym marn y cwmni, doedd o dim yn addas. Ond, gyda'r tir ar gael yng nghanol y pentref, beth am inni godi adeilad ein hunain? Roedd yr Adran Gynllunio wedi gwrthod caniatâd i gyn-berchennog y tir adeiladu tai arno, ond gan y byddai cais nawr ar gyfer canolfan waith mewn ardal o ddiweithdra uchel a diboblogi, a gyda 80% o dai'r pentref a gynrychiolai Antur Aelhaearn yn gefnogol i'r fenter, siawns na fyddai Cyngor Dwyfor yn rhoi ystyriaeth ffafriol i gais o'r fath. Gwireddwyd ein gobeithion a rhoddwyd caniatâd cynllunio! Ond, mae 'na sawl troad mewn unrhyw lwybr a daeth problemau yn sgil cael caniatâd. Cyflwynwyd cwyn i'r Ombwdsmon, nid gan y sawl oedd wedi cael ei wrthod i godi tai ar y safle ond gan Gwilym Jones, Glanrhyd, a gyhuddodd Gyngor Dwyfor o ddangos gormodedd o gymorth ac, felly, ffafriaeth tuag at yr Antur. Cafwyd y Cyngor yn euog. Rhyfedd o fyd. Pam na ddylai Cyngor lleol gynorthwyo rhywbeth sy'n fendithiol i un o'r pentrefi sydd dan ei orchwyl? Doedd yr un aelod o'r Antur yn elwa'n bersonol, a menter er lles y gymdeithas ydoedd.

Erbyn canol yr haf 1974, roedd Antur Aelhaearn yn cael cyhoeddusrwydd rhyfeddol. Gwelwyd amrywiaeth o erthyglau'n ymddangos ym mhapurau Llundain a Lloegr. Gan ein bod yn cael y fath sylw, aethom ati i greu arddangosfa yn ysgol y pentref am bum wythnos dros yr haf i roi ar ddeall beth yn union oedd yn digwydd yn Llanaelhaearn! Ymwelodd tua 2000 o bobl â'r arddangosfa lle y cafwyd esboniad o'n hymgyrch o 1970 ymlaen. Digon o gyfle i ddangos rhai o'r toriadau papurau newydd, llythyrau, a hefyd gynnyrch cyntaf yr Antur, crochenwaith Steffan Rhys. Rhoddwyd y cyfle hefyd i bob crefft a wnaed yn lleol gael ei harddangos pryd bynnag y'i gwnaed; golygai hynny rai enghreifftiau o frodwaith a sampleri hen iawn. Roedd rhan o'r arddangosfa wedi'i neilltuo ar gyfer ein hymweliad ag Oileán Chléire, a gyda chymorth map, lluniau a chynnyrch yr ynys amlinellwyd tarddiad ein ysbrydoliaeth. Roedd congl arall yr ystafell wedi ei neilltuo ar gyfer amlen arbennig yr Antur. Tu fewn i'r amlen roedd 'na gerdyn yn egluro nod y mudiad ac arni stamp dileu y Post Brenhinol i gofnodi'r ffaith mai Antur Aelhaearn oedd y 'Gymdeithas Gydweithredol Bentrefol' gyntaf yng ngwledydd

Prydain. Bu'r amlenni yn llwyddiant mawr, a chan fod y Post Brenhinol wedi cyhoeddi stampiau coffa Owain Glyndŵr yr un pryd, daeth yr amlenni'n ddeniadol iawn i gasglwyr. Mynnodd y Post Brenhinol y dylid sillafu 'Caernarfon' gyda 'v' ar yr amlen neu golli'r cyfle i gyhoeddi. Yn eironig ddigon, yn eu hystyfnigrwydd ynglŷn â sillafiad Caernarfon, methodd swyddogion y Post sylwi ar sillafiad 'Llanaelhaearn' ar y stamp dileu – yr unig ffurf dderbyniol ar y pryd oedd 'Llanaelhaiarn' er, bellach, yr 'e' sydd yn gywir yn swyddogol! Roedd yr arddangosfa'n llwyddiannus iawn a chafodd y gwirfoddolwyr gryn foddhad yn ateb cwestiynau di-ri yr ymwelwyr.

Mae'n rhaid rhoi teyrnged i swyddogion cyntaf yr Antur oherwydd, er fy mod yn Gadeirydd ar y cychwyn, roedd llawer iawn o'r gwaith gweinyddol – a oedd yn gwbl wirfoddol – yn syrthio ar yr Ysgrifenyddes, Gwenno Mai, a'r Trysorydd, y ddiweddar Joan Jones, a weithiodd yn galed yn y dyddiau cynnar.

Ar ddechrau 1975 dechreuodd y gwaith adeiladu ar safle'r Antur a hynny yn bennaf o dan arweiniad Dewi Jones, Planwydd, technegydd yn yr adran gynllunio leol a oedd wedi symud i'r pentref efo ei wraig Mai a'r teulu i fod yn rhan o'r bwrlwm. Fe'i hadeiladwyd yn gyfan gwbl gan adeiladwyr lleol a defnyddiwyd briciau o Drefor a gwenithfaen o'r chwarel gerllaw, a'r cyfan am £11,000. Antur Aelhaearn oedd y prif ymgymerwr, yn gosod gwaith i wahanol rai, ac onibai am hyn byddai'r gost wedi bod yn nes at ddwbl y ffigwr. Codwyd yr arian angenrheidiol drwy gyfuniad o fuddsoddiadau a rhoddion i'r Antur a morgais o £6,000 gan yr awdurdod lleol ar gyfradd llog safonol. Ar y dechrau ar gyfer Shaw Munster Cyf. yn unig oedd yr adeilad, ond fel yr aeth y cynllun rhagddo ychwanegwyd darn ato i'w ddefnyddio fel crochendy, adran wau, swyddfa a thoiledau. Cwblhawyd yr adeilad 1,600 troedfedd sgwâr a symudodd Shaw Munster i mewn ddiwedd Awst 1975.

Agorwyd yr adeilad yn swyddogol gan Dafydd Wigley AS ar 20 Rhagfyr gyda'r Cynghorydd J O Roberts a'r Dr Eirwyn Ll Evans yn annerch ar ran Cyngor Sir Gwynedd a'r Cynghorydd

R Edgar Jones, Cadeirydd Cyngor Dwyfor ar ran y cyngor hwnnw. Gyda Seindorf Arian Trefor yn gefndir ac yn barod iawn eu cymwynas, a gyda chanu brwd ar yr Anthem Genedlaethol, cymerwyd cam pwysig arall ymlaen tuag at wireddu'n dyheadau ar ddiwedd p'nawn Sadwrn oer ym mis Rhagfyr.

Ond roedd hyn fel petai'n denu mwy o gyhoeddusrwydd byth. Roedd natur y sylw yn eang rhyfeddol:

Teledu Norwy, *Manchester Evening News*, *The Welsh Churchman*, BBC World Service, Raidio Telefís Éireann, Teledu'r Iseldiroedd, *Birmingham Post*, Canadian Broadcasting Corporation, *The Guardian*, *News at Ten*, *Times*, *Nationwide*, *The Financial Times*, *Look Stranger*, *Daily Express*, *Queen's Realm*, *The Daily Mirror*, *Granada Reports*, *The Daily Telegraph Magazine*, *Woman's Hour*, *Sunday Independent*, *Wales Today*, *Irish Independent*, *Heddiw*, *The Irish Times*, *Y Dydd*, *The Cork Examiner*, *Cymru Heno*, *Estates Gazette*, *Nos Iau*, *Inniú*, *Y Cymro*, *Akwesasne Notes* (papur yr Amer-Indiaid), *Y Faner*, *papurau'r Herald*, *Reader's Digest*, *Yr Enfys*, *Good Housekeeping*, *Carn*, *Woman*, *Cambrian News*, *New Scientist*, *The Western Mail*, *Doctor*, *Welsh Nation*, *World Medicine* a *Farmers Weekly*.

Un sgileffaith ryfeddol y sylw oedd galwad gan y Swyddfa Gymreig fel o'n i'n gorffen fy syrjeri un bore: 'mae gennym ni'r Cyfarwyddwr Datblygu Cymdeithasol, Mehdi Sadek o wlad Libanus, ar ymweliad â Chymru... tybed fedrwch chi ddangos sut ydach chi'n mynd ati i adfer yr ardal acw... mae diddordeb ganddo am fod ardal de Libanus yn cael ei thargedu byth a beunydd gan yr Israeliaid a mae'r gymuned a'r economi ar chwâl yn y rhanbarth.' Rhyfedd o fyd!

Dw i ddim yn siŵr paham y cafwyd y fath sylw. Mae'n debyg am mai stori bositif oedd ein stori ni ar adeg pan oedd cymaint o ardaloedd gwledig eraill yn wynebu'r un fath o broblemau, nid yn unig yng Nghymru ond drwy'r byd gorllewinol. Ai stori'r hunan-gymorth neu Dafydd yn erbyn Goliath oedd yn apelio efallai? Neu natur y model a'r dull gwahanol o weithredu? Cofiaf Martyn Lewis, darlledwr ar newyddion *News at Ten* ITN, yn darlledu eitem o'r pentref a'i eiriau cloi wrth iddo ymadael, 'This is the nearest thing to a capitalist commune'!

Y cam nesaf oedd sefydlu adran wau Antur Aelhaearn a hap ar y dechrau oedd hynny. Wrth wneud eitem ar yr Antur ar gyfer y cylchgrawn *Woman*, awgrymodd y gohebydd y byddai gwaith gwau yn briodol a'i bod hi'n adnabod Roly Groome, un o gyfarwyddwyr cwmni rhyngwladol Knitmaster. Yn fuan wedyn, daeth Roly i'n gweld yn Llanaelhaearn gyda pheiriannau ac enghreifftiau o'r gwaith oedd yn bosib. Roedd pawb yn gytûn bod y gwaith yn gydnaws â sgiliau cynhenid yr ardal, a dechreuodd Beti Huws, Llechdara a Dorothi, ill dwy â diddordeb arbennig mewn gwau, ar y dylunio a'r hyfforddi. Wedi inni ddechrau gyda gwaith llaw, prynom hen garafán a'i osod ar safle'r Antur, gan obeithio ei ddefnyddio fel siop a lle ar gyfer hyfforddi, ond doedd hynny ddim yn llwyddiannus – rhy oer yn y gaeaf, a'r ysgwyd yn ôl ac ymlaen ar yr hen garafán wrth i ambell un ordew weu yn ei wneud braidd yn anymarferol! Er hynny, roedd y diddordeb yn amlwg, ac yn fuan gwelwyd pwysigrwydd mynychu ffeiriau masnachol mewn llefydd fel Llanelwedd, Llandrindod a Llundain er mwyn sicrhau gwireddu'r potensial ar gyfer creu busnes hyfyw. Y 'crysbas' – hen air oedd yn cael ei arddel gan Robert Williams, y tyddynnwr yn Nhan y Ceiri – oedd y cynnyrch mwyaf llwyddiannus, sef pwlofer â chwfl, â phatrwm Celtaidd yn rhedeg ar hyd ei ymyl.

Aeth Beti ar gwrs hyfforddiant Knitmaster yn Llundain a dod yn hyddysg yn rhai o dechnegau mwyaf cyfoes y cyfnod ac fe lwyddwyd i hyfforddi cnewyllyn o 18 merch ac un bachgen i gyflawni'r archebion. Gwerthwyd rhai o'n dillad mor bell i ffwrdd â siopau yn Siapan a Macy's yn Efrog Newydd, ac roedd hyn yn ychwanegu at y cyffro! Er mwyn gweld arbrawf arall yn yr un maes, aeth Dorothi a finnau ar ymweliad ag Ynys Skye, ac yn fwyaf arbennig penrhyn Sleat lle roedd y diweddar Syr Iain Noble wedi sefydlu gweithdy yn cynhyrchu Crotal Knitwear, gwaith gwau oedd yn cael ei liwio â ddeunyddiau hollol naturiol megis grug ac eithin. Dysgais hefyd am fwriad Iain i sefydlu

33

canolfan i ddysgu Gaeleg mewn hen adeiladau fferm ar ei stad a ddaeth yn sylfaen i Sabhal Mòr Ostaig, canolfan ragoriaeth ar yr iaith a ddaeth yn fwy diweddar yn endid o dan Brifysgol yr Ynysoedd a'r Ucheldiroedd. Difyr oedd cymharu ein sefyllfa ni ym Mro'r Eifl!

Nid oedd y cyfan o'n hymdrechion wedi eu canolbwyntio ar greu gwaith. Lluniodd tair merch o'r ardal, Joy a Sylfia Williams a Gwenda Huws, gardiau Nadolig, ac erbyn Nadolig 1974 gwerthwyd 10,000. Yr un oedd y stori yn 1975 ynghyd â chalendr yr Antur, ac yn yr un flwyddyn, mewn cydweithrediad â'r Cyngor Sir, dechreuodd yr Antur gynnal dosbarthiadau nos i ddysgu Cymraeg. Yn y cyfarfod blynyddol ym 1975, sefydlwyd Cyfeillion yr Antur i geisio hybu'r cydbwysedd cymdeithasol, ond prif nod y Cyfeillion oedd cynnal Eisteddfod yn y pentref a hynny am y tro cyntaf ers 1926, bron i hanner can mlynedd ynghynt. Sefydlwyd cronfa ar ei chyfer, a gyda chyfres o gyngherddau gydag artistiaid fel Leah Owen a Charles Williams, ysgubor lawen gyda Huw Jones yn fferm Meic Atkins y Cwm, boreau coffi a dramâu yn y neuadd, yn fuan iawn roedd 'na ddigon o arian wrth gefn a chynhaliwyd yr Eisteddfod lwyddiannus gyntaf yn Nachwedd 1975. Bellach, mae'n un Gadeiriol ac wedi hen ennill ei phlwy yng nghalendr y pentref.

Roedd bwrlwm yr Antur yn creu momentwm ymhell tu hwnt i'r ardal gyda cheisiadau i siarad ar hyd a lled – Cymdeithas Dafydd ap Gwilym ym Mhrifysgol Rhydychen, Cymdeithas y Mabinogi yng Nghaergrawnt ac, yn anorfod, cymunedau gwledig mor bell â Northumberland, Iwerddon a'r Alban. Ysgrifennodd Aneirin Talfan Davies yn f'annog i gyhoeddi llyfr tebyg i *I Bought a Mountain* gan Thomas Firbank, ond gwrthod oedd rhaid oherwydd pwysau gwaith. Ond, i geisio diwallu'r diddordeb, trefnwyd cynhadledd pedwar diwrnod yn y pentref a daeth cynrychiolwyr o bell ac agos, o Gwmbria i Gaerdydd, o Dorset i Ben Llŷn. Roedd y chwilfrydedd gan lawer yn amlwg, ond seren yr achlysur oedd yr Athro Leopold Kohr, o Awstria yn wreiddiol, a ymgartrefodd yn y brifysgol yn Aberystwyth am flynyddoedd. Yn ddyn o'n i yn ei edmygu yn fawr, roedd yn lladmerydd dros gynnal endidau llai am mai'r rheini yn ei dyb o 'oedd y ffordd orau i wella'r byd'.

Er gwaethaf llwyddiannau'r Antur, yn amlwg nid pawb oedd yn fodlon, ac am 1.30 y bore yn fuan ar ôl i'r gwaith o adeiladu'r ganolfan gael ei gwblhau, cefais alwad gan weithwyr ym mecws Glanrhyd i ddweud i rywun fod yn paentio sloganau ar y ffenestri a'r waliau. Allan â fi yn fy nillad nos i weld 'Dr Pwy?' mewn paent gwyn ar hyd un o'r ffenestri ar dalcen yr adeilad. Rhyw bythefnos wedyn, ailadroddwyd yr un stori gyda chyfres o linellau hap yn unig y tro hwn. Cefais rif y car gan hogia'r becws ond ni fu erlyn.

Erbyn Chwefror 1975, teimlai'r Senedd y dylai Steffan Rhys y crochenydd gael prentis er mwyn ehangu'r crochendy. Roedd wedi mynegi ei awydd i gael rhywun ato sawl tro. Hysbysebwyd y swydd cyn Gŵyl y Pasg, ond wythnos ar ôl i'r hysbyseb ymddangos rhoddodd Steffan rybudd ei fod yn rhoi'r gorau i'w waith a symud efo'i deulu i Glwyd. Rhyw gysur i'r Antur oedd y ffaith ein bod ni wedi helpu rhywun i gael yr hyder i ymsefydlu ei hun! Ond nawr roedd gennym bump o ymgeiswyr am swydd prentis a neb i'w hyfforddi! Er hynny, penderfynwyd cyfweld a chynigiwyd y swydd i Sioned Huws, merch o Sir Fôn a oedd yn gweithio yng Nghaerdydd ar y pryd. Doedd 'na ddim cwrs hyfforddi i'w gael yng Ngholeg Technegol Gwynedd, ac wedi inni holi nid oedd y fath gwrs yn unlle yn y gogledd chwaith. Ffawd ddaeth i'r fei unwaith yn rhagor! Cynigiodd ŵr o Grochendy Pilling yn Sir Gaerhirfryn ein helpu. Roedd Jim Cross wedi clywed am ein problemau, a gan fod Jim wedi ei hyfforddi fel crochenydd yn sir Gaerfyrddin a'i wraig yn hanu o'r un ardal, roedd y ddau yn llawn uniaethu â nod yr Antur. O ganlyniad, cafodd Sioned ei hyfforddiant yn Pilling gyda'r Antur yn gyfrifol am dalu'r costau. Er bod y pwysau ariannol yn drwm arnom, profodd Sioned fod hyn o werth gan iddi, yn ei thro, arolygu tri pherson arall.

Erbyn diwedd Awst 1975, roedd Shaw Munster yn cyflogi deg o bobl yn Llanaelhaearn ac roedd y gwaith hyfforddi ac arolygu

wedi ei roi yn nwylo merch ifanc ddeunaw oed o'r ffatri yn
Birmingham. Gan fod cyfarwyddwyr Shaw Munster yn treulio
cyn lleied o amser yn Llanaelhaearn, roedd yn amlwg y byddai
anawsterau'n codi'n hwyr neu'n hwyrach. Roedd y ddiffyg
disgyblaeth yn amlwg, ac yn sgil hynny diffyg yn y cynnyrch ac
roedd ymadawiad Shaw Munster o Lanaelhaearn yn Ionawr
1976, ar ôl dim ond chwe mis yn y pentref, yn anochel. Roedd
ei rent yn fwy na rhesymol a cheisiom hyrwyddo llwyddiant
y cwmni ym mhob ffordd posibl. Mi oedd ei ymadawiad yn
wers bwysig imi am 'gangen ffatri' a bod rhaid inni, yn ein
cymunedau, reoli ein sefyllfa lawer iawn mwy ein hunain i
lwyddo i ddatblygu cefn gwlad.

Roedd y proffwydi tywyllwch o bobtu: 'Syniad da oedd
codi ffatri, ond wedi colli'r tenant doedd 'na ddim dyfodol,'
meddai rhai. Roedd gennym dros 700 o droedfeddi sgwâr yn
ddigynnyrch a beth i'w wneud felly? Roedd y gwaith gwau yn
llwyddiant a'r galw amdano y tu hwnt i'n gallu ni i'w gynhyrchu.
Gyda'r potensial mor amlwg, penderfynodd y Senedd gyflogi
gweithwyr gwau amser-llawn mewn un ystafell yn y Ganolfan
ond roedd yr hyfforddiant unwaith eto'n gur pen. Cofiaf i mi a
dau aelod arall o'r Senedd dreulio bore cyfan gyda'r Asiantaeth
Gwasanaethau Hyfforddi (TSA) o Wrecsam, yn trafod ein
anghenion hyfforddiant. Aeth y swyddog i ffwrdd a chlywodd
yr Antur ddim gair fyth wedyn. Roedd y pwysau yn ôl ar Beti
a Dorothi felly!

Oherwydd y diddordeb yn yr Antur, roedd yn beth naturiol i
agor siop yn y pentref ar gyfer ein cynnyrch. Cyflwynwyd cais
ar gyfer defnydd parhaol o garafán yr Antur. Gwrthodwyd.
Cyflwynwyd cais arall ar gyfer hen stabl dros y ffordd ac
aflwyddiannus fu hwnnw hefyd. Edrychwyd wedyn ar y
posibilrwydd o wneud rhan o'r ganolfan yn siop ond, er
syndod mawr inni, gwrthodwyd y cais hwnnw hefyd oherwydd
gwrthwynebiad Adran Ffyrdd y Cyngor Sir, a honnai 'fod y
lle parcio'n anaddas' ac y gallai cael siop ar y safle 'arwain
at foduron yn parcio ar y lôn bost'. Roedd Glanrhyd wedi
gwrthwynebu unwaith eto. Aeth y cais gerbron pedwar

pwyllgor cyn i'r Cyngor llawn ddod i benderfyniad. Enillom ni ac agorwyd y siop ym Mehefin 1977 gan werthu nid yn unig gynnyrch yr Antur ond cynnyrch a chrefftau gan bobl leol hefyd. Diddorol oedd deall wedyn mai un o'r Seiri Rhyddion oedd y swyddog priffyrdd oedd wedi cyflwyno rhesymau yn ei herbyn. Nid oes angen dyfalu pwy arall oedd yn rhannu aelodaeth o'r un mudiad efo fo!

Bu swyddogion y Gymuned Ewropeaidd mewn cysylltiad â ni yn 1975, ychydig cyn y Refferendwm cyntaf ar ddyfodol Ewrop, yn awgrymu y gallem o bosib gael cymorth. Cofiaf ysgrifennu at Aneurin Rhys Hughes, arweinydd yr ymgyrch Gymreig o blaid aelodaeth y Gymuned. Ni chafwyd ateb er gwaethaf ymdrechion ein Haelod Seneddol a'r Swyddog Datblygu Economaidd. Ddwy flynedd wedi inni wneud y cais, a ninnau wedi danfon llythyr o gŵyn swyddogol at Ewrop, cefais alwad ffôn digon swta o Frwsel yn dweud wrthym am fod yn amyneddgar. Mud fuon nhw fyth wedi hynny.

Ond yn ôl at y cadarnhaol. Ym mis Awst 1976, gyda rhan o'r ganolfan yn segur, ystyriwyd ehangu'r adrannau gwau a chrochenwaith ymhellach gan obeithio cael cefnogaeth gan Gynllun Creu Gwaith y Llywodraeth. Fe wnaed cais, ac erbyn Rhagfyr 1976 roedd yr Antur yn llwyddiannus. Roedd ein cofrestriad fel cymdeithas gydweithredol yn ein galluogi i gael y nawdd ac, yn ôl y sôn, ni oedd y diwydiant cyntaf yng ngwledydd Prydain i gael cymorth o dan y cynllun hwn. Roedd y nawdd a dderbyniwyd yn werth £35,000 ar y dechrau. Digon mewn gwirionedd i'n galluogi i ehangu'r adran grochenwaith fel bod pump yn gweithio yno – un hyfforddwr, dau brentis a dau gynorthwywr tra oedd yr adran wau yn uned a gyflogai wyth o bobl. Roedd darpariaeth hefyd i staffio'r siop ynghyd â'r Rheolwr hollbwysig. Gwariwyd ar beiriannau newydd, rhai diwydiannol eu natur, gyda'r gallu i gynhyrchu nwyddau mewn llawer llai o amser. Tua'r un amser, cafodd y Bwrdd Croeso gais gennym ni i gyflogi croesawferch ar-y-cyd i'r ardal ac a fyddai ar yr un pryd yn gymorth ysgrifenyddol i'r Antur. Fel porth daearyddol i Lŷn, buasai'r lleoliad hwn wedi bod yn berffaith ar gyfer Canolfan Groeso i'r penrhyn. Wedi inni ddisgwyl am ymron i flwyddyn, 'na' oedd yr ateb ac ni wireddwyd y freuddwyd honno.

Serch hynny, llwyddiant fu ein hymgais i gael Rheolwr Busnes. Cofiaf i saith ar hugain ymgeisio am y swydd a phenodwyd y brofiadol Eleri Higgins, a dechreuodd Eleri weithio ym mis Ebrill 1977. Er y chwistrelliad o arian, doedd hynny ddim heb ei broblemau, ac yn wir daeth y 'pyramid o economi a'i wyneb i waered' yn destun beirniadaeth gan Awdurdod Datblygu Cymru; sylw teg wrth imi edrych yn ôl, ond wedi inni gael cynnig yr arian onid oedd yn anodd i'w wrthod? Y wers yma, wrth gwrs, yw y dylai cyrff cyhoeddus gydweithio yn well ac y dylem fod yn fwy gwyliadwrus cyn derbyn nawdd. Erbyn 1978, roedd yn mynd yn anos i farchnata'r crochenwaith, yn bennaf am ein bod ni'n cystadlu yn erbyn pobl hunan-gyflogedig oedd yn medru gwerthu am brisiau is o lawer. Tua'r un adeg, gwnaeth Sioned Huws, y crochenydd, benderfynu mynd yn ôl i Sir Fôn i gadw Swyddfa'r Post a siop yn Llangristiolus a chynhyrchu crochenwaith yn ei horiau hamdden. Unwaith eto, fel yn achos Steffan, cymysgedd o dristwch a balchder – ei bod hi'n mynd ac, eto, bod ganddi'r hyder i ymsefydlu mewn rhan arall o'r Gymru wledig. Heb arweinydd yn y crochendy, a chyda galw cynyddol am ein gwaith gwau, penderfynwyd roi'r gorau i wneud crochenwaith ac ehangu'r adran wau ymhellach. Roedd ymadawiad Sioned Huws yn golled gymdeithasol hefyd oblegid roedd hi, ynghyd â'i chyfaill yn yr adran wau, Sioned Gruffydd, a oedd hefyd o Langristiolus, wedi bod yn frwd gyda'r Urdd. Yn wir, roedd dylanwad Ynys Môn ar Lanaelhaearn yn gryf ar y pryd gan fod chwaer Sioned, sef Cathrin Gruffydd, yn gweithio efo fi fel clerc. Daeth merch arall o'r un ardal, Catrin Huws, i weithio am gyfnod yn yr adran wau, ac efo'i gradd mewn Cerddoriaeth daeth hi'n arweinydd cyntaf Côr Meibion yr Eifl. Un arall ddaeth ataf fel 'clerc' i'r practis, a fu'n byw efo ni fel rhan o'r teulu ym Mryn Meddyg, oedd John Pockett a oedd newydd raddio yn y Gymraeg ym Mangor ac yn awyddus i weithio mewn awyrgylch Cymraeg er mwyn ymarfer yr iaith bob dydd. Bellach mae John yn llais cyfarwydd ar y radio fel Cyfarwyddwr Cludiant y diwydiant bysiau yng Nghymru. Yn yr un modd treuliodd Andy Bell gyfnod ym Mron Miod i wella ei Gymraeg cyn mudo i Awstralia ymhen rhai blynyddoedd lle mae, bellach, yn llais cyfarwydd ar gyfer Radio Cymru o'r wlad honno.

Tua diwedd 1974 roedd rheithor plwyf Llanaelhaearn, y Parchedig William Roberts, ar fin ymddeol wedi ugain mlynedd o wasanaeth ffyddlon a mawr oedd ein pryderon fel plwyfolion na fyddai Llanaelhaearn yn cael rhywun yn ei le. Wedi'r cwbl roedd y plwyf yn denau ei boblogaeth ac yn lleihau, yr ardal yn 'anghysbell' ac, yn bwysicach efallai, roedd prinder offeiriaid yn gyffredinol. Er hynny, roedd y teimlad yn unfrydol o fewn yr Antur – os oeddem am sicrhau dyfodol cymdeithasol ac economaidd i'n pentref, roedd yn rhaid hefyd sicrhau ei ffyniant ysbrydol. Trefnwyd i rai ohonom fynd i Fangor i roi ein hachos gerbron yr Archddiacon ac wedyn y Deon Gwlad, ond heb lawer o hwyl. Ysgrifennais at Archesgob Cymru, y Gwir Barchedig Gwilym O Williams. Roedd Gwilym yn cyfoesi â'm mam a chofiaf iddi sôn sut oedd y ddau wedi arfer gwylio'r *magic-lantern* ym Mhontrhythallt, Penisa'rwaun yn ystod eu plentyndod! Mae'n rhaid bod 'rhywun' yn gwrando oherwydd ar ôl hir aros cawsom wybod bod gan gurad ifanc o Gaernarfon ddiddordeb mewn dod i wasanaethu yn y plwyf. Mae'n debyg bod 'na gryn bwysau arno i aros yng Nghaernarfon a dringo'r ysgol arferol, yn lle 'dianc' i blwyf diarffordd yng nghefn gwlad – nid yn wahanol i'r pwysau oedd arna i cyn imi fynd i bractis yn Llanaelhaearn!

Er gwaethaf unrhyw bwysau, daeth y Parchedig Idris Thomas, a oedd yn enedigol o Ddinorwig, ynghyd â'i wraig Ann, oedd yn athrawes, yn offeiriad i blwyf Llanaelhaearn yn haf 1975. Cafwyd blas ar ei frwdfrydedd yn ystod yr wythnosau cyntaf pan drefnodd Ŵyl Aelhaearn ddiwedd Hydref y flwyddyn honno ac, yn wir, yr un oedd ei frwdfrydedd a'i gyfraniad i fywyd yr ardal nes iddo ymddeol a symud yn ôl i'w blwyf genedigol yn 2013. A ninnau newydd gael un arweinydd newydd, trist oedd deall wedyn ein bod ni am golli un arall, sef y Parchedig Goronwy Prys Owen o Gapel y Babell wedi iddo dderbyn gofalaeth yng Nghaerfyrddin. Roedd Eirlys, gwraig Goronwy, yn weithgar gyda'r Ysgol Feithrin ac roedd ganddyn nhw ddau o blant yn ysgol Trefor. Un cam ymlaen ac un cam yn ôl felly, ond roedd ymadawiad y teulu yn fwy o ergyd byth pan benderfynodd aelodau Capel y Babell nad oedd gan y capel y modd ariannol i benodi olynydd. Bellach, mae'r capel wedi cau fel mae capeli eraill y pentref, Capel Saron a Chapel Cwm Coryn. Un o'r siomedigaethau mwyaf a gefais yn ystod fy nghyfnod yn Llanaelhaearn oedd methiant y gwahanol enwadau i gydweithio, a'r enghraifft orau – neu waethaf – oedd methiant y ddwy ysgol Sul i ddod at ei gilydd, i ddysgu ac addoli am yr un Duw ac, ar yr un pryd, arbed adnoddau ariannol. Pa fath o neges oedd hyn i weddill y byd?

Wedi inni gael ysbrydoliaeth o Oileán Chléire, roedd yn beth naturiol i ddilyn hynt a helynt eu ffawd. Ar ben hynny, roedd eu profiadau'n bwysig o ran ein helpu i ddysgu wrth inni symud ymlaen. Cododd chwant ar fwy nag un yn y pentref i ymweld ag Oileán Chléire, ac wrth inni hel meddyliau tarddodd y syniad o drefnu taith 'gydweithredol' i'r ynys. Nid oedd ar yr ynys westai na darpariaeth ffurfiol ar gyfer ymwelwyr fel y cyfryw a rheidrwydd felly fyddai aros yn nhai yr ynyswyr. Poblogaeth o tua 170 oedd ar yr ynys ar y pryd. Trefnwyd taith i Cléire ar ddiwedd Awst 1975 gan ddal bws cwmni Clynnog & Trefor o Lanaelhaearn i Gaergybi, llong o Gaergybi i Dún Laoghaire, bws arall yn mynd â ni 210 o filltiroedd i Baltimore yn y de orllewin, cwch dros wyth milltir o Fôr Iwerydd i Oileán Chléire a'r cyfan am £18 yn ôl ac ymlaen i oedolyn a £12 i blentyn. Am £17 ychwanegol, cynigiwyd llety a bwyd am yr wythnos. Dyna fargen werth chweil! Rhoddodd y daith hon anogaeth i amryw fynd i ffwrdd ar eu gwyliau am y tro cyntaf. Wedi'r cyfan, dim ond gyrru plant at nain neu fodryb oedd yr arferiad mwyaf cyffredin yn ystod gwyliau haf 'radeg hynny. Cawsom ffarwél deilwng ar y bws o Lanaelhaearn, rhyw hanner cant ohonom o bob oed, yn bensiynwyr a phlant bychain, ac eraill o'r pentref a fedrai fod ar eu traed am hanner nos yn ffarwelio â ni ar y sgwâr. Roedd y tywydd yn garedig, ac 17 awr yn ddiweddarach cyrhaeddodd y criw blinedig harbwr bychan Oileán Chléire a hwnnw yn llawn bwrlwm wrth i'r trigolion baratoi at groesawu y Cymry.

Ni wna i fyth anghofio'r awr gyntaf ar ôl cyrraedd. Safai pawb ohonom ar y cei gyda llwythi o fagiau yn chwilio am y car neu dractor oedd am fynd â ni i'r tai priodol. Yn gyntaf oll, roedd gennym broblem gyfathrebu gan fod enwau'r teuluoedd a'u tai i gyd ar bapur gen i mewn Gwyddeleg, ond ymhen tipyn daeth car i fynd â'r teulu cyntaf i Tigh Bean Úi DhonnchÚ, a chyn bo hir roedd yr ail deulu ar eu ffordd i Tigh Úi ChÉedagain. Yn arwain o'r harbwr roedd 'na allt serth iawn a'r arfer oedd dilyn ffordd arall er gwaetha'r ffaith ei bod yn cymryd mwy o amser i gyrraedd y tai, ac wedyn dychwelyd i'r harbwr i lawr yr allt serth. Roedd pawb wedi blino a'r disgwyl am y car cyntaf i ddychwelyd i godi teulu arall yn ymddangos yn hir iawn. Aeth hanner awr heibio cyn ei weld yn dod i lawr yr allt i sŵn gorfoleddu, ond fel y daeth yn nes gwelwyd nad car gwag mohono ond y rhai a oedd wedi cychwyn o'r harbwr hanner awr ynghynt yn dal i fod ynddo! Yn yr eiliadau a ddilynodd, roedd fy meddwl yn rasio i bob man. A fu 'na gamddealltwriaeth ynglŷn ag enw'r tŷ neu'r cyfeiriad, neu rywbeth arall? Dim o gwbl. Roedd y teulu wedi dod o hyd i'w lety ac wedi dychryn pan welsant eu sefyllfa. Gwrthodon nhw aros yno gan fynnu cael symud i rywle arall. Gan fy mod wedi cael cryn drafferth i gael pawb i wahanol dai yn ôl eu hanghenion yn y lle cyntaf, nid oedd gobaith am newid nawr. Roedd hi'n hwyr iawn ac yn tywyllu. Ar ôl hir berswâd, penderfynodd y teulu fynd yn ôl i'r llety am un noson gyda'r bwriad o gychwyn yn ôl am y tir mawr y diwrnod wedyn! Prin oedd y car cyntaf hwnnw wedi cychwyn yn ôl pan ddaeth yr ail gar i'r golwg ar ben yr allt serth. Hwrê fawr eto gan y plantos. Ond, rhyfeddod llwyr, gallwch fentro dyfalu yr hyn a ddigwyddodd nesaf – ie, roedd y car hwn hefyd (yn ddiarwybod am hanes y teulu cyntaf) yn cludo'n ôl yr un rhai oedd ynddo pan gychwynnodd o'r harbwr yn gynharach. A'r un oedd y stori, sef nad oedden nhw chwaith yn hapus efo'r llety ac yn dymuno aros mewn lle arall. Unwaith eto, roedd rhaid i mi eu perswadio i aros yn y llety y noson honno ac i ffwrdd â nhw dan brotest.

Erbyn hyn roeddwn yn dechrau amau a oedd fy ngeiriau yn y cyfarfodydd cyn cychwyn o Lanaelhaearn wedi cael eu hystyried o ddifri gan fy mod wedi pwysleisio mai tai digon diaddurn oedd ar yr ynys ac nad oedd yr ynyswyr wedi arfer cael ymwelwyr o'r blaen. Dim ond rhyw flwyddyn neu ddwy ynghynt y cafwyd cyflenwad dŵr a thrydan yn y rhan fwyaf o'r tai. Roedd yna duedd ar yr ynys hon, fel ar bob ynys fechan, i ddefnyddio hen geir nes eu bod yn disgyn wrth ei gilydd, a hynny yn bennaf oherwydd y broblem o gael darnau sbâr. Er hynny, cafodd un bensiynwraig dipyn o fraw pan ddaeth y trydydd car. Wedi iddi roi ei bagiau yng nghist y car, wrth eistedd ar y sedd gefn gwelwyd fod ei thraed, yn lle cyffwrdd llawr y car, yn cyffwrdd â'r lôn! Cychwynnodd y teulu arbennig hwn am eu llety gyda phenliniau un o'i aelodau o dan ei gên!

Cerdded i'n llety, yng nghwmni dau gyfaill, a wnaethom ni fel teulu, ond nid heb i'r anorfod ddigwydd eto ac i deulu arall ddod ataf i fynegi eu hawydd i fynd oddi ar yr ynys y diwrnod wedyn. Yr un oedd yr ateb! Prin oedd yfed y Guinness yn y dafarn y noson honno yn help i fynd â'm meddwl oddi ar yr hyn oedd yn mynd i ddigwydd y bore canlynol. Yn bersonol o'n i'n gwybod beth i'w ddisgwyl wrth aros ar yr ynys, ond roedd yn amlwg bod bron pawb arall yn teimlo eu bod wedi cael cam ac wedi cael rhywbeth 'israddol' i'r gweddill. Gwawriodd yr ail ddiwrnod a daeth y cyfle i bawb grwydro'r ynys hyfryd hon ac, yn bwysicach efallai, i gael barn ei gilydd ar y sefyllfa. Er mawr ryddhad imi, nid aeth neb yn ôl i'r tir mawr y prynhawn hwnnw ond, yn hytrach, dewisodd pawb ymgynnull yn y man cyfarfod amlwg, y siop-dafarn, a sylweddoli bod y cwbl ohonom mewn gwirionedd yn aros yn yr un math o lety, sef cartref syml, croesawgar yn cynnig bwyd plaen ond maethlon.

Roedd 'na gryn gymdeithasu yr wythnos honno ac, yn arbennig, gyda'r ynyswyr, ac ar ôl dau ddiwrnod roedd pawb yn ddieithriad yn eu helfen yn cerdded lonydd yr ynys, a gwirioni ar ei gwylltineb a'r cyfoeth o adar. Gwelir craig anferth Fastnet ar y gorwel a golygfeydd bendigedig o Carbery's Hundred Isles i gyfeiriad arall. Treuliodd pawb y nosweithiau'n cymdeithasu yn y dafarn – gyda chanu Cymraeg a Gwyddelig bob yn ail – ac ar y nos Iau mwynhawyd Ceilidh gyda'n cymrodyr o'r ynys yn arwain. Cafwyd addewid y byddai ein criw'n cael cludiant yn ôl i'w tai ar ddiwedd y noson, ond doedd neb yn disgwyl y tractor a threlar a ddaeth i'n nôl am un o'r gloch y bore! Gwell imi beidio manylu am y gwŷr hynny oedd wedi bod gartref yn gwarchod y plant, yn taflu bwcedaid o ddŵr am ben eu gwragedd annwyl, nid yn hollol sobr, wrth iddyn nhw gyrraedd adref!

Prif nod yr ymweliad, wrth gwrs, oedd i ddysgu am ddatblygiadau ar yr ynys, ac roedd Cadeirydd y *co-op*, y Tad Tomás Ó Murchú, yn hael iawn ei amser. Manylodd ar hanes yr ynys, natur a phwysigrwydd y Gaeltacht a'r datblygiadau mwyaf diweddar i sicrhau dyfodol y gymuned Wyddelig fregus hon. Cawsom gyfle i holi rhai o arweinwyr y gymuned a chafwyd cyflwyniad gwerthfawr am waith Gaeltarra Éireann, y corff llywodraethol oedd yn gyfrifol am godi ffatrïoedd parod. Ar y dydd Iau trefnwyd taith i Schull, y dref agosaf ar y tir mawr ar draws y bae. Cwch pysgota aeth â ni drosodd ar fôr tawel a braf, ond fel y cododd y gwyntoedd yn y p'nawn cafodd pawb gyfle i weld nerth môr yr Iwerydd. Roedd 'na fwy nag un yn falch o gyrraedd yn ôl i Oileán Chléire y noson honno, a chofiaf Sali Evans yn addunedu na fuasai'n 'mynd ar gwch fyth wedyn' a chynnig ei hun fel 'ychwanegiad at boblogaeth yr ynys'!

Daeth y bore Sadwrn ac amser i gychwyn am adref. Roedd 'na ffarwelio ar bob aelwyd a phawb wedi hen anghofio eu hargraff (a'u hadwaith) cyntaf o'r ynys. Wedi'r cyfan, bu trigolion Cléire mor gyfeillgar fel ei bod yn chwith gan bawb ohonom fynd am adref, a gwn yn iawn fod 'na gyfnewid cardiau Nadolig a llythyrau am sbel ar ôl yr ymweliad hwn. Bu siarad am y daith am wythnosau lawer ar ôl dod adref, a hyd heddiw mae 'na sôn am y profiad bythgofiadwy.

43

Credaf mai gwerth mwyaf y daith gyntaf hon oedd y dylanwad a gafodd cryfder ein hiaith ni ar drigolion Oileán Chléire, ac yn arbennig y ffaith fod ein plant yn ei siarad yn hollol naturiol. Yn yr un modd, fe wnaeth eu diffuantrwydd a'u hymdrechion nhw dros eu cymdeithas fregus argraff ddofn arnom ninnau.

Ar ôl trefnu taith mor llwyddiannus, roedd 'na rai yn gweiddi am *encore* erbyn y Nadolig. Aeth dwy flynedd heibio, fodd bynnag, cyn taith gyffelyb yn 1977. Roedd y Tad Tomás Ó Murchú wedi ymadael ag Oileán Chléire erbyn hyn ac yn byw yn Beanntraí, Swydd Corc. Penderfynwyd mynd y tro hwn i Inis Mór yng ngorllewin Iwerddon, sef ynys fwyaf Ynysoedd Árainn ym Mae Galway, rhyw ddeng milltir ar hugain ar draws y môr o ddinas Gaillimh (Galway) ei hun. Tuag wyth milltir wrth ddwy filltir yw'r ynys a mi oedd ganddi boblogaeth oddeutu 900 ar y pryd. Fel sy'n wir ar Oileán Chléire, yr Wyddeleg oedd iaith gyntaf bron pawb oedd yn byw yno ac mae gan yr ynysoedd le arbennig yn chwedloniaeth a deffroad Iwerddon ar ddechrau'r 20fed ganrif. Cychwynnodd tua thrigain o drigolion Llanaelhaearn a'r cylch ar y daith ar nos Sadwrn, 6 Awst a chyrraedd Dún Laoghaire am 6.30 o'r gloch y bore wedyn. Trefnwyd bws i'n cludo oddi yno i Gaillimh i ddal y llong am Árainn erbyn un o'r gloch y prynhawn. Roedd pawb wedi blino ar ôl teithio drwy'r nos o Gaergybi, ac felly, pan nad ymddangosodd y bws am ddwy awr, roedd 'na gryn gwestiynu. Roedd yn amhosibl ffonio'r cwmni bysiau mor gynnar bore Sul, ac felly roedd rhaid bod yn amyneddgar a gobeithio y deuai! Fe ddaeth a chynigiodd y gyrrwr ryw fath o ymddiheuriad ei fod 'wedi gorfod gwneud gwaith arall cyn dod i'n cyfarfod ni'! Fe'n llwythwyd ni i gyd i fewn i'r bws, a chan ei bod yn fore Sul a ninnau wedi colli cymaint o amser, gyrrodd drwy Ddulyn fel mellten gan anwybyddu pob golau coch yn y maestrefi ac allan am y wlad a Gaillimh.

Er gwaetha'r ymdrech, cyrhaeddwyd Gaillimh i weld y llong hanner ffordd ar draws yr harbwr, wedi cychwyn ers pum munud. I wneud y sefyllfa anodd yn waeth, roedd gweithwyr y gwasanaeth ffôn ar streic (cyn oes y ffôn lôn) ac nid oedd llong arall y diwrnod hwnnw! Wnes i adael pawb ar y cei a dechrau crwydro'r ddinas i bendroni sut allwn i gael trigain o bobl ar draws deng milltir ar hugain o'r môr mawr. Ond, hap eto, ar siawns wrth imi grwydro strydoedd cefn y ddinas, mi welais swyddfa Aer Árainn yn agored. Wedi imi egluro'r sefyllfa, cefais ddefnyddio eu ffôn-radio i gysylltu â'r ynys a siarad efo Coleman Hernon, ein dolen gyswllt yno. 'Gadewch bopeth i mi,' meddai, 'ac mi geisiaf drefnu rhywbeth i chi'. Aeth hanner awr heibio pan ffoniodd i ddweud wrthym am fynd draw i Ros an Mhil (Rossaveel), tua phum milltir ar hugain i'r gorllewin o Gaillimh ar ochr ogleddol y bae lle byddai dau gwch yn disgwyl amdanom. Erbyn hyn, mae 'na fferi ddyddiol o Ros an Mhil i Árainn a gwasanaeth awyr gerllaw, ond yr hyn oedd yn disgwyl amdanom oedd y ddau gwch mwyaf pitw yn barod i fynd â ni a'r domen o fagiau dros y môr. Diolch byth, roedd yr Iwerydd fel gwydr y p'nawn hwnnw ond roedd wynebau'r ddau gychwr yn dweud y cwbl – dychryn i weld y ffasiwn griw a'u holl bagiau. O'n i yn yr ail gwch a dyw hi ddim yn or-ddweud bod cefn y cwch o'n blaenau yn llythrennol fodfedd neu ddwy uwchben y môr a chan wybod am foroedd tymhestlog Bae Galway roeddwn yn gweddïo na fyddai'r gwynt yn codi ac y gwelem Cill Rónáin, porthladd Inis Mor, yn ddiogel y noson honno. O gyrraedd yr harbwr roedd y llanw ar drai, a'r llongau pysgota i gyd wedi eu hangori mewn rhesi. Pysgota yw bywoliaeth y rhan fwyaf o'r ynyswyr hyn. Doedd dim amdani felly ond angori ein cychod yng nghanol yr harbwr ac i ninnau wedyn ddringo dros sawl un o'r cychod mawr at y cei. Roedd hynny'n ddigon o orchwyl ynddo'i hun, ond gan fod y llanw yn isel roedd yn rhaid dringo, neu yn achos rhai nad oeddent mor heini â'r gweddill, cael eu gwthio i fyny wal y cei. Er ceisio cau llygadau, ni welwyd cymaint o beisiau yn perthyn i ferched o bob oed ers talwm! Cafodd y plant lleiaf eu taflu'r deuddeg troedfedd i ben y cei a, diolch byth, roedd 'na bâr o ddwylo saff yno i'w dal! O gymharu â'r daith gyntaf yn 1975, nid oedd llety yn broblem o gwbl y tro hwn. Roeddwn wedi trefnu i bawb gael llety neu le hunangynhaliol tua chanol yr ynys yn Cill Mhuirbhigh â'i draeth hyfryd. Ar yr ynys yr wythnos honno roedd y meddyg Harri Pritchard Jones yn gwneud 'locwm', fel y gwnâi yn rheolaidd. Gan fod tipyn mwy o ddylanwad twristiaeth ar yr ynys hon nag yn Oileán Chléire roedd hi'n braf cael rhywun fel fo i'n tywys at y pethau diddorol. Roedd yr Athro Bedwyr Lewis Jones a'i deulu ar ymweliad preifat â'r ynys hefyd ac, felly, Cymreigaidd iawn oedd y gongl hon o Inis Mór am rai dyddiau. Tair ynys yw ynysoedd Árainn, sef Inis Mór, Inis Meáin ac Inis Oírr ac yn gartref gwreiddiol y siwmper Aran. Hyd y '70au nid oedd yn bosibl mynd i'r ddwy ynys olaf oddieithr gyda 'curragh' – cwch ysgafn wedi ei wneud o helyg, gorchudd croen bwch a pitsh – nid yn annhebyg i'r cwrwgl – ond bellach mae'r gwasanaeth awyr o'r tir mawr wedi newid pethau'n llwyr. Mae tirwedd yr ynysoedd yn cynnig her aruthrol i unrhyw un sydd am dyfu cnydau – dim mwy na thalp o garreg galch yng nghanol y môr, a chraciau rhwng yr haenau'n cael eu llenwi gan hynny o bridd sydd i'w gael gydag ychwanegiad o wymon oddi ar y traethau prin. Gan fod Inis Mór yn dipyn mwy nag Oileán Chléire, manteisiodd sawl un o'n criw ar y cyfle i logi beic. Dewisodd eraill gerdded am ran o'r diwrnod a chael ceffyl a throl yn ôl. Cofiaf ymweld â'r ynys am y tro cyntaf yn y '60au a'r unig ffordd o deithio ar yr ynys, 'blaw y beic, oedd y ceffyl a throl a oedd yno i'ch croesawu wrth yr harbwr. Fel yn Oileán Chléire, cawsom Ceilidh un noson, dawnsio Gwyddelig yn yr awyr agored ar noson arall a phawb o'r ynyswyr yn barod i gyfnewid sgwrs yn eu ffordd radlon braf. Cawsom gyfle i weld y ffilm enwog *Man of Aran*, a gododd arswyd ar gynulleidfaoedd y byd yn y '30au pan welsant y 'curragh' yn wynebu moroedd geirwon yr Iwerydd. Ddiwrnod arall wrth ymlwybro ar hyd y clogwyni unionsyth, rhyfeddol oedd gweld hogyn ifanc yn ei arddegau'n pysgota'r moroedd gan ddefnyddio bysedd ei draed i reoli ei wialen bysgota oedd yn hel pysgod gannoedd o droedfeddi o dano – digon i godi pendro ar rywun oedd yn ei wylio!

Ganol yr wythnos trefnwyd taith i Inis Meáin. Yma roedd yr

hen Aran i'w gweld ar ei mwyaf amlwg. Ffyrdd trol oedd ffyrdd yr ynys i gyd, ac yn y cyfnod roeddem ni yno roedd y bwrdd trydan wrthi'n rhoi cyflenwad am y tro cyntaf. Yno, hefyd, gwelsom ddynion yn gwisgo'r hen felt lliwgar traddodiadol, y *cris*, wedi ei wneud o wlân wedi ei blethu ac, am eu traed, *pampooties*, math o esgid wedi ei gwneud o groen bwch gyda'r blew tu allan, ac yn cael eu cadw mewn bwcedaid o ddŵr dros nos er mwyn bod yn feddal i ffitio'r traed at y bore. Yma ar yr ynys hefyd roedd 'na gymdeithas gydweithredol yn cynhyrchu dillad gwau gyda chymorth Gaeltarra Éireann. Ro'n i'n falch o weld cynnyrch y cwmni yn dal i fodoli ac ar werth mewn siop yn Nulyn y llynedd. Aeth y cwch bach oedd wedi ein cludo i Inis Meáin yn y bore ymlaen i'r tir mawr i nôl cyflenwadau cyn ein codi ni ar y ffordd adref gyda'r nos. Yn anffodus, roedd y 'capten' a'i gyfaill wedi codi dwy ferch ar y ffordd, a rhwng anwesu'r genod ar y naill law, ffrio mecryll mewn padell yn y caban ar y llaw arall ac yfed y chwisgi oedd wedi mynd i'w pennau, roedd y creigiau peryglus i'w gweld yn agos a Cill Rónáin yn bell y noson honno.

Roeddem i fod i gychwyn am Gaillimh ac adref ar 13 Awst. Y noson gynt, fodd bynnag, crwydrais y cei i wneud yn siŵr fod popeth yn iawn ac, wrth agosáu at yr hyn o'n i'n tybio oedd ein cwch ni, gwelais fod peiriant y cwch ar y lan. Dywedodd y gŵr wrth ei ymyl ei fod yn gobeithio'i drwsio erbyn y bore, ond gofynnwyd i mi fynd i lawr i'r harbwr yn gynnar drannoeth i weld beth oedd ei hanes! Nid yn annisgwyl, doedd y cwch ddim yn barod a doedd dim gobaith, meddai fo, o'i drwsio am ddiwrnod neu ddau. Gyda thrigain ohonom am fynd i'r tir mawr i ddal y llong am Gaergybi am naw o'r gloch y noson honno, beth oedd i'w wneud? Cerddais ar hyd y cei am awr yn chwilio am ysbrydoliaeth a siarad efo hwn a'r llall nes i mi gael hyd i rywun oedd yn fodlon mynd â ni yn ôl i Ros an Mhil, y lle roeddem wedi cael ein dargyfeirio iddo ar y ffordd allan. Sôn am fargeinio – a thrafod cannoedd o bunnau; wedi'r cyfan, byddai'r cychwr yn colli diwrnod o bysgota, ond yn y diwedd cytunwyd ar swm nad oedd yn golygu colled i'r Antur ac a sicrhaodd fod pawb ohonom yn cyrraedd y tir mawr yn ddiogel unwaith yn rhagor gyda'r bws yno i'n cwrdd ar gyfer ein taith yn ôl i Dún Laoghaire. Wedi i'n teulu ni gael salad yn fwyd am wythnos gan hen lanc oedd newydd golli ei fam, doedd erioed ddisgwyliad mwy eiddgar am blatiad o sglodion wrth gyrraedd llong Stena y noson honno. Dychmygwch felly'r wynebau wedi iddyn nhw ddeall bod popty'r llong wedi torri ac mai salad yn unig oedd ar gael! Cyrhaeddom adref yn ddiogel i Gaergybi a Moto Coch yno'n barod i'n cludo yn ôl yn ddiogel i Fro'r Eifl erbyn hanner awr wedi un y bore – pawb yn flinedig iawn ond, unwaith eto, roedd pawb wedi cael profiad bythgofiadwy.

Tri chynnig i Gymro. Aeth dwy flynedd arall heibio cyn i mi gael digon o nerth ac ynni i drefnu taith arall yn 1979. Nid oeddem wedi callio dim, mae'n rhaid, oherwydd y tro hwn penderfynwyd mynd am Ynysoedd Heledd (Hebrides) yng ngogledd-orllewin yr Alban. I ynys Barraigh (Barra) yr aeth hanner cant ohonom, ynys oedd â phoblogaeth o 1,150 ac yn un o gadarnleoedd yr iaith Aeleg, nad yw'n cael ei siarad i bob pwrpas fel iaith fyw 'mond ar yr ynysoedd hyn a rhannau o Ynys Skye. Ynys tuag wyth milltir o hyd wrth saith milltir o led yw Barraigh (Barra), ond o'i hamgylch mae traethau o dywod gwyn nad oes mo'u tebyg yn unman arall yng ngwledydd Prydain, ac nid oedd llawer o ddylanwad twristiaeth i dynnu oddi ar eu hapêl. Ar yr ynys hefyd mae 'na fryniau i'w dringo a thri ohonynt dros fil o droedfeddi o uchder gyda golygfeydd godidog o'u copaon.

Yr un oedd y trefniadau â chynt ond roedd angen mwy o egni fyth i gyrraedd yr ynys hon. Ar ôl dal bws Moto Coch i Fangor am chwarter i wyth y nos yn Llanaelhaearn, cawsom drên o Fangor i Crewe. Roedd 'na ddisgwyl yn Crewe am awr nes i drên Llundain i Glasgow gyrraedd yr orsaf tuag un o'r gloch y bore. Roeddem wedi bwcio'r seddi ar gyfer pawb. Yn y dyddiau hynny, roedd yna labeli ar y ffenestri yn dynodi eich lle, ac fel y daeth ein cerbyd ni yn nes at ein golwg roedd yn amlwg fod y cyfan o'n seddi yn llawn. Mentrais i fewn i'r cerbyd i ddweud wrth bobl symud gan fod plant a phensiynwyr angen

Bryn Meddyg, Llanaelhaearn. Ein cartref a safle'r brif feddygfa. Yr Eifl a Thre'r Ceiri yn y cefndir.

Gorymdaith drwy'r pentref i achub yr ysgol yn 1971.

Seindorf Arian Trefor ar y Maes, Caernarfon, adeg rali i gefnogi Ysgol Llanaelhaearn.

Safle adeiladu ar dir Antur Aelhaearn, y gydweithfa gymunedol gyntaf yn y DU, yn 1974.

Cemlyn, 'handiman' Bryn Meddyg, yn cadw Dafydd Ieuan yn ddiddig – neu fel arall!

Lena, cymorth arbennig ar yr aelwyd, yn rhannu'r hwyl efo Rhiannon.

Plant Ysgol Llanaelhaearn gyda John Roberts, y Prifathro newydd, a Marged Elis, athrawes y plant lleiaf.

Senedd cynnar yr Antur

Sioned Huws yn 'taflu' crochenwaith yng ngweithdy'r Antur.

Yr Arglwydd Gordon Parry, Cadeirydd y Bwrdd Croeso, gyda Dewi Jones, aelod o'r Senedd, ac Eleri Higgins, y Rheolwr Busnes, yn dangos cynnyrch gwëu Antur Aelhaearn. Tom Roberts sydd ar y dde.

Y Tad Tomás Ó Murchú yn rhannu'r fraint o dorri cacen ar achlysur dathlu pen-blwydd Antur Aelhaearn yn 40 oed.

Chwilio am atebion yn y feddygfa, Llanaelhaearn!

Ysbyty Llangwyfan. Myfyrwyr o'r cyfandir yn cydnabod yr hances boced o Ddraig Goch wedi i ni dynnu Sioni'r Undeb i lawr o du blaen yr ysbyty.

Meddygfa Llithfaen. Wedi ei lleoli yn hen siop y cigydd, drws nesaf i'r siop 'chips'.

Wil Tŷ Croes, yn ei wythdegau, yn gyfrifol am edrych ar f'ôl a dosbarthu'r moddion i'r cleifion yn Llithfaen ddwywaith yr wythnos.

Margaret Rose – nyrs, derbynnydd, dispensar ac angor gwerthfawr i'r practis yn Llanaelhaearn. Hefina, ei merch, yn syllu ar y camera tra bod Rhiannon yn meddwl mwy am ei bol!

Med 3 neu 'bapur doctor' Cymraeg – answyddogol, ond fe'i derbyniwyd gan yr awdurdodau.

Cartŵn yn y *Western Mail* yn dilyn gohebiaeth a dderbyniais.

Y tîm a ymwelodd â Mizoram, India i gynnig cyngor ar reoli HIV/AIDS yn y dalaith.

Fy llety yn Tomsk, Siberia gyda'r farchnad stryd yng nghanol y llaid tu allan.

Iechyd a Diogelwch Cambodia-steil.

lle i gysgu. Roedd hyn braidd yn naïf gan fod eu hanner yn hogia o'r Alban a oedd wedi bod ar y cwrw ers Llundain. Nid oedd symud arnyn nhw ac roedd amryw yn eu trwmgwsg eisoes beth bynnag! Arhosodd ein criw ni ar y platfform nes daeth y giard yn y diwedd,. Yn anffodus, ni chafodd fwy o lwyddiant na minnau wrth geisio symud yr ansymudadwy ac aeth chwarter awr, yna hanner awr heibio, nes daeth heddlu'r orsaf i gael trefn ar bethau. Roedd y trên yn orlawn ac nid oedd gan y rhai a oedd yn cael eu symud le i fynd chwaith. Ond ar ôl delio ag ambell un cecrus cawsom le digonol ar gyfer pawb a chychwynnodd y trên dri chwarter awr yn hwyr o Crewe o ganlyniad i'r helynt! Teithiodd y trên drwy'r nos a chyrraedd Glasgow tua chwech o'r gloch y bore wedyn. Oddi yno, aethom i orsaf Queen Street gyfagos lle cawsom ychydig o frecwast cyn dal y trên wyth o'r gloch am y daith deirawr i Oban. Yna, dal y llong am Barraigh gan fynd heibio sawl ynys ar y ffordd cyn cyrraedd y Minch, sef môr yr Iwerydd sy'n gwahanu Ynysoedd Heledd wrth y tir mawr. Roedd y daith drosodd yn eithaf pleserus, ond pawb wedi blino wrth inni gyrraedd harbwr Castlebay tua hanner awr wedi wyth, bron 25 awr ar ôl i ni gychwyn o Lanaelhaearn y noson gynt.

Fel yn achos y teithiau blaenorol, arhosodd pawb ar aelwydydd teuluoedd yr ynys gyda'r cyfle wedyn i gymharu ein gwahanol sefyllfaoedd, boed hynny'n safle'r iaith neu ddatblygiadau yn y gymuned. Trefnwyd sawl peth i'n difyrru yn ystod yr wythnos. Cafwyd sioe yn un o ysgolion yr ynys yn adrodd hanes Ucheldiroedd yr Alban. Daeth swyddog Bwrdd Datblygu'r Ucheldiroedd a'r Ynysoedd atom i egluro eu polisïau ar gyfer yr ynysoedd. O ddiddordeb arbennig i ni oedd yr ymweliad ag ynys Vatersay, yr ynys agosaf at Barraigh gyda dim ond 70 o bobl yn byw arni. Yma roedd y Bwrdd wedi sicrhau 'cydweithfa gymunedol' debyg i'r Antur. Cawsom ein cyfarch ar lanfa'r ynys gan ŵr â'i dractor a threlar cyn mynd ymlaen i weld eu canolfan newydd fendigedig, tra oedd y plant wrth eu bodd yn cael neidio oddi ar y twyni tywod gerllaw. Roedd mudiadau cydweithredol, fel yr un a welsom, yn bolisi swyddogol gan y Bwrdd Datblygu ac roedd un ar Vatersay yn un o bedair ar y pryd.

Roedd gweld yr awyren Trislander, a oedd yn gwasanaethu ynys Barraigh ac yn glanio'n ddyddiol ar y traeth yn Northbay, o gryn ddiddordeb i bawb. Hon, meddent, oedd yr unig lanfa maes awyr yn y byd sy'n cael ei glanhau ddwywaith bob dydd! Oherwydd y llanw, roedd amseriad yr awyren yn gorfod amrywio o wythnos i wythnos ac roedd 'na heriau eraill hefyd, megis gorfod symud ambell fuwch oedd wedi crwydro i'r traeth o'r tir pori cyfagos!

Cafwyd Ceilidh tua diwedd yr wythnos yng Ngwesty Ynys Barra, gwesty unig ger bae tywodlyd braf. Mae'r gwesty yn un diddorol o safbwynt pensaerniaeth ac yn dangos llawer o ddychymyg gan y Bwrdd Datblygu – ond dim sylw i'r Aeleg frodorol. Er hynny, roedd diwylliant enwog Barraigh yn amlwg yn yr hwyl gyda chanu traddodiadol, dawnsio gwerin a'r pibau yn ein diddanu a ninnau, yn ein tro, yn cyflwyno ychydig o ddiwylliant Cymru! Ar ôl wythnos o gerdded y traethau gwynion, beicio a darganfod unigrwydd a rhamant yr ynys, roedd hi'n amser cychwyn am adref. Cafwyd seibiant ar y ffordd gan inni aros am noson yn un o neuaddau'r Brifysgol yn Glasgow. Diddorol yw nodi mai cost y daith hon o ddrws i ddrws ac yn ôl oedd £38 i oedolyn a £20 i blentyn. Nid oedd yn fwriad gwneud elw ar yr un o'r teithiau, ond o'n safbwynt ni, ac o safbwynt yr Albanwyr a'r Gwyddelod dw i'n siŵr, llwyddwyd i gyfnewid profiadau a syniadau a chafwyd cyfle i werthfawrogi'r ymdrechion i warchod ac i hyrwyddo ein gwareiddiad Celtaidd.

Erbyn 1978 roedd f'ymwneud uniongyrchol i â'r Antur bron yn dod i ben a hynny yn bennaf oherwydd amgylchiadau gwaith. O'n i wedi bod yn Gadeirydd am bum mlynedd tan i mi drosglwyddo'r awenau i Wili Arthur Evans. Roedd Wil wedi bod yn aelod ffyddlon o'r Senedd o'r cychwyn ac yn hollol driw i'r weledigaeth. Fe welodd gyfle i ddatblygu perthynas well â'r Cyngor Sir, ac ar ôl deng mlynedd o gynhyrchu deunyddiau yn uniongyrchol newidiwyd trywydd a chafwyd cytundeb gan y

Sir i ddatblygu canolfan hyfforddi sgiliau gwledig yn Ganolfan yr Antur: gwaith trin coed, gwneud meinciau, byrddau picnic, a gwaith gof – trwsio trelars, gwneud gatiau, ffensys ayyb – a'r cyfan o dan oruchwyliaeth bachgen o'r pentref o'r enw Gwyn Hughes oedd wedi bwrw ei brentisiaeth gyda Rolls-Royce yn Amwythig. Tri deg mlynedd yn ddiweddarach, cymerodd Grŵp Menai Llandrillo y cyfrifoldeb gan y Cyngor Sir a phenderfynwyd 'rhesymoli' eu darpariaeth a symud yr hyfforddiant i safle Glynllifon. Her arall i'r pentref ond cyfle hefyd gyda chwmni Arlwyo Hafan Cyf. yn cymryd y denantiaeth, a dechreuwyd ar berthynas fuddiol arall. Nid oes neb o'r Senedd wreiddiol ar ôl bellach, ond gyda chriw a chenhedlaeth newydd wrth lyw yr Antur daeth tro annisgwyl o'm safbwynt i.

Ym Mehefin 2011 gofynnwyd imi a fuaswn yn fodlon cadeirio menter ynni gymunedol ar ran yr Antur. Sefydlwyd y nod o greu 'pentref gwyrdd' gyda thyrbin gwynt cymunedol yn cynnig y cam cyntaf yn y broses. Nid oedd gen i lawer o amheuaeth wrth dderbyn y cynnig gan fy mod yn credu'n gydwybodol mai datganoli cynhyrchu ynni yw agenda'r dyfodol yn gyffredinol – boed hynny'n wynt, hydro, biomas, neu solar. Yr hyn wnes i ddim ei ragweld, fodd bynnag, oedd maint yr her i gael y cais at ei gilydd. Golygodd gymaint o astudiaethau i fodloni'r Adran Gynllunio – rhyw ddwsin i gyd – o'i effaith ar olygfeydd neu archaeoleg yr ardal, bywyd gwyllt, ardrawiad posibl ar dai, yr iaith ac yn y blaen. Comisiynwyd arbenigwr ym Mhrifysgol Bangor i lunio'n cynllun busnes. Bwriad yr Antur oedd sicrhau fod 100% o'r elw net yn mynd at brosiectau cymunedol megis ailagor siop y pentref, agor uned feithrin, ymateb i dlodi tanwydd, cyfraniad ariannol i'r Cyngor Cymuned ac, yr un mwyaf cyffrous o'm safbwynt i, creu Porth i Lŷn gyda ffenestr ar archaeoleg doreithiog y penrhyn gan gynnwys Tre'r Ceiri, ynghyd â chanolfan i ddehongli'r iaith a'i chyfoeth i'r byd.

Gwariwyd tua £85k ar y cais gyda nawdd gan Ynni'r Fro (Llywodraeth Cymru), Gwynedd Werdd (Cyngor Sir) a benthyciwyd arian wrth y Community Generation Fund. Cyfrannodd yr Antur tua £15k o'i harian ei hun i gwblhau'r broses. Yn y diwedd, er bod dros 20 o swyddi a £3m o incwm i'r Antur dros oes y tyrbin yn y fantol, gwrthwynebwyd y cais gan y Sir a'r Pwyllgor Cynllunio ac aeth yr Antur i apêl i'r Arolygiaeth Gynllunio. Gwrthodwyd yr apêl yn Nhachwedd 2015! Gyda phob corff cynrychioladol yn y pentref o'i blaid a chymaint o fudd dros oes y tyrbin yn y fantol, mae'r penderfyniad yn codi cryn gwestiynau am ein trefn gynllunio a'i haddasrwydd ar gyfer sicrhau hyfywedd ein cymunedau gwledig. Dw i'n fodlon gyda pholisïau Llywodraeth Cymru fel y'u hamlygwyd yn Neddf Llesiant Cenedlaethau'r Dyfodol (Cymru) 2015, ond mae angen adolygiad ar fyrder ynglŷn â sut mae Adrannau Cynllunio a'r Arolygiaeth yn ymateb i ofynion cynaliadwyedd y Ddeddf a'n cymunedau ar lawr gwlad. Ond mae'r frwydr am ddyfodol yr ardal yn parhau. Fel mae Llŷr ap Rhisiart, y Cadeirydd presennol, wedi f'atgoffa, nid oedd wedi ei eni pan sefydlwyd yr Antur yn 1974. Mae'n rhaid cyfaddef ei fod yn rhoi gwefr imi weld yr olyniaeth mor benderfynol i lwyddo, a bod yr Antur yn parhau gyda'i chyfraniad gwerthfawr yn un o'r ardaloedd tlotaf a Chymreiciaf yng Nghymru!

Y Daith
i Fod yn Feddyg

ROEDD BOD YN feddyg mewn practis ar eich pen eich hun yn y '70au yn ddifyr, yn sicr, ond rhaid cyfaddef ei fod yn flinedig. Doedd 'na ddim seibiant – rhaid bod ar gael bob awr o'r dydd a phob diwrnod o'r wythnos a hynny am y flwyddyn gron. Pan fyddai'r ffliw neu haint o ryw fath yn taro, a finnau'n gorfod mynd i fy ngwely, doedd 'na ddim dewis ond i Dorothi ffonio rhai o'm cydnabod i gael cymorth gan nad oedd 'na unrhyw drefniant pwrpasol fel arall. Byddai meddygon fel Alwyn Miles y Waunfawr, Marcia Grant Llanbedrog ac Eric Roberts Uwchmynydd gynt yn dod i'r adwy a diolch amdanyn nhw! Golygodd y chwilio gryn bryder mewn gwirionedd gan nad oedd 'na sicrwydd bob amser y byddai rhywun ar gael. Yr unig eithriad i'm caethiwed parhaol wythnosol oedd p'nawn Iau. Bryd hynny, a fel'ma oedd y drefn erioed mae'n debyg, Ysbyty Bryn Beryl oedd y man galw ar gyfer unrhyw 'argyfwng' iechyd ac o'n i'n 'rhydd' i grwydro! Wel, o fewn rheswm beth bynnag, gan fod hyn cyn oes y ffôn symudol.

Trwy'r '70au aethom bron yn ddi-ffael i Lanberis bob p'nawn Iau i weld fy hen fodryb Anti Jên. Hi oedd yr olaf yn y llinach i fyw yng Nghymru a roedd yn bwysig imi o safbwynt y plant eu bod nhw'n dod i'w hadnabod ac, wrth gwrs, a hithau yn ei 80au, roedd yr ymweliad yn torri ar ei hwythnos hi hefyd. Er ei bod yn byw mewn tŷ teras ar gyrion y pentref, roedd hi'n cynnig cip ar yr amserau a fu – un tap yn unig oedd yn y tŷ a hynny yn ddŵr oer mewn estyniad digon tila yn y cefn, dim bath, coginio ar stof baraffin ac, yn anorfod, y tŷ bach ar waelod yr ardd. Bu sawl cynnig i wella ei sefyllfa, ond roedd hi'n 'enwog' am droi'r cloc yn ôl fel petai – gyda'r oergell wnaethom ni brynu iddi, er enghraifft, yn cael ei ddiffodd i arbed trydan! Yn addurno ei hunig ystafell 'fyw' oedd hen drysorau'r teulu, y ddresel lawn llestri lliwgar heb sôn am y cŵn Prince a Pero, ac yn llercian yn y cornel hen gloc taid. Gyda chymorth Glenys Parry, nymbar 19 a Diane Pritchard drws nesaf, arhosodd hi yn ei chartref hyd at ddiwedd ei hoes yn 97 oed. Digon o gynhaliaeth rhyngddom felly fel bod yr hen fodryb yn ddigon atebol i sefyll wrth y giât yn ystod yr haf i gyfarch pawb a gerddai heibio ar eu ffordd i'r hostel ieuenctid i fyny'r lôn. Y croeso Cymreig traddodiadol!

Ar sawl achlysur dioddefodd yr hen fodryb gyda 'defaid gwyllt', math o gancr croen a effeithiodd ar gymaint o bobl yr ardal wrth weithio ar wyneb y graig neu allan yn yr haul ar y fferm drwy'r dydd. Fel pawb arall yn y teulu, roedd hi'n cyfrannu i Gymdeithas Cronfa'r Ddafad Wyllt Chwarelau Dinorwig a'r Cylch – swllt y flwyddyn hyd at Hydref 1972. O gael yr aflwydd, i ffwrdd â hi i Roshirwaun yn Llŷn i siop Owen Griffith a chael y driniaeth angenrheidiol a chost y cludiant am ddim. Cofiaf fynd efo hi pan oeddwn yn gyw feddyg ac yn rhyfeddu at symlrwydd y driniaeth a'i heffeithiolrwydd. Y tro olaf iddi gael y cancr, ac Owen Griffith wedi rhoi'r gorau i'w waith, cofiaf hefyd fynd â hi at Dr Beer, y dermatolegydd ym Mangor. 'Wel, Jane Elen, mi wn eich bod chi wedi cael sawl un o'r rhain o'r blaen a Mr Griffith wedi bod yn eich gweld. Bydd yr hyn sydd gen i ddim hanner mor sydyn yn ei wella a bydd yn llawer mwy poenus hefyd.' Ac felly a fu, yn ffyrnigo am rai wythnosau cyn ei glirio. Ond, arwyddocâd y profiad hwn imi oedd mai Lloyd George oedd yr Aelod Seneddol lleol a welodd y Gronfa ar waith yn ei etholaeth, yn union fel gwnaeth Aneurin Bevan gyda chynllun tebyg yn y glofeydd rai blynyddoedd yn ddiweddarach. Does gen i ddim amheuaeth, yn yr un modd ag y cyflwynodd Lloyd George dâl salwch, tâl diweithdra a phensiwn gwladol yn seiliedig ar ei brofiad o gronfa leol, felly hefyd y cafodd Aneurin Bevan ei ysbrydoli i sefydlu'r Gwasanaeth Iechyd Gwladol.

Roedd 'na baradocs o ran bod mewn practis ar fy mhen fy hun, gan mai un o fanteision bod mor gaeth i'r ardal drwy'r amser oedd bod modd ymwneud â phethau eraill pan nad oedd rhywun yn gweld cleifion! Arweiniodd y rhyddid hwn at fy ngwaith efo ymgyrch yr ysgol, sefydlu Antur Aelhaearn ac, yn y man, Nant Gwrtheyrn. Roedd yn rhoi cyfle hefyd i dreulio amser gyda chleifion, yn sgwrsio am newyddion y dydd a rhoi'r byd yn ei le! Agorwyd fy llygadau at amodau byw rhai o'r teuluoedd. Y tamp difrifol yn rhai o'r tai, dim dŵr cynnes mewn amryw a dim bath na chawod mewn rhai eraill, a hynny er gwaethaf y pictiwr perffaith o'r tu allan wrth yrru drwy'r ardal. Roedd 'na rai tai heb dap dŵr oer yn y tŷ hyd yn oed. Heb os, cafodd yr amodau hyn effaith ar iechyd pobl, ac yn fuan iawn wnes i werthfawrogi maint fy nghyfrifoldeb i geisio cynnig rhai atebion.

Doedd y dyddiau cyntaf mewn practis ddim heb eu pryderon. Roedd dod o hyd i rai tai yn her, yn agoriad llygad ac yn annisgwyl i'r newydd-ddyfodiad – y tŷ digysur ar y traeth yn Nhrefor sydd, bellach, wedi ei ddymchwel; Cilia Byngalo, y tŷ 'sinc' yng Ngharreg y Llam, Llithfaen a'r ffordd heriol ato, a Than y Ceiri ar ochr y mynydd gyda'i breswylydd deallus, llawn hanesion yn byw heb unrhyw gysur o'r oes bresennol, i enwi tri.

Ond yr hyn wnaeth fy nychryn yn broffesiynol yn fwy na ddim oedd galw heibio'r fferyllfa yn Nefyn. Yno, cefais groeso twymgalon yn y siop gan Bob Jones, y fferyllydd. Byddai Bob yn rhan o 'mywyd yn wythnosol am mai ganddo fo a chwmni Rowlands o Wrecsam ro'n i'n cael cyflenwadau o gyffuriau ar gyfer y fferyllfa. Wrth estyn croeso ar fy ymweliad cyntaf, fe wnaeth Bob fy nhywys drwodd i'r cefn, ond o fewn eiliadau roedd wedi cael ei alw yn ôl i'r siop gan fy ngadael yn gegrwth wrth imi syllu ar y rhes o boteli di-ri o 'mlaen. I beth oedd Tinct. Hyoscyamus, Ext. Filicis Liq., Aq. Laurocer yn dda? Doedd gen i ddim clem. Yn sicr, doedden nhw ddim yn rhan o 'mhrofiad i nac yn feddyginiaethau roedd rhywun wedi dysgu amdanyn nhw yn yr ysgol feddygol. Ddywedais i ddim byd wrth Bob ar y pryd – doedd y meddyg ifanc ddim am ddangos ei anwybodaeth! O fewn wythnos neu ddwy, daeth y pictiwr yn gliriach. Roedd un o'r partneriaid ym mhractis Nefyn yn perthyn i'r hen sgŵl ac yn mynnu defnyddio rhai o'r hen driniaethau a Bob yn gorfod cadw stoc ohonyn nhw neu eu paratoi yn arbennig. Bu rhai o'r moddion yn werthfawr iawn dw i'n siŵr, ond yn fuan iawn aeth yr arferion gydag ymddeoliad y meddyg ac o'n i yn ôl ar yr un lefel â phob meddyg arall yn yr ardal. Ochenaid o ryddhad! Ond, mi gefais flas ar rai triniaethau amgen ar wahanol aelwydydd. Bob tro y galwais ym Moranedd, Trefor cefais fy nghyfarch gyda sosban ar y stof yn berwi wermod wen i wella crycmala'r claf ac o dro i dro cefais gleifion yn 'gwisgo' gwlanen goch, naill ai i wella poen cefn neu gaethder y frest. Roedd defnydd o Tinct. Rhiwbob yn ffefryn gan rai, ac felly hefyd asafoetida at unrhyw broblem stwmog – atgof sur o'm plentyndod!

Chwech ar hugain oed o'n i wrth gyrraedd Llanaelhaearn, ac o edrych yn ôl yn ifanc iawn i ymgymryd â'r cyfrifoldeb ar fy mhen fy hun. O'n i wedi dilyn gyrfa fel meddyg o ddyddiau gweddol gynnar yn yr ysgol. O ddyddiau llawn difyrrwch yn ysgol fach Mrs Connolly a Miss Lavery, cefais ysgoloriaeth yn 8 oed ar gyfer mynediad i Ysgol Ramadeg Bechgyn Bury – ysgol 'grant uniongyrchol' ar gyfer bechgyn – yng ngogledd Manceinion. Roedd hynny'n golygu taith drên bob bore a nos, digon o amser i ddarllen fy nghyfrol ddiweddaraf o *Just William* gan Richmal Crompton, a gyda chylch newydd o ffrindiau collais gysylltiad i ryw raddau efo'r ardal lle o'n i'n byw.

Cymerais yr 11+ yn ddeg oed a llwyddo; nid dim ond llwyddo, mae'n debyg, ond dod ar ben y domen allan o ryw 557 o blant a gymerodd yr arholiadau yn y rhanbarth y flwyddyn honno. Canlyniad hynny oedd bod Mam wedi cael ei galw am gyfweliad gan brifathro Ysgol Ramadeg Stand, sef yr ysgol ramadeg agosaf at ein cartref, a hwnnw yn ceisio ei orau glas i'w pherswadio i fynd â fi yno yn lle Bury. Doeddwn i ddim llawer callach beth oedd yn digwydd mewn gwirionedd, ond penderfynodd Mam beidio â'm symud i ysgol a chanddi statws is na Bury, yn ei chred hi. A dyna ddechrau ar yrfa mewn ysgol nad oes gen i bron dim byd caredig i'w ddweud amdani. O fynd i'r adran uwchradd yn 10 oed, ar ddiwedd y flwyddyn gyntaf fi oedd yr uchaf yn y dosbarth. Ymateb yr ysgol oedd fy nyrchafu i ddosbarth uwch fyth, a dyna lle roeddwn yn 11 oed mewn dosbarth efo plant 13–14 oed. Doedd hyn ddim yn brofiad braf a roedd yn ymylu ar fod yn greulon ar adegau. Roedd plant eraill ar eu prifiant a finnau ddim, roedd y siarad a'r profiad o dyfu a chymysgu efo genod yn beth dieithr i mi, ac ar ben hynny dioddefodd fy mherfformiad yn y dosbarth. Cymerais 'lefel-O' yn 14 oed heb lawer o lwyddiant a gorfod mynd i lawr i fy mlwyddyn wreiddiol. Rai blynyddoedd wedyn, ysgrifennais at Gofrestrydd yr ysgol yn pledio arnyn nhw am agwedd fwy goleuedig a sensitif wrth iddyn nhw ddelio â phlant galluog. Ni chefais ateb byth!

Nid fy mod yn peidio â gwneud ymdrech i gyfrannu at gymdeithas yr ysgol. Cofiaf wirfoddoli ar gyfer côr y Tŷ (Derby) ar ôl i Feistr y Tŷ ymbil arnom am bresenoldeb yn yr ymarfer ryw amser cinio – 'for the sake of the House, please boys!' Aberthais fy awr ginio a chyfrannu o'm gorau 'mond i'r athro fy ngalw draw ar ddiwedd yr ymarfer – 'You'll recall my saying, please come to the choir practice for the sake of the House; well, Clowes, can I ask you, for the sake of the House, not to come again.' Am ffordd i ddatblygu hyder unigolyn! Yr eironi yw, wrth gwrs, 'mod i'n dad i ddau o hogia sy'n gwneud eu bywoliaeth yn y byd cerdd! Hanes pur wahanol oedd un Dorothi wrth iddi ennill am ganu ar aml i achlysur pan oedd yn ifanc, yng nghystadlaethau'r Feis yn Iwerddon!

Ond, wedi cyrraedd y 6ed dosbarth a gwneud dewisiadau ar gyfer lefel-A, roedd yr awch i wneud meddygaeth wedi cydio. Roedd yr hedyn wedi ei blannu gan Mam a dyna oedd 'i fod' – nid o argyhoeddiad cryf ar y pryd, ond gyda'r gallu yno cefais fy nghymell i ddilyn y trywydd hwnnw. Nid yn annisgwyl, penderfynais wneud cemeg, ffiseg a bywydeg. Yr unig broblem oedd diffyg athro cymwys i ddysgu bywydeg, a gorfu i'r tri ohonom oedd yn gwneud y pwnc gael yr athro daeareg i'n dysgu. Dyn digon dymunol, ond roedd yn hollol amlwg o wers i wers ei fod wedi darllen am yr hyn oedd i'w ddysgu y noson cynt!

Nid oedd hanes o ddilyn gyrfa broffesiynol yn y teulu. Roedd fy nhad yn saer coed a Mam yn dal wrthi'n gwneud ei gwaith llaw gartref, ac felly pan ddaeth yn amser i ddewis prifysgol ar gyfer cwrs meddygol o'n i'n llwyr ddibynnol ar yr athro gyrfaoedd am gyngor. Gŵr a raddiodd yng Nghaergrawnt yn y 'Clasuron' oedd yn gyfrifol am hynny, ac wedi imi siarad â fo sgrifennais at brifysgol Nottingham yn unol â'i gyngor. Aeth mis heibio heb ateb tra oedd disgyblion eraill, yn dilyn pynciau eraill, i gyd wedi cael atebion gan eu darpar brifysgolion. Ysgrifennais eto at Nottingham rhag ofn fod y llythyr gwreiddiol wedi mynd ar goll a'r tro hwn cael yr ateb anfarwol: 'Mae'n ddrwg gennym, does gennym ni ddim ysgol feddygol yn Nottingham ar hyn o bryd; 'dan ni'n gobeithio y bydd gennym ni un mewn pum mlynedd'! Heb golli mwy o amser, penderfynais ysgrifennu at Lerpwl, Sheffield a Manceinion a chael fy nerbyn gan bob un. Manceinion aeth â hi, am ei bod yn nes ac yn fwy cyfarwydd imi fel dinas na'r ddau le arall. Flynyddoedd wedyn, o ddeall mai Prifysgol Manceinion yw un o'r ychydig brifysgolion yng ngwledydd Prydain sy'n dod yn gyson o fewn y 100 uchaf yn y byd, roedd rhywun yn sylweddoli mor ffodus o'n i i gael lle. Wyth deg ohonom oedd ar y cwrs pan ddechreuais yn hydref 1962 er bod y nifer heddiw yn nes at 400. Braint felly oedd cael y fath gyfle. Braint hefyd oedd cael grant llawn; ni wn sut mae gwleidyddion sydd wedi cael bendithion o'r fath yn medru gwrthod yr un gefnogaeth i'r genhedlaeth ifanc heddiw!

Hap a damwain i ryw raddau yw sut mae rhywun yn gwneud ffrindiau mewn sefyllfa newydd, ond yn yr wythnos gyntaf, o fewn dyddiau o ddechrau fy nghwrs, ro'n i wedi symud i ystafell mewn tŷ yn Rusholme gyda chyfeillion oedd am fod yn gydymdeithwyr am y pum mlynedd nesaf. Dw i'n pwysleisio'r unigol, 'ystafell' achos dyna beth oedd gan bedwar ohonom i'w rhannu am y flwyddyn gyntaf – John Bray, mab i deulu busnes cefnog o swydd Efrog; Ray Brosnan, mab i ferch gafodd ei gadael gan Americanwr yn y llu awyr adeg y rhyfel, a Terry Robinson, Gwyddel a oedd yn dilyn cwrs cymdeithaseg. Roedd y llety ym mherchnogaeth dynes o Blackpool a fyddai'n galw heibio bob mis i hel ei £4.10s, neu £1.2s.6d yr un. I mi doedd byw mewn neuadd breswyl ddim yn opsiwn yn ariannol. Er hynny, dw i'n siŵr bod 'na opsiynau gwell, a phrin fyddai'r fath amgylchiadau'n cael eu caniatáu ar unrhyw gyfrif heddiw. Yr hyn oedd gan y pedwar ohonom yn gyffredin oedd ein bod wedi cyfarfod yn yr Undeb, man lle treuliais lawer o'm hamser yn y blynyddoedd wedyn yn trafod materion y dydd a hogi fy sgiliau dadlau.

Rhaid cofio mai hwn oedd y '60au, cyfnod o newid cymdeithasol aruthrol. Roedd hefyd yn adeg protestio am y rhyfel yn Fietnam a phresenoldeb yr UDA a'i thaflegrau yng Nghomin Greenham. Ac nid yn Lloegr yn unig oedd yr aflonyddwch, fel y tystiwyd wrth i Gymdeithas yr Iaith ac Adfer ymladd am ein hunaniaeth, brwydr o'n i'n uniaethu â hi o ochr arall i'r ffin. Roedd buddugoliaeth Gwynfor Evans yn Aelod Seneddol cyntaf dros Blaid Cymru yn 1966 yn garreg filltir bwysig ac yn esgus imi ysgrifennu ato ac ymuno â'r Blaid honno. Yn Ffrainc a'r Almaen roedd trais yn fwy amlwg ac yn fwy chwyldroadol wrth i'r myfyrwyr ymladd yn gyson efo'r awdurdodau. Mwynheais yr holl gyffro, ond yng nghanol y cyfan arferai Dorothi a fi fynd am Lanberis ar y penwythnos. Yno, ym Mhen-y-Gilfach, roedd fy mam a 'nhad wedi prynu Glyn Padarn, neu o leiaf roeddwn i wedi eu persawdio i'w brynu. Gan fy mam etifeddais fy ngreddf *entrepreneuraidd* a wiw i neb ddweud nad yw'r Cymry'n barod i fentro os ydy'r amgylchiadau yn iawn! Mae Glyn Padarn yn dŷ hardd ar lan Llyn Padarn a oedd, adeg y rhyfel, yn *officers' mess* ar gyfer y Llu Awyr. Daeth ar werth drwy ocsiwn yn 1956 ond methiant oedd y cynnig i'w werthu. Wedi imi ddeall hyn, a finnau yn 14 oed, darbwyllais fy rhieni – neu Mam o leiaf – y dylwn holi faint byddai'r Llu Awyr yn fodlon derbyn amdano, ac i ffwrdd â Mam a fi i Burtonwood ger Warrington i'w holi. I dorri stori hir yn fer, prynwyd y lle am £2,500, gan gynnwys y *lodge* gerllaw lle bu Mam yn byw am gyfnod pan oedd hi'n blentyn. Ychydig o lathenni i fyny'r lôn oedd hen gartref y teulu, Bryn Ffynnon, mewn rhes o fythynnod oedd wedi eu hen chwalu. Roedd rhaid i 'nhad fenthyca cryn arian i brynu Glyn Padarn, ac mi wn y gwnaeth hyn achosi pryder sylweddol iddo – y tro cyntaf iddo fenthyca arian. Y tro cyntaf hefyd iddo fo a Mam fod yn berchen ar eu cartref eu hunain ac yn fyd hollol wahanol i'r tŷ teras ar rent, â'u cefnau 'Coronation Street-aidd' yng ngogledd Manceinion. Symudodd Mam, ynghyd â'm chwaer Deirdre, wyth mlynedd yn ifancach na fi, i Glyn Padarn gan redeg y tŷ fel gwely a brecwast tra arhosodd fy nhad ym Manceinion gyda'r bwriad o symud yno unwaith roedd yr achos yn hunangynhaliol. Oherwydd y pellter daearyddol a'r wyth mlynedd o wahaniaeth rhygddom, nid oedd y berthynas â'm chwaer yn ystod ei hoed ffurfiannol yn glòs iawn – yn wahanol iawn i heddiw. Ni symudodd fy nhad yn barhaol, ond yn hytrach teithiodd ar y penwythnosau i gynnal a chadw Glyn Padarn yn ôl yr angen. Doedd hon ddim yn sefyllfa berffaith, ond cynigiodd yr encil bendigedig hwn gyfle i Dorothi a finnau fanteisio'n llawn ar ddogn rheolaidd o gefn gwlad a Chymreigrwydd. Nid oedd Dorothi erioed wedi clywed gair o Gymraeg nes iddi fynd i Lanberis am y tro cyntaf, ac er yn Brotestant o deulu o Unoliaethwyr a'i thad yn aelod o'r Urdd Oren, roedd yn methu credu cryfder yr iaith yn yr ardal honno, a pham nad oedd hyn wedi arwain at wlad lawer mwy annibynnol ei hysbryd!

Er nad oedd yn byw efo ni, daeth pumed cyfaill i'r pictiwr yn gynnar yn y tymor cyntaf ym Mhrifysgol Manceinion, sef Eddie, myfyriwr economeg oedd yn edrych yr un ffunud â John Lennon. Yn ogystal â thrafod materion mawr y dydd yn yr Undeb, chwaraeodd gerddoriaeth gryn ran yn fy mywyd. O weld Meic Stevens yn chwarae yn neuadd Owens Park, Fallowfield cyn iddo fod yn enw adnabyddus, roedd gen i falchder gwirioneddol bod hwn yn Gymro ac yn canu yn Gymraeg ym Manceinion! Cofiaf *entrepreneur* 'cerddorol' o'r byd Saesneg yn gweld Meic yn Fallowfield ond methodd yn ei ymgais i gael sylw ehangach iddo. Pam tybed? Cofiaf yn yr un cyfnod gael fy ysbrydoli gan ganeuon cyntaf Hogia'r Wyddfa. O'n i'n meddwl bod y 'chwyldro' wedi cyrraedd Cymru wrth imi wrando ar y rhain yn fy nghell ym Manceinion – nid yn unig roedden nhw'n canu 'pop' yn Gymraeg ond ro'n nhw'n dod o bentref bach Llanbêr hefyd – a finnau'n adnabod un ohonynt! Roedd 'na fwy o gyffro i ddod pan sefydlodd y BBC stiwdio deledu mewn hen gapel yn Rusholme, rhyw 10 munud o Undeb y brifysgol. Yn wythnosol, byddai'r cynhyrchydd yn galw heibio'r Undeb gyda thocynnau ar gyfer cynulleidfa stiwdio i'r rhaglen ac, ydw, mi ydw i'n ymddangos mewn sawl un o hen sioeau du a gwyn y cyfnod. A oedd hyn oll yn cystadlu efo rhai darlithoedd? Efallai, ond roedd gweld artistiaid fel Tom Jones, The Who, The Kinks a Marianne Faithfull yn ennill y dydd a roedd modd dal i fyny efo'r darlithoedd beth bynnag! Yn yr un cyfnod, roedd Manceinion yn frith o artistiaid ar daith a bu cyfle felly i weld rhai o'r goreuon – The Beach Boys, The Everly Brothers, Nat King Cole, Cream, Little Richard, Gerry and the Pacemakers a The Hollies i enwi dim ond rhai – cyfnod euraidd y byd pop!

Un p'nawn es i a John, Ray ac Eddie mewn ysbryd digon chwareus i siop C&A Modes yng nghanol y ddinas i brynu gwasgod ddu bob un. Hyn oedd y ffasiwn, wedi ei amlygu gan y Beatles oedd yn dechrau cael llwyddiant am y tro cyntaf efo'u cân *Love Me Do*. Cynllun agored oedd i lawr cyntaf y siop a chrwydrodd y pedwar ohonom nes dod o hyd i'r cyfryw wasgodau – nid lledr mohonynt ond plastig digon rhad. Dwy ferch oedd wrth y til wrth inni dalu a dyna lle oedd John yn dangos ei hun yn gwneud triciau efo pac o gardiau. Pawb mewn hwyliau ac un o'r genod yn amau ein bod yn perthyn i ryw grŵp. Ydyn, meddai Eddie, ond prin eich bod chi wedi clywed amdanom ni. Tipyn mwy o bwysau o gyfeiriad y cownter a Ray yn 'cyfaddef' mai grŵp o'r enw'r Beatles oedden ni. Mae'n anodd credu heddiw, ond prin oedd wynebau'r Beatles yn gyfarwydd yn 1962 ac efo Eddie yr un ffunud â John Lennon, Ray yn debyg i George Harrison, John yn pasio fel Ringo a finnau, wel… Roedd gen i wallt tebyg! Ac felly a fu ac i ffwrdd â ni. Neu felly roeddem ni'n meddwl nes bod Eddie'n penderfynu bod ei wasgod yn rhy fach a doedd dim amdani ond mynd yn ôl i C&A y dydd Mercher canlynol – dim darlithoedd! Prin ein bod ni'n barod am yr hyn a ddigwyddodd wedyn. Wrth inni 'barcio' ein hunain wrth y cownter a dechrau egluro'r angen, dyma fi'n edrych i fyny a gweld sawl cownter o'n cwmpas yn cyffroi ac, o fewn eiliadau, dyna lle roedden ni wedi ein hamgylchynu gan yr holl genod hyn yn chwifio bagiau papur, neu unrhyw bapur arall oedd wrth law, yn chwilio am ein llofnodion. Ac, felly, yr ail her! Mae'n anodd credu hefyd, ond doedd enwau'r Beatles ddim yn gyfarwydd yn y dyddiau cynnar iawn 'blaw un, Ringo Starr, yr enw anghyffredin a oedd wedi treiddio i feddyliau rhai o leiaf. Ni wn faint o fagiau wnaethom ni arwyddo y p'nawn hwnnw, ond gydag un yn arwyddo 'Love Ringo' a'r lleill ohonom yn sticio at 'Best Wishes, The Beatles' gobeithio nad oes 'na ferched allan yno wedi cadw'r bagiau ac yn meddwl eu bod yn werth arian!

Ac felly fu'r cwrs meddygol – trafod yn yr Undeb, y gerddoriaeth, teithiau i Lanberis ar y penwythnos ac, wrth gwrs, y darlithoedd angenrheidiol. Yn eu mysg, darlithoedd a phrofiad yn y theatr lawfeddygol gyda'r Cymro Lloyd Griffiths, llawfeddyg orthopedeg o fri a thipyn o gymeriad 'hunanbwysig' ar yr wyneb oedd yn codi ofn ar bawb. Rhai blynyddoedd wedyn, wedi iddo ymddeol i Eglwys-bach yn Nyffryn Conwy, wnes i ei gyfarfod mewn achlysur meddygol lle roedd wrthi'n ddygn yn ymarfer ei Gymraeg, rhywbeth roedd wedi gwrthod ei wneud tra oedd yn yr ysbyty.

Mae'n dipyn o ystrydeb, ond does dim dwywaith i mi, yn fy nghyfnod yn y brifysgol, nid yn unig ddod yn fwy ymwybodol o Gymru a'i hiaith, ond hefyd ddod i sylweddoli cyn lleied o ddealltwriaeth oedd gan y rhan fwyaf o'm cyfoedion am y wlad, ei hanes, ei diwylliant a'r iaith. Ac os oeddem ni'n gorfod dibynnu ar y genhedlaeth nesaf o arweinwyr o'r sefydliad hwn i hyrwyddo ein buddiannau, mi fydden ni'n disgwyl am Godot. Canlyniad hyn, heb lawer o bendroni mewn gwirionedd, oedd fy ngwneud i'n fwy o genedlaetholwr ac yn fwy angerddol dros y wlad. Roedd gwella fy Nghymraeg yn y cyfnod hwn yn rhan o'r broses honno.

Ar ddiwedd y pum mlynedd sefais fy arholiadau 'ffeinals'. Anghofiaf fyth y *viva voce* lle mae rhywun yn dod wyneb-yn-wyneb â chlaf nad ydych yn ei adnabod ac, o fewn deng munud, yn gorfod penderfynu be all y diagnosis fod wrth ei holi yn fanwl. Gwyddel bochgoch o orllewin y wlad yn gweithio ar safle adeiladu ym Manceinion oedd fy nghlaf i. Roedd un benelin yn goch, yn dendr ac wedi chwyddo yn arw, ac er yn anghyffredin iawn mentrais yn gywir, oherwydd ei gefndir yn y Conamara tlawd, mai'r diciáu oedd ar y gŵr a hynny wedi lledaenu i'w asgwrn; cymryd hanes manwl y gŵyn a chefndir yr unigolyn yw'r allwedd i ddiagnosis cywir yn aml iawn! Wedi graddio fel meddyg M.B., Ch.B yn 1967, dechreuais weithio yn yr Adran Glust, Trwyn a Gwddf yn Manchester Royal Infirmary. Ken Harrison, un o gyfarwyddwyr Manchester United, oedd yr ymgynghorydd er nad oeddwn yn gwybod hynny pan ddewisais weithio yno! Flynyddoedd wedyn, roedd y profiad yn yr adran hon yn profi'n werthfawr iawn oherwydd natur gyffredin y gwahanol glefydau oedd i'w cael yno. Yn ogystal, roedd yn ofynnol inni weithio ar rota yn yr Adran Ddamweiniau, ac er bod hon yn enwog am y pwysau gwaith, roedd yn agoriad llygad i fywyd hollol wahanol i feddyg ifanc digon diniwed. Roedd y sister yn arfer dweud wrthym beth oedd yn ein disgwyl cyn mynd i fewn i'r ciwbicl, ond cofiaf un noson gael rhybudd arbennig ganddi a pharatoi fy hun am yr hyn oedd yn fy wynebu – wrth agor y llenni, gwelais ddyn, French Polisher, tua 55 oed yn gorwedd o dan flanced. 'Be sy'n bod?' gofynnais i, ac ar y gair tynnodd y flanced yn ôl a dangos cryn waed a chnawd 'rhydd' rhwng ei goesau. Roedd y gŵr wedi trio, yn aflwyddiannus, i ysbaddu ei hun! I fachgen 23 oed nad oedd erioed wedi gweld y fath beth, mae'n debyg fod fy wyneb yn dweud y cyfan. Ond o weld fy wyneb roedd ei eiriau wedyn bron yr un mor annisgwyl. 'Be sydd? Ydyn nhw ddim yn arfer gwneud fel hyn?' Ei gael i theatr a'i drwsio oedd yr unig ateb ac i ffwrdd â fi! Y labrwrs meddw o Iwerddon oedd yr her fwyaf imi, yn arbennig ar y penwythnos. Er yng nghanol eu gwaith bob dydd roedden nhw'n bobl hynod fel y tystiais wrth imi weithio efo rhai ohonyn nhw ar safle adeiladu yn ystod fy ngwyliau haf. Chwe mis dreuliais yn yr MRI cyn mentro draw i Stockport ac Ysbyty Stepping Hill yn uned Dr Sykes, yr Ymgynghorydd Meddygaeth. Diddorol oedd gweld yr awyrgylch gwahanol rhwng y ddau ysbyty, MRI yn llawer mwy ffurfiol a *stiff* o'i gymharu â'r awyrgylch cyfeillgar yn Stockport. Roedd hefyd llawer mwy o gyfle i ymarfer fy nghrefft yn Stepping Hill a mwy o ryddid i arwain o fewn terfynau clinigol. Wedi imi wneud fy mlwyddyn angenrheidiol 'cyn-gofrestru', roedd y byd cyfan ar gael inni yn y dyddiau hynny. Yn fuan ar ôl cofrestru aeth John i ffwrdd i Los Angeles a gweithio yno fel radiolegydd yn Ysbyty Cedars-Sinai. Yno, daeth sêr Hollywood megis Audrey Hepburn a Yul Brynner o dan ei ofal tra setlodd Ray mewn practis yng ngogledd Manceinion gyda'i wraig Lynda yn rheolwr y practis yno.

Priododd Dorothi a finnau yn ei bro enedigol, sef Ard Mhacha (Armagh), ym mis Rhagfyr 1966. Cyn hynny, ar ôl iddi raddio yn 1965, roedd yn amod o'i grant ei bod hi'n gweithio yn Swydd Ard Mhacha am gyfnod. Ar ôl gwneud ei 'dyletswydd', daeth ataf i Fanceinion cyn imi fynd i Sir Ddinbych yn 1968. Dewisais ddod yn ôl i Gymru oherwydd yr apêl o weithio fel Uwch Swyddog Tŷ yn Ysbyty Llangwyfan, ysbyty'r frest a oedd yn arfer trin llawer o'r hen chwarelwyr llechi. Sefydlwyd yr ysbyty, neu 'sanatoriwm' fel y'i gelwir, yn 1920 yng nghanol cefn gwlad y Gogledd fel rhan o'r ddarpariaeth gan y WNMA (Welsh National Memorial Association) i ymladd yn erbyn y diciáu. Yn y de, darparwyd ysbyty tebyg ym Mronllys, Talgarth, lle trwy ryw gyd-ddigwyddiad bûm yn gweithio ymhellach ymlaen yn fy ngyrfa. Yr adeg hynny roedd awyr iach yn rhan hanfodol o'r driniaeth ac roedd gan bob ward, yn Llangwyfan a Bronllys fel ei gilydd, falconi i'r awyr agored lle roedd y cleifion yn treulio llawer o'u hamser. Cofiaf gyrraedd Llangwyfan ar gyfer y cyfweliad gyda'r eira ar Hiraethog at ben y cloddiau. O'n i fod yn Salford ar gyfer locwm yn y dociau ddiwedd y p'nawn hwnnw, ond gyda Dafydd ein cyntaf-anedig yn cyrraedd yr un diwrnod, troais i'r Gorllewin am Fangor ac Ysbyty Dewi Sant i weld y wyrth newydd a'r dyddiad – Gŵyl Ddewi 1969! Er amgylchiadau ei leoliad anghysbell, roedd yr ysbyty'n cyflawni cryn gampau o dan arolygiaeth Drs. William Biagi a Mary Gallagher nes iddo gau yn 1981. Yma daeth Howell Hughes o Lerpwl ac Ivor Lewis o'r Rhyl i drin y cleifion, ill ddau yn llawfeddygon thorasig o'r radd flaenaf. Cefais y fraint o'u cynorthwyo yn y theatr am y flwyddyn o'n i yn Llangwyfan, a Chymraeg oedd yr iaith bob amser i'r eiconau meddygol hyn. Yn yr un modd, Cymraeg oedd iaith ddewisol llawer iawn o'r cleifion a staff yr ardal, ac os oedd gen i unrhyw anawsterau'n siarad yr iaith cyn mynd yno, yn fuan iawn ciliodd y rhwystrau!

Daeth myfyrwyr tramor atom bob blwyddyn am eu cyfnodau dewisol ac roedd eu presenoldeb yn ychwanegu at yr awyrgylch bywiog. Nhw, wedi'r cyfan, benderfynodd dynnu Sioni'r Undeb oddi ar y polyn o flaen yr ysbyty a rhoi'r Ddraig Goch yn ei le! Yno hefyd wnes i gyfarfod Dr John Thomas, Cofrestrydd Meddygol o ardal Abertawe, a Dr Harvinder Sahota sydd, bellach, hefyd yn gweithio yn Los Angeles fel cardiolegydd. Roeddwn i yn Ysbyty Llangwyfan bron ar ddiwedd oes yr ysbyty hwn, a roddodd gymaint i genedlaethau a oedd yn dioddef o lwch y chwarel, silicosis a'r diciáu ac mi wnes i werthfawrogi pob munud o 'mhrofiad. Ar ôl blwyddyn daeth cyfnod fy swydd i ben a roedd rhaid meddwl am y cam nesaf.

Roedd 'na ansicrwydd yn fy meddwl, ond yn y diwedd wnes i ymgeisio am swydd fel Uwch Swyddog Tŷ yn Ysbyty Christie ym Manceinion, ysbyty a oedd yn enwog am ei arbenigedd ym maes oncoleg neu driniaeth cancr. Cefais y swydd a symudom ni fel teulu i fflat ar gampws yr ysbyty. Pam mynd i'r maes yma? Yr ateb onest yw, dw i ddim yn siŵr. Yn amlwg roedd wedi gadael argraff arnaf pan o'n i'n fyfyriwr, yn faes cyffrous, llawn newid ac yn arloesol, ond dwi ddim yn cofio unrhyw argyhoeddiad mawr. Ond, fel y soniais eisoes, ar ddiwedd y flwyddyn gyntaf roedd 'na dro arall ar fin ddigwydd wrth imi ymateb i hysbyseb arbennig yn y BMJ yng Ngorffennaf 1970.

'Caernarvonshire Family Practitioner Committee, Llanaelhaiarn.

Single-handed dispensing practice of 1200

Interested applicants to write to 9, Segontium Terrace, Caernarvon.'

Cyfeiriais yn gynharach at natur Saesneg y broses benodi a'r anghyfiawnder y byddai'r cleifion wedi ei wynebu pe na bai'r gallu gen i i gyfathrebu â nhw yn y Gymraeg. Er fy mod yn gwybod o 'mhrofiad cynnar yn y feddygfa am bwysigrwydd yr iaith i bobl, yr hyn ddaeth â'r peth yn fwy amlwg imi nag erioed oedd yr ymateb i'r cyfryngau o du allan i Gymru pan gafodd Antur Aelhaearn y cyhoeddusrwydd eang. Yn fy naïfrwydd, pan holodd BBC2 am rywun fyddai'n ddiddorol ar gyfer cyfweliad, wnes i eu hel i Dan y Ceiri yn Llanaelhaearn. O weld y criw teledu y noson honno a'u holi am eu hamser efo Robert Williams, daeth yr ateb braidd yn annisgwyl nad oeddent wedi llwyddo i gyfathrebu â fo – dim gair allan o'r dyn deallus hwn! Yr un oedd y stori ychydig wythnosau wedyn wrth imi hel criw teledu arall i Dir Gwyn, Llithfaen. I rywun a oedd yn siarad Cymraeg â'r bobl bob dydd, doedd unieithrwydd canran o'r gymuned ddim yn amlwg, a pham dylai fod? Bellach, mae'r genhedlaeth 'na wedi peidio â bod, ond erys naturioldeb y Gymraeg fel patrwm ieithyddol trwch y bobl hyd heddiw ac yn yr iaith honno maen nhw'n teimlo fwyaf cartrefol, a wiw i unrhyw awdurdod na chwmni sydd am ddenu busnes anwybyddu hynny os ydyn nhw am gyfathrebu'n effeithiol!

Roedd y trefniant ar gyfer y feddygfa yn Llanaelhaearn yn un syml. Ar wahân i'r ystafell ffrynt lle cynhaliwyd y brif syjeri bob dydd 'blaw dydd Sul, roedd yno ystafell fechan ar gyfer y fferyllfa a hanner-drws, tebyg i un stabl, o'r fan honno trwodd i'r ystafell aros â'i mainc syml ar hyd y wal a oedd, yn ei thro, yn agor trwy ddrws arall i'm hystafell i. Tu allan i ddrws yr ystafell aros roedd 'na 'borth' gyda mainc i gysgodi ar gyfer y cynnar-ddyfodiaid. Neu, felly oedd i fod! Un o'r storïau cyntaf a glywais oedd honno am un o'm rhagflaenwyr, Dr Jac Rowlands, dyn oedd yn hoffi ei ddiod yn arw. Un diwrnod nid agorodd y drws am 9 o'r gloch y bore; daeth chwarter awr wedi a doedd dim golwg o neb na lle i gredu bod y doctor ar alwad; hanner awr wedi a'r un oedd y stori. Dechreuodd yr hanner dwsin, a oedd wedi blino disgwyl erbyn hyn, fynd ati i besychu yn uwch ac yn uwch gan wybod y byddai Dr Jac yn eu clywed o'i lofft. Yn ddigon siŵr, ar ôl clywed y tuchan a'r pesychu am ddeng munud a mwy, agorodd ffenest y llofft, gwthiodd Dr Jac ei ben allan, a daeth y floedd – 'cerwch adre, ddiawliaid; dw i'n waeth na'r un ohonoch chi!' Heddiw, o flaen ei well fyddai o!

Roedd Dr Jac yn enwog am fynd i bob man efo'i geffyl a throl, ond un a'i dilynodd oedd Dr Donald Kiff, meistr y moto-beic. Fo oedd y meddyg olaf i fynd i lawr i weld y trigolion yn Nant Gwrtheyrn, a gan nad oedd 'na ffordd addas yno mynd ar ei foto-beic i lawr y trac hegar 40% gradd oedd yr arfer! Denodd bractis Llanaelhaearn gyfres o gymeriadau lliwgar. Mi o'n i'n arfer hel pres presgripsiwn mewn cwdyn pan oeddwn yn Nhrefor neu Lithfaen a'r un oedd yr arfer ers cyn cof. I'r rhan fwyaf ohonom nid oedd hynny'n broblem, ond gwrthododd Dr Mather, oedd yn feddyg yno yn y 1960au, gyffwrdd â'r arian. I mewn i'r cwdyn aeth y pres cyn iddo ei wagio i fewn i wirod ar ei ddesg. Yr un prynhawn, dyna lle oedd rhes o bapurau punt yn sychu ar y lein ddillad!

O'n i wedi etifeddu'r trefniant ym Mryn Meddyg yn 1970 a phrin oedd y newid tra o'n i yn y practis. Yn wir, tybiaf mai prin oedd y newid ers agor y practis yn 1889! At ei gilydd roedd y drefn yn gweithio, ond o fewn dyddiau yn y swydd ffeindiais fod lefel y sŵn o'r ystafell aros i'r syrjeri yn ormod ar adegau, a mae'n siŵr gen i bod hynny'n wir fel arall hefyd. Mae bwrdd Celotex yn dda mewn sefyllfa o'r fath, ac o fewn dim roedd y drws gwreiddiol wedi ei orchuddio a'r sŵn gymaint yn ddistewach, 'blaw am ambell lais a chwerthiniad. Yr arch floeddiwr a llais y chwerthin iach oedd Jim Owen, perchennog garej o Drefor. Pan oedd Jim yn yr ystafell aros, roedd yn 'donic' gwell na'r un doctor!

Er nad oeddwn yn clywed y geiriau, doedd 'na ddim modd

ei anwybyddu. Ar adegau, bron fy mod i'n teimlo fel ei gyflogi; wedi pum munud o fod yn yr ystafell aros efo Jim roedd pawb yn chwerthin ac o'n i'n teimlo bod fy ngwaith drosodd am y tro! Ar y llaw arall, tonic nad oedd mo'i angen oedd arfer rhai cleifion o alw'n fisol am eu *placebo*, arfer a diddymwyd dros gyfnod o fisoedd. Weithiau cafwyd chwistrelliad o *cyanocobalamin* (fitamin B-12) heb fod 'na hanes o *pernicious anaemia*, neu'r tabledi pinc nad oedden nhw'n ddim ond swcros mewn gwirionedd!

Roedd fy nghyfnod fel meddyg yn Llanaelhaearn yn eithaf unig yn broffesiynol er bod 'na gymdeithas o feddygon a gweinidogion yn cyfarfod yn Llŷn i drafod materion mwy cyffredinol. Prin oedd y cyfle i drafod meddygaeth gyda'm cyfoedion ac ni fu unrhyw ymyrraeth gan y Pwyllgor Ymarferwyr Teulu o Gaernarfon. Hynny yw, nid oedd 'na unrhyw fonitro ar fy ngwaith, rhywbeth a fyddai'n gwbl annerbyniol heddiw. Cofiaf yr achlysur pan wnes i roi chwisgi i Cemlyn ar bresgripsiwn! Roedd o wedi bod o dan law Owain Owain, y llawfeddyg galluog yn hen ysbyty Môn ac Arfon ym Mangor. Cafodd Cemlyn driniaeth eithaf hegar gan golli rhai o'i fodiau traed ar ôl i fadredd effeithio arnyn nhw. Ateb Owain Owain oedd i ragnodi chwisgi gan wybod y byddai hynny'n gwella cylchrediad gwaed ymylon y corff a gobeithio yn rhwystro'r cyflwr rhag lledu. Yn beth disgwyliedig, wnes i gario ymlaen a'i ragnodi yn unol â'r cyfarwyddyd! Gweithiodd hynny'n iawn nes i'r arfer ddenu sylw'r sawl oedd yn arolygu presgripsiynau yn y Swyddfa Gymreig, ac er y gydnabyddiaeth ei fod yn debygol o fod yn 'effeithiol', cefais gyngor cryf y dylid dewis cyffur amgen o'r fformiwla cydnabyddedig!

Roedd fy mherthynas â'r cleifion yn un glòs; nid yw'n ormodedd i ddweud fy mod yn gweld y rhan fwyaf o'r hen bobl o leiaf bob chwarter wrth imi alw ar hap yn eu cartrefi neu wrth iddyn nhw alw i'm gweld i. Roedd hyn yn ffordd dda o gadw llygad ar bobl ac atal ambell broblem rhag codi. Cofiaf y ddwy wraig yn Nhrefor a oedd yn galw'n rheolaidd yn festri Capel Maes-y-Neuadd. Un tro aeth pythefnos heibio heb imi

eu gweld. Wedyn, daeth y ddwy efo'i gilydd a'r un oedd y stori
– 'sori fy mod i wedi methu chi wythnos ddiwetha, doctor; o'n
i ddim yn teimlo'n ddigon da i ddod i'r syrjeri'! Roedd rhaid
chwerthin ac, eto, roedd yn ddigon hawdd gweld beth roedden
nhw'n ei feddwl.

Ond nid pawb oedd yn cydweithredu. Doedd cael eich
deffro yng nghanol y nos a chithau yn y syrjeri am 9 o'r gloch
y bore wedyn ddim yn llawer o hwyl, ond roedd 'na un teulu
ar gyrion Eifionydd yn arbenigo yn hynny. Doedd dim cysur
i'w gael yn y tŷ arbennig hwn – dim dillad ar y rhan fwyaf
o'r gwelyau, dim carped ar y lloriau a'r ddiod gadarn yn rhan
annatod o'r aelwyd. Ond wedi imi gael fy ngalw un noson gan
'fod Mam yn wael iawn, doctor', roedd rhaid mynd. Allan â fi
i'r garej, neidio yn y car ac i lawr y lôn o Fryn Meddyg, cyn
clywed sŵn tapio ar y to fel o'n i'n cyflymu. Wedi imi frecio
a mynd allan, beth oedd yn gyfrifol ond Neli'r iâr yn cysgu ar
y roof-rac a finnau wedi tarfu ar ei chwsg! Ymlaen â fi felly.
Ond yn ôl yr arfer efo'r teulu hwn doedd 'na ddim o bwys
i'w ddarganfod ac adref â fi. Prin roeddwn wedi suddo i'm
gwely cyn i'r ffôn ganu eto a'r un oedd y gri ond bod 'Mam yn
waeth' y tro hwn. Nid wyf yn credu fy mod yn wahanol i'r rhan
fwyaf o feddygon ond, o gael galwad o'r fath, mae'n anodd i'w
hanwybyddu ac, os byddwch, mae'n anodd iawn i ymlacio a
mynd yn ôl i gysgu. Felly, i ffwrdd â fi a mynd i weld 'Mam' eto.
Wrth ei harchwilio a holi'r teulu, daeth yn amlwg nad oedd 'na
unrhyw beth o bwys arni ac i ffwrdd â fi i lawr y grisiau, ond
nid heb ddweud y drefn wrth y gŵr a'r llanciau am fy ngalw
yn ddiangen! Wedi imi gyrraedd gwaelod y grisiau at y drws
ffrynt, yn dal i gega ar y mab, dyma fi yng ngwres y foment
yn anghofio bod y llwybr o'r drws yn mynd ar ongl at y giât a
llwyddodd Carl i faglu ar ei hyd ar draws y wal isel o 'mlaen
gan adael i 'mag fynd i un cyfeiriad a finnau i gyfeiriad arall. A
sôn am golli fy urddas, doedd pethau ddim am wella wedi imi
gyrraedd adref chwaith. Tynnais amdanaf, ac wedi ymlâdd
disgynnais ar fy ngwely pres, bron â chysgu, a ffeindio fy hun
ar y llawr! Roedd y ffrâm o dan y matres wedi dod yn rhydd

a disgynnodd y cyfan, gan fy nghynnwys i. Cydymdeimlaf â'r sawl oedd yn y feddygfa bore wedyn!

Soniais sut oedd Antur Aelhaearn yn cael llawer o sylw a chefais f'atgoffa o hynny rhyw fore Sadwrn yn Llithfaen. Yno o'n i'n arfer mynd i weld gwraig weddw yn wythnosol yn ei chartref. Roedd hi'n dioddef o'r clefyd siwgr, ac er nad oedd yr ymweliad yn angenrheidiol dysgais fod galw yno dydd Sadwrn ar ôl y syrjeri yn arbed galwad i Lithfaen i'w gweld ymhellach ymlaen ar y penwythnos. O'i gweld yn ei chartref tua hanner dydd fel rheol roedd hi bob amser yn ei gwely, yn gorwedd ar ei hochr, a'i chi swnllyd yn gwneud unrhyw archwiliad yn gwbl amhosibl. F'ateb arferol oedd i hel y ci i lawr o'r gwely ac allan o'r ystafell gan gau y drws ar ei ôl. Ac felly a fu nes imi gyrraedd y tŷ un bore, a chyn imi fentro i gyffwrdd â'r ci gofynnodd y wraig o'n i wedi bod ar y BBC World Service yr wythnos gynt. O'n i'n cofio fy mod i wedi recordio rhywbeth ar ei gyfer ond heb ei glywed fy hun. 'Mae'n rhaid eich bod,' meddai hi, 'oherwydd o'n i'n gwrando ar y radio nos Lun ddiwetha, yn fy hanner-cwsg tua 2 o'r gloch y bore, pan ddechreuodd y ci gyfarth'. Wedi iddi ddeffro yn iawn wnaeth hi sylweddoli mai fy llais i oedd wedi aflonyddu'r ci! Ffrindiau'n wir!

Yn fy nghyfnod mewn practis nid yn unig y dysgais am bwysigrwydd yr iaith i'r claf, ond dysgais hefyd ei bod ar gael i bawb beth bynnag eu gallu a'u cefndir. Yr esiampl orau efallai oedd y ferch â syndrom Down. Gyda'i thad yn Gymro Cymraeg, a'i mam yn ddi-Gymraeg, roedd y ferch yn gyfartal ddwyieithog hyderus hyd at y lefel byddai rhywun yn ei disgwyl o rywun â'r cyflwr. Roedd y cyfuniad o rieni yn ogystal â'i hamgylchedd Cymraeg wedi sicrhau hynny ac yn brawf mor bwysig yw'r amgylchedd cymdeithasol i ddatblygiad iaith yr unigolyn. Byddaf yn cofio'r ferch yma pan glywaf rai yn sôn mor wael ydynt am ddysgu iaith arall. Ar begwn gallu ieithyddol arbennig roedd Robert Williams, Tan y Ceiri. Er ei unieithrwydd, roedd hwn yn ddyn deallus. I Tan y Ceiri, tyddyn ar odre'r Eifl, y byddwn yn mynd gyda'r nos o dro i dro a chael sgwrs ddifyr iawn. Doedd ei ffordd o fyw heb newid dim ers canrif a mwy. O gyrraedd y bwthyn ar droed, y peth cyntaf a welwch ydy'r tap dŵr oer tu allan, yr unig gyflenwad dŵr i'w gartref. Unwaith erioed y gwelais y drws wedi ei gau a hynny pan oedd yn dod at ddiwedd ei oes; 'radeg hynny roeddwn yn gorfod cyfathrebu â fo drwy chwarel bach a oedd yn agor yng nghanol ffenest ei lofft wrth ochr y drws ffrynt. Fel arall, roedd y drws yn agored hyd yn oed yng nghanol gaeaf, ac wrth fynd i fewn fe welai rhywun Robert yn eistedd wrth y *range*. Uwch ei ben roedd y nenfwd *drapes* calico, ac yn gefn iddo safai dresel y teulu, ill dau yr un mor lychlyd â'i gilydd. Gosodwyd y dresel ar silff rhyw chwe modfedd uwch ben llechi'r llawr a hynny mae'n debyg i nadu'r tamp rhag ei gyrraedd. Ar draws y llawr o'r *range* roedd ei gwpwrdd yn llawn llestri, ond yn bwysicach na dim i'r meddyg ifanc roedd ei dop yn llawn o hen lyfrau Cymraeg, ac yn eu mysg, a'r tro cyntaf imi ei weld, oedd copi o *Cymru Fu*. Am drysor cydnaws â'i leoliad! Cefais y fraint o'i fenthyca a chael blas rhyfeddol ar hanesion Rhys a Meinir, Gwrtheyrn, Taliesin, Owen [*sic*] Glyndŵr ac yn y blaen, a'r cyfan mewn Cymraeg graenus o'r oes a fu.

Mewn practis meddygol, ys dywedai'r darlithydd yn y coleg ers lawer dydd, 'mae pethau cyffredin yn digwydd yn gyffredin' ac, at ei gilydd, i feddyg yng nghefn gwlad Llŷn yn y 1970au roedd hynny'n wir, gan adael felly yr anghyffredin yn drawiadol iawn. Ni wn ai oherwydd natur glòs y gymdeithas ynteu oherwydd natur ynysig yr ardal, ond cofiaf ddau achos yn arbennig. Y cyntaf oedd hen fachgen yn byw ar ei ben ei hun a oedd wedi gofyn imi alw i'w gartref. O gyrraedd y tŷ yn Llangybi, roedd yn ei wely a chlywais weiddi imi fynd i fyny'r grisiau. Prin roeddwn yn medru cyrraedd y cyfryw oherwydd y domenni o bapurau a chylchgronau yn y lobi; yr un oedd yr olygfa wrth imi gerdded heibio'r parlwr. O gyrraedd ei lofft, gorweddai ar fatras foel a blanced drosto. 'Ni wn be fedrwch wneud am hwn, doctor' gan dynnu'r blanced yn ôl a datgelu'r torllengig mwyaf welodd rhywun erioed. Roedd ei hyd yn ddigon i gyrraedd ei benglin a'i led yn debyg i faint twrci go lew.

F'ymateb cyntaf oedd cynnig ei ddanfon i'r ysbyty ym Mangor, ond gwrthododd yn bendant. Doedd dim i'w wneud ond, yn y fan a'r lle, ceisio gwthio cynnwys yr hernia yn ei ôl. Doedd o ddim yn hawdd ond, fesul modfedd ar y tro ac yn hynod o araf, aeth y coluddyn crwydrol yn ôl drwy'r twll i'w briodle. Rhoddwyd ochenaid o ryddhad gen i yn sicr heb sôn am y claf! Gwelliant dros dro oedd hynny wrth gwrs, ac er y cafodd 'wregys' i geisio ei helpu, perswadiais o dros amser i fynd i gael llawdriniaeth a chau'r gwendid yng nghesail y forddwyd. Ond roedd yr ymweliad yn cynnig un syrpreis arall wedi iddo ofyn imi godi cornel ei fatres gan ddatgelu ei holl gyfoeth; roedd yn gorwedd ar bapurau pres di-ri yn gymysg â phlu a budreddi, ac yn werth miloedd lawer. Efallai ei fod wedi rhagweld cwymp y banciau!

Nid nepell o'r cartref diwethaf cefais y fraint o adnabod hen wraig ar aelwyd fferm ar gyrion Eifionydd. Yn wythnosol, roedd hi'n fy nghyfarch yn ei ffedog fras, yn ddynes nobl a graslon, â hanner dwsin o wyau yn ei llaw. Nid ei gweld hi oedd prif nod f'ymweliad ond ei gwas fferm, rhywun oedd yn arfer byw ychydig o filltiroedd i ffwrdd, ond ers rhai blynyddoedd wedi i'w iechyd ddirywio roedd yn methu symud o'r tŷ fferm, ac i raddau helaeth yn gaeth i'w gadair wrth y tân. Yno roedd yn byw ac yn bod, yn bwyta wrth y bwrdd bach wrth ei ochr ac yn cysgu yn y gadair. Roedd yn ymwrthod ag unrhyw ymyrraeth ysbyty. Ymhen amser, aeth yr anadlu mor wael a'r galon mor wan nad oedd dewis ganddo ond cysgu wrth sefyll. Fy nghyfraniad i fel meddyg oedd ceisio ei gysuro cymaint ag oedd yn bosibl. O wythnos i wythnos roedd y tabledi i geisio cryfhau ei galon a'i helpu gyda'i anadlu yn colli eu heffaith. Ar yr un pryd, roedd y cyffuriau i leihau'r dŵr yn ei gorff yn ymladd yn erbyn y llif. Fy ngorchwyl pwysicaf bob wythnos felly oedd gosod nodwyddau dur tua gwaelod ei goesau er mwyn draenio'r hylif i fwced. Amrwd, ond effeithiol am wythnos arall! Roedd yr enghraifft hon o *blue bloater* yn enghraifft eithafol o'r cyflwr a rhywbeth na welais fyth cynt nac wedyn.

Diddorol oedd y profiadau hyn a braint oedd cael adnabod

rhai o'r personoliaethau oedd yn arddel ffordd o fyw oedd yn prysur edwino. Er hynny, yng nghefn fy meddwl drwy'r amser oedd yr angen, os oedd y gwerthoedd gorau i'w goroesi, am adfywiad i'r ardal – adfywiad cymdeithasol, diwylliannol ac economaidd – rhywbeth fyddai'n cynnig sail i ddyfodol y gymuned Gymraeg. A gyda phrofiad Llanaelhaearn yn gefn imi trodd fy sylw at y cwm hudolus wrth odre 'rochr arall yr Eifl.

Herio Synnwyr –
Gwawr Gwrtheyrn

YN 1965 Y gwelais Nant Gwrtheyrn am y tro cyntaf. A finnau yn dal yn fyfyriwr meddygol yn y brifysgol, o'n i gartref yn Llanberis am y penwythnos gyda Dorothi, a gan fod penrhyn Llŷn yn ardal eithaf dieithr inni'n dau, penderfynwyd mynd am dro i chwilota am ei chyfrinachau. Wedi inni gyrraedd y groesffordd yn Llithfaen, daeth rhyw chwilfrydedd drostom i ddilyn y ffordd a arweiniai am ochr y mynydd. Ar y pryd do'n i ddim wedi clywed am Nant Gwrtheyrn, ac felly yn hollol anwybodus o'r hyn oedd yn ein hwynebu. Ar ôl teithio tua milltir i fyny'r allt, dyma barcio'r car ar y tir comin a dechrau cerdded trwy'r goedwig i gyfeiriad glan y môr, yn dilyn cyfeiriad cychwynnol y ffordd sydd yno heddiw, fwy neu lai. 'Radeg hynny, sut bynnag, prin oedd 'na unrhyw lwybr, ac wrth wthio ymlaen daethom o'r diwedd at y man pellaf oedd yn ddiogel, gyda'r llethrau a oedd yn arwain at y môr o'n blaenau. Wna i byth anghofio edrych dros yr ymyl y p'nawn hwnnw a gweld golygfa mor annisgwyl a thrawiadol. Roedden ni'n dau'n gegrwth. Yn swatio yn y dyffryn, gannoedd o droedfeddi islaw yn wynebu'r môr, wedi ei amgylchynu ar dair ochr gan fynyddoedd yr Eifl, oedd pentref hudolus Porth y Nant.

Yr ymateb cyntaf oedd troi yn ein hôl a cheisio dod o hyd i lwybr i lawr i'r cwm a chael panad i dorri syched. O wneud hynny, ar ôl tipyn, gwelsom olion yr hen gamffordd oedd, yn ôl ei golwg, yn arwain i waelod y cwm. Ac felly a fu, yn ffordd ryfeddol o serth ac wyneb gro, yn cynnig llwybr i'r pentref islaw. Teimlwyd cyffro a rhyddhad ar yr un pryd, ond gydag ychydig o siom wedi inni gyrraedd o weld bod y pentref yn wag, yn gwbl wag, a'r mieri yn prysur adfeddiannu'r lle. Roedd 'na un eithriad, sef Capel Seilo, yr hen gapel Bresbyteraidd, yn dyddio o 1878, lle roedd popeth mewn trefn fel petai gwasanaeth wedi bod yno y diwrnod cynt, a hyd yn oed rhifau'r emynau yn amlwg ar y wal. Symudodd y trigolion olaf o'r pentref yn 1959. Roedd yr Henaduriaeth wedi gwarchod y lle i ryw raddau cyn i Geraint Jones, Trefor sicrhau'r les ar y capel, ac felly, parhaodd y gofal am rai blynyddoedd. Roedd darganfod y pentref y diwrnod hwnnw'n brofiad arbennig; distawrwydd oedd yn nodweddu'r profiad a'r teimlad na ddylai rhywun fod yno, rhywbeth a adleisiwyd yn fy mhrofiad arswydus rai blynyddoedd wedyn wrth grwydro rhai o'r hen demlau o gwmpas Angkor Wat yng Nghambodia!

Ac felly fu hanes fy nghysylltiad cyntaf â Nant Gwrtheyrn. Yn weddol gynnar ar ôl cyrraedd Llanaelhaearn yn 1970 holais am dynged y lle gan fy mod yn ei weld fel un o emau'r ardal ac yn adnodd pwysig i'r fro. Yna, yn y feddygfa yn Llithfaen un bore yn yr haf 1972, daeth Mrs Knox, gwraig i gyn-weithiwr chwarel y Nant a rheolwr gyda chwmni Amalgamated Roadstone Corporation (ARC), perchnogion y chwarel, i'm gweld. Roedd hi'n gwybod am fy niddordeb, ac ar ddiwedd yr ymgom arferol rhwng claf a meddyg dyma hi'n sôn y byddai'r Nant yn debygol o fod ar werth yn y dyfodol agos. Roedd ei gŵr, a oedd bellach yn gweithio gyda'r un cwmni yn chwarel ithfaen Arennig ger y Bala, wedi clywed rhyw si eu bod am werthu'r lle. Prin y gallwn guddio fy nghyffro ac i ffwrdd â fi ar ras am adref. Mae Dorothi yn sôn sut iddi glywed y 'chwilen' VW yn dod ar wib i'r iard o flaen Bryn Meddyg a finnau'n camu'n syth at y ffôn cyn iddi glywed y drafodaeth gwbl afreal – 'this is Dr Carl Clowes, I'm phoning on behalf of the Nant Gwrtheyrn Trust and I believe you're thinking of selling the old village and I'm expressing the interest of the organisation to buy it...'. Roedd Dorothi'n gwybod, wrth gwrs, nad oedd 'na'r fath beth â'r cyfryw 'ymddiriedolaeth' ar y pryd ac yn methu deall paham y sôn felly, ond canlyniad y sgwrs honno oedd cais gan ARC i ysgrifennu llythyr ffurfiol yn mynegi diddordeb i brynu'r pentref. Ymhen rhai dyddiau, ar 3 Hydref 1972, cefais ateb yn cadarnhau eu bwriad.

Amalgamated Roadstone Corporation Limited
LANDS DEPARTMENT

Thank you for your letter of the 28th September, which has been passed on to this office for attention by W Knox at our Arenig Quarry.

This company is considering disposing of some ot its interest in Port Nant Quarry and we should be pleased to know more about your proposals before reaching a decision.

We would be grateful therefore if you could let us know more about your proposals and then perhaps we could arrange a meeting to discuss them at a later date.

We would emphasise that there is considerable interest in the future of this village and we shall need to consider the proposals from all interested parties before reaching a decision.

We look forward to hearing from you in due course.

Yours faithfully,
C D ASHWORTH

Arweiniodd hyn at sgwrs ffôn arall ac awgrymwyd y ceid penderfyniad 'terfynol' ymhen dwy i dair wythnos ac y byddai'r pris yn debygol o fod tua £35,000. Roedd realiti'r amserlen yn mynd i fod yn dra gwahanol! Ymateb greddfol i swyngyfaredd y cwm oedd fy nghais i ARC i brynu Porth y Nant. Roedd ei wylltineb hardd yn gosod her aruthrol, ond yn yr un modd yn ysbrydoli dyn. Ar yr un pryd, o'n i'n gweld y pentref yn 'perthyn' i'r ardal ac y dylid gwneud popeth i sicrhau ei fod yn dod yn ôl i berchnogaeth leol. Ond, beth i'w wneud efo fo petai'r perchnogion yn ymateb yn gadarnhaol? Doeddwn i ddim yn credu bod eraill wedi mynegi diddordeb ar y pryd, ond roedd cais C D Ashworth yn un hollol ganolog ac yn un oedd wedi bod yn fy herio ers cryn amser. O dipyn i beth daeth y 'weledigaeth' roedd ei hangen! Roedd y Nant yn un o'r allweddau i adennill hyder yr ardal ac yn fodd i greu gwaith, y brif allwedd i ffyniant y fro yn y dyfodol. Felly, sut fath o waith? Yn 1967 pasiwyd Deddf yr Iaith Gymraeg – deddf a roddodd ddilysrwydd cyfartal i'r iaith Gymraeg â'r Saesneg am y tro cyntaf. Canlyniad hynny oedd y pwysau cynyddol ar yr awdurdodau cyhoeddus i ddarparu gwasanaethau dwyieithog. Yn aml iawn, er gwaetha'r ewyllys da o du rhai awdurdodau, tasg anodd os nad amhosib oedd sicrhau swyddogion yn medru'r Gymraeg i lenwi rhai swyddi. Daeth yr ateb yn weddol eglur yn y diwedd. Roedd angen rhyw fath o 'beiriant' Cymreigio er mwyn sicrhau y byddai pawb yn cael y cyfle i ddysgu'r iaith ac felly na fyddai unrhyw ymgeisydd yn colli cyfle ar sail diffyg gwybodaeth o'r Gymraeg. O ddod â'r ddau angen at ei gilydd, creu gwaith ar y naill law a 'pheiriant Cymreigio' ar y llall, roedd y Nant yn cynnig yr ateb. Ynghyd â phobl yr ardal a'u hiaith byddai'r adnodd hwn yn allweddol i'r dyfodol. Dyna oedd y 'sicrwydd' wnes i ei gynnig i'r drafodaeth!

Yn raddol, daeth ambell gyfaill i dderbyn y dadleuon, ond nid pawb! Cofiaf y diweddar Wmffra Roberts, asiant etholiadol Dafydd Wigley ar y pryd, yn ymweld â'n cartref, Bryn Meddyg, efo'r cyfaill a chyfreithiwr Meic Farmer. Yn dilyn trafodaeth eithaf brwd, pwyntiodd Wmffra at damaid o gwarts gwyn sgleiniog ar y silff ben tân, ac yn ddigon drwgdybus datgan y byddai'n 'coelio'r peth pan fydd hwnna'n troi yn ddu'! Gwnaeth rhai f'annog i ystyried prynu hen westy gwag yng Nghlynnog oedd ar werth, gan f'atgoffa mor ddrud ac anymarferol oedd y syniad o godi hen bentref o'i adfeilion. Siom yn y cychwyn hefyd oedd gweld bod rhai cynghorwyr Gwynedd yn llai na chefnogol, gan ofni unrhyw gostau a fyddai'n disgyn arnyn nhw o ran gwella isadeiledd yr hen le – pethau megis unrhyw gais i wella'r 'gamffordd' gyhoeddus neu, hyd yn oed, yr angen am addysg a gwasanaethau cymdeithasol pe bai trigolion newydd yn ymsefydlu yno. Ar 1 Gorffennaf 1974 derbyniais lythyr gan Ysgrifennydd y Cyngor yn cadarnhau hyn: 'Penderfynodd y Pwyllgor yn ei gyfarfod 18 Mehefin i gefnogi yr egwyddor o sefydlu y math hwn o Ganolfan, ond nid yn Nant Gwrtheyrn'! Ergyd yn wir, ond roedd y penderfyniad hwn yn amodol ar gael ei gadarnhau gan y Cyngor Sir llawn. Erbyn 9 Rhagfyr, yn dilyn lobïo caled, cafwyd lythyr arall, ond y tro hwn gyda gogwydd gwahanol yn datgan bod y Cyngor yn 'cefnogi'r egwyddor o sefydlu canolfannau dysgu a hyrwyddo'r iaith Gymraeg, cyn belled na fyddai cefnogaeth gyffredinol o'r fath yn cael ei dehongli fel bod yn ymrwymo'r Cyngor Sir neu unrhyw rai o'i adrannau wrth wariant ariannol'. Roedd hyn yn ddealladwy ac yn dderbyniol!

Roedd rhai yn cwestiynu fy nghallineb yn meddwl am y fath beth â datblygu Nant Gwrtheyrn, ond trwy'r cyfan nid oedd ond un ymateb. Roedd 'anfanteision' honedig y Nant yn medru bod yn fanteision mewn gwirionedd ac roedd rhaid cyfleu lleoliad anghysbell cymharol y cwm – â'i amgylchedd godidog – fel cryfder fyddai'n creu ffocws perffaith ar gyfer astudio, yn bell o sŵn a sylw'r byd. Y farn honno a fu'n drech, ac yn raddol llwyddais i greu tîm o gyfeillion o'm cwmpas i rannu'r cyfrifoldeb a chael y maen i'r wal.

Esblygu wnaeth y tîm yn y saithdegau cynnar gan ddechrau gyda rhai oedd wedi mynegi diddordeb yn lleol, y Cynghorydd Sir a'r ffermwr Bob Jones Parry a'r hanesydd, yr athro a'r cyn-chwarelwr Ioan Mai Evans. Fel un oedd wedi f'ysbrydoli yn rhengoedd Cymdeithas Tai Gwynedd oherwydd ei agwedd *can-do*, roedd Brian Morgan Edwards yn anhepgorol, ac yn yr un modd Dafydd Iwan, nid yn unig fel Cymro brwd iawn a 'gweithredwr', ond fel rhywun oedd wedi graddio fel pensaer. Roedd Dafydd, er enghraifft, yn allweddol o ran ymateb i gynlluniau y myfyriwr pensaernïol Chris Schoen o Ysgol Bensaernïaeth Cymru yng Nghaerdydd, a wnaeth ddatblygu cynlluniau cyntaf y Nant fel rhan o'i brosiect gradd. Dafydd wedyn wnaeth lywio ein cynlluniau drwy Adran Cynllunio'r Cyngor Sir. Ac os oeddem am ddatblygu'r Nant fel canolfan ar gyfer dysgu'r Gymraeg, pwy well fel aelodau'r tîm na Geraint Wyn Jones, yr athro ail iaith a oedd wedi bod yn gefn i Dorothi yng Ngholeg Harlech, ac Alun Jones ar ei chwrs haf ym Mhrifysgol Bangor, a'r dyn ysbrydoledig hwnnw, Dan Lynn James oedd wedi ysgrifennu'r llyfr safonol ar gyfer dysgu

Cymraeg i oedolion ar y pryd? Nid 'ymddiriedolaeth' ffurfiol mohoni yn y cyfnod hwn ond, yn hytrach, cyfeillion Cynllun Dysgwyr Gwrtheyrn, criw *ad hoc* roedd rhywun yn medru galw arnyn nhw yn ôl yr angen.

Yn anffodus roedd blynyddoedd cynnar y saithdegau, a ninnau heb unrhyw reolaeth ar y lle, yn boenus a chymharol ddiffrwyth. Aeth y stori ar led bod y Nant ar werth, ac o ganlyniad ymddangosodd erthyglau am y pentref mewn papurau megis y *Guardian* a'r *Sunday Times*, a chylchgronau fel y *Daily Telegraph* a *Woman*. Arweiniodd hyn at lawer mwy o ddiddordeb yn y cwm, ac wrth gwrs llawer mwy o gystadleuaeth inni. Ar y pryd, roedd 'na gryn sôn am ddatblygu meysydd olew yn y môr Celtaidd a dangosodd cwmni BP ddiddordeb yn y Nant oherwydd fod y cwm yn cynnig lle delfrydol i 'guddio' storfeydd olew. Cofiaf ddarllen am hyn rhyw ddydd Sul a mynd i bencadlys perchnogion Porth y Nant efo Dafydd Wigley a Brian Morgan Edwards o fewn dyddiau. Gadawsom neges hollol glir nad oedd hyn yn dderbyniol. Daeth cystadleuaeth o gyfeiriad Manceinion gan ymddiriedolaeth ar gyfer adfer troseddwyr, a her arall o Lerpwl gan ymddiriedolaeth ar gyfer pobl oedd yn gaeth i gyffuriau. Yn ôl y perchnogion, cyflwynwyd 106 o geisiadau yn mynegi diddordeb yn y cwm i gyd, yn gwmnïau preifat, elusennau ac unigolion. Yn yr un cyfnod, meddiannwyd y lle gan hipis y New Atlantis Commune a chreodd hyn gryn rwystredigaeth, oherwydd bob tro fues i yno roedd 'na ddirywiad pellach i'w weld. Roedd y cyfuniad o hipis ac elfennau tywydd yn prysur sicrhau nad oedd 'na lawer o goed ar ôl yn y tai, dim toeau, dim ffenestri na lloriau yn unlle ac roedd y defaid a'r geifr wedi hen ymgartrefu yno. Roedd hiwmor yr hipi'n eironig – y geiriau 'Please respect property' wedi eu hysgrifennu ar adeilad a oedd, fel arall, yn sgerbydol foel. Mae'n anodd i'r ymwelydd sydd yn taro ar Nant Gwrtheyrn trwy hap heddiw werthfawrogi faint o her fu adfer y Nant. Yn ogystal â chyflwr truenus y tai, doedd 'na ddim dŵr, dim trydan, carthffosiaeth, ffôn nac, wrth gwrs, ffordd addas i fynd yno.

Er y ddiddordeb eang ym mhrynu'r pentref, mae'n ddiddorol nodi mai ein grŵp ni oedd yr unig un o Gymru. Dechreusom gydag ymgyrch gyhoeddus ddeublyg i ddenu cefnogaeth ar gyfer y pryniant. Yn gyntaf i gefnogi ein hymdrech i ddarbwyllo'r perchnogion i werthu'r pentref inni, ac yn ail i ysbrydoli rhai cannoedd o'n cyd-Gymry i addo arian pe baem yn llwyddo i'w gael. Ar y trywydd cyntaf bu ymgyrch gyhoeddusrwydd gref: lobïo, denu cefnogaeth gan y cynghorau lleol, deisebu, llythyrau yn y wasg, nes yn y diwedd nid oedd modd i'r perchnogion ein hanwybyddu. Wedi'r cyfan, roedd y cwmni, drwy ei chwareli, yn treulio cymaint o amser yn difwyno'r tirlun a newid amgylchedd ein gwlad, ac roedd angen cyfeillion arnyn nhw. Yn amlwg, roedd y syniad o greu 'Canolfan Iaith' – syniad newydd ar y pryd – yn tanio'r dychymyg ac fe wnaethom lwyddo i ddenu miloedd o gefnogwyr i'r syniad. Ychwanegodd y grŵp Ac Eraill at ein hwyliau wrth iddynt ryddhau eu cân 'Cwm Nant Gwrtheyrn' a'r geiriau hollbwysig 'byw fyddi Nant Gwrtheyrn' yn atgyfnerthu'r neges.

Yn ail, heb gyllid y tu cefn i'r ymddiriedolaeth a'r angen ar ARC am sicrwydd pe bai'r pentref yn cael ei werthu inni y byddai modd inni ddygymod â'r her a'i gyllido yn ddigonol. Gyda hynny mewn golwg, ysgrifennais at rai cannoedd o Gymry, yn bennaf y rhai ar restr aelodau Llys yr Eisteddfod gan amgau 'taflen addewid arian' ar yr amod bod y pryniant yn mynd yn ei flaen. Llwyddwyd i gael addewidion am rai miloedd o bunnoedd, digon i ddarbwyllo'r ARC y byddai'r achos yn hyfyw.

Symudodd yr hipis – o dan arweiniad Sid Rawle, Brenin yr Hipis – i ynys Dorinish oddi ar arfordir Swydd Mayo, Iwerddon. John Lennon a brynodd yr ynys ar eu cyfer nhw, ac o ganlyniad roedd un broblem yn llai inni!

Yn 1975, ar yr adeg roeddem ni'n meddwl ein bod ar fin cwblhau'r pryniant, canslwyd y cyfarfod gydag Amalgamated Roadstone ym Metws-y-Coed wrth i'r cwmni ddod yn eiddo i Consolidated Goldfields, a bu'n rhaid ailagor trafodaethau gydag ARC fel yr is-gwmni perthnasol. Amynedd oedd piau hi, a dwy flynedd yn ddiweddarach cynhaliwyd y cyfarfod hollbwysig ar 7 Mawrth 1977 yng ngwesty'r Royal Oak, Betws-y-Coed a wnaeth roi sêl bendith ar sail y cytundeb. Cymerodd 16 mis yn ychwanegol inni gyrraedd diwrnod y lansio a chyfnewid cytundeb, ac wedi inni gael ein siomi unwaith roedd yr holl ddisgwyl yn teimlo'n ddiderfyn. O'r diwedd, ar 12 Gorffennaf 1978 yn y Ganolfan yn Llithfaen, cynhaliwyd yr achlysur cyhoeddus hirddisgwyliedig, a chyfle i gyhoeddi pryniant y stad – 26 o dai, y Plas, y capel ac wyth acer o dir yn arwain at lan y môr – am £25,000.

Yn bresennol yn y Ganolfan y diwrnod hwnnw oedd cynrychiolwyr ARC, ymddiriedolwyr Nant Gwrtheyrn, y cyhoedd o'r fro a'r cyfryngau, ond yr hyn nad oeddem yn barod amdano oedd cyhoeddiad gan ARC eu bod nhw am gyfrannu £5,000 i gychwyn ein hapêl, cyfraniad hynod o werthfawr a hwb sylweddol inni. Ar ben hynny, roedd y pris pryniant i'w dalu'n ôl, drwy forgais, a thaliad o £2,500 bob chwe mis. Yn fuan wedi hynny, yn Eisteddfod Genedlaethol Caerdydd yn Awst 1978, sefydlwyd 'cronfa' Nant Gwrtheyrn. I gydfynd â'r camau hollbwysig hyn, o dan gyfarwyddid Robyn Lewis, cyfreithiwr, cadarnhawyd aelodau cyntaf yr elusen, Ymddiriedolaeth Nant Gwrtheyrn, fel Brian Morgan Edwards, Dafydd Iwan, Dan Lynn James, Alun Jones, Geraint Wyn Jones, Bob Jones Parry a finnau.

Roedd gan yr ymddiriedolwyr i gyd eu dyletswyddau gwaith beunyddiol, ac felly un o'r pethau cyntaf wnaethom ni yn Nachwedd 1978 oedd sicrhau gwasanaeth Cwmni Craigmyle, arbenigwyr codi arian i elusennau, a'u cynrychiolydd Jimmy 'Iago' McGuinness o Gorwen. Ei dasg gyntaf oedd cydweithio â ni i sicrhau Cyfarwyddwr i'r Nant, oherwydd y byddai penodi'r person iawn i'r swydd yn allweddol. Ond pwy fyddai'n fodlon wynebu'r fath her?

Yn galonogol, dangosodd 17 ddiddordeb yn y swydd – gan gynnwys dau di-Gymraeg! – ond llwyddwyd i gael rhestr fer o bump a nifer teilwng ar gyfer y cyfweliadau. Un o'r rheiny oedd Wynfford James a oedd yn amlwg yn rhengoedd Cymdeithas yr

Iaith ar y pryd ac yn y carchar am drosedd 'ieithyddol'. Profiad digon anarferol inni'n dau oedd ei gyfweld yn y carchar yn Abertawe! Roedd y cyfweliadau eraill yn ddigon confensiynol ac fe'u cynhaliwyd ar 13 Ionawr 1979. Edryd Gwyndaf, o Landdarog, Sir Gaerfyrddin oedd yn llwyddiannus ac fe'i penodwyd fel ein Cyfarwyddwr cyntaf. Roedd gan Edryd radd anrhydedd yn y Gymraeg, profiad o helpu rhedeg busnes ei dad ac roedd yn fodlon symud i'r ardal efo'i deulu. Yr un mor bwysig, roedd yn rhannu ein gweledigaeth, yn frwdfrydig ac yn fodlon gweithio'n galed!

Un o dasgau cyntaf Edryd oedd cydweithio â chwmni Craigmyle a chysylltu â'r holl gyrff a'r unigolion a fyddai o bosib â diddordeb yn ein helpu. Roedd y rhain yn rhannu'n ddau – rhyw ddau ddwsin o Ymddiriedolaethau Cymreig a bron i naw deg o 'Gymry amlwg' wedi eu tynnu gan Craigmyle o'r gyfrol *Who's Who*. Ond i gael y maen i'r wal, roedd rhaid hefyd gael Cadeirydd ar gyfer y Pwyllgor Apêl, a'r Arglwydd David Davies, Llandinam a gytunodd i dderbyn y cyfrifoldeb ar ôl ymweld â'r Nant i drafod yr oblygiadau. Gydag Edryd yn ei weinyddu, yn enw Arglwydd Davies aeth y rhan fwyaf o'r ohebiaeth apêl.

Yr un pryd â'r ymgyrch hon, roedd y cwestiwn nid amhwysig o gael caniatâd ar gyfer datblygu'r pentref. Penderfynodd Cyngor Gwynedd i'w gefnogi mewn egwyddor yn Rhagfyr 1974, ond, oherwydd natur a maint y datblygiad, roedd y cais wedi ei gymhlethu ac roedd angen caniatâd gan Gyngor Dwyfor yn ogystal â'r Cyngor Sir. Ym mis Medi 1978 cyflwynwyd y cais i 'adfer yr adeiladau sy'n sefyll ar y safle i'w cyflwr gwreiddiol i'w defnyddio fel canolfan iaith gyda chyrsiau preswyl i ddysgu ac ehangu defnydd y Gymraeg'. Aeth blwyddyn a mwy heibio cyn i'r caniatâd ddod i fwcl ar 31 Rhagfyr 1979. Roedd hyn yn rhyddhad yn amlwg, ond rŵan roedd angen canolbwyntio ar hel arian.

Roedd yr ymateb wrth inni alw am addewidion aelodau Llys yr Eisteddfod yn cynnig hwb arbennig, ond roedd cael llythyrau a chefnogaeth bron yn ddyddiol gan werin bobl Cymru, yn ogystal ag unigolion amlwg fel Meredith Edwards, y Fonesig Eirys Edwards, Eileen Beasley, y Fonesig Amy Parry-Williams a Dr Meredydd Evans, yn bwysig tu hwnt ac yn cynnig hyder pellach inni fod y cyfan yn bosib. Yr adeg yma hefyd daeth Gwyn 'Plas' Elis mewn cysylltiad o'i gartref yng Nghaerwys yn mynegi ei gefnogaeth. Yn enedigol o Lithfaen, daeth Gwyn yn gefn gwirioneddol i lawer menter yn y Nant yn ogystal ag ymladd heriau ei bentref genedigol.

Roedd ymgyrchoedd yn cydredeg yn y cyfnod hwn; ochr yn ochr â hel arian drwy aelodau Llys yr Eisteddfod a'r apêl o dan arweiniad yr Arglwydd Davies, fe wnaethom gais i Special Programmes Sponsorship y Manpower Services Commission (MSC), corff llywodraethol a sefydlwyd i geisio lleihau niferoedd y di-waith tymor hir. Er y cymerodd tua dwy flynedd inni lwyddo yn ein trafodaethau efo MSC, elwodd y Nant am saith mlynedd o dan y rhaglen hon, a gynigiodd dalu cyflogau'r gweithiwyr yn ogystal â 10% ar ben hynny ar gyfer deunyddiau ac offer. Yn anffodus, 'mond am un flwyddyn ar y tro yr oedd gennym ni'r hawl i gadw gweithiwr. Yr hyn oedd yn allweddol i lwyddiant y rhaglen MSC oedd ychwanegiad Berwyn Evans, adeiladydd o Lansannan, fel aelod arall o'r Bwrdd. Roedd Berwyn eisoes wedi cyfrannu o'i sgiliau fel saer maen i adfer y murddun ger Tŷ Hen a chreu y 'Caffi Meinir' gwreiddiol. Digon cyntefig oedd y caffi gyda'i do sinc ar y dechrau ond yn gwbl ymarferol ar gyfer y blynyddoedd cynnar a hyn, wedi'r cyfan, oedd y cwbl roedden ni'n medru fforddio!

'O ble cawn yr arian ar gyfer y bag sment nesaf?' oedd y gri amlaf yn y cyfnod hwn! Yn yr un cyfnod ar ddechrau'r 1980au daeth Dennis Jones, partner busnes Berwyn, yn aelod o'r Ymddiredolaeth hefyd ac fe gymerodd y swydd hollbwysig fel Trysorydd. Roedd yr achos yn prysuro a'r proffil yn codi drwy gydol diwedd y 1970au a dechrau'r 1980au, a'r angen i ledu'r baich yn hanfodol. Ysgrifennodd John Albert Evans, tiwtor ail iaith o Gaerdydd, yn mynegi ei ddiddordeb mewn ymuno â'r achos. Gyda'i brofiad a'i gysylltiadau yn y De â'r coridorau grym, croesewid ei ddiddordeb. Tua'r un adeg ysgrifennais at

Allan Wynne Jones, oherwydd ei brofiad wrth sefydlu gwesty Plas Maenan gyda'i wraig Enid, a'i groesawu i'n rhengoedd hefyd. Daeth Allan ac, yna, John yn Gadeiryddion ar f'ôl i.

Does dim dwywaith, roedd pethau'n anodd yn ariannol yn y cyfnod cychwynnol. Er bod gwaith yr ymddiriedolwyr yn gwbl wirfoddol, roedd cynnal swyddfa lawn-amser yn straen ar yr adnoddau – ac oedi MSC heb fod yn helpu. Ond gyda'n gallu i brynu'r 'bagia sment' bondigrybwyll yn mynd yn anoddach, daeth tro ar fyd, o reidrwydd! Roedd Dorothi a finnau wedi prynu Bryn Sardis, Dinorwig tra o'n i yn feddyg yn Llanaelhaearn, yn fuddsoddiad wrth gefn ar gyfer prynu Porth y Nant pe bai ei angen; roedd yr hen fwthyn syml yn edrych ar draws dyffryn Peris i ogoniant yr Wyddfa ac i lawr ar Lyn Padarn a golwg o'm hen gartref Glyn Padarn, Pen y Gilfach. Onid rŵan, gyda'r cyfyngder ariannol yn ein hwynebu, oedd yr amser i wireddu ei werth? Mae'n braf bod gen i bartner bywyd sydd ar yr un donfedd! Gwerthwyd Bryn Sardis a throsglwyddwyd £10,000 i'r Ymddiriedolaeth. Y sefyllfa wedi ei hachub a cham arall ymlaen felly!

Yn 1978 gadewais fy mhractis yn Llanaelhaearn gan adael yr hen feddygfa 'cwt sinc' yn Llithfaen yn anniben. Trodd hyn yn gyfle i'r Nant gael ei swyddfa sefydlog gyntaf wedi imi drosglwyddo'r berchnogaeth i'r Ymddiriedolaeth ac yn gartref nid yn unig i Edryd ond hefyd i Elspeth Roberts a Caren Efans, ill ddwy yn angorion yr achos yn y dyddiau cynnar. Roedd Elspeth yn cyflawni gwyrthiau, heb bron dim offer, i ddiwallu anghenion lletty myfyrwyr cynnar y Ganolfan, a Caren yn gweinyddu mewn ffordd hynod o effeithiol a distaw yn y cefndir, yn gymorth ymarferol i Edryd.

Mae'r tai yn Nant Gwrtheyrn yn rhai blaengar o'r cyfnod y'u hadeiladwyd. Yn dyddio'n ôl i'r 1860au, roeddent yn wahanol i'r rhelyw o dai'r ardal yn y 19eg ganrif. Cynigion nhw nenfydau uchel a digon o olau ac awyr o'u cymharu â'r tai tlawd a bythynnod tamp y fro, a oedd yn gyfrwng da i ffyniant afiechydon megis afiechydon yr ysgyfaint.

Roedd dyddiau cyntaf y gwaith, nes oedd y peirianwaith

gweinyddol yn ei le, yn waith caib a rhaw cwbl wirfoddol. Yn ogystal â gwaith Berwyn ar y 'caffi', cofiaf Dafydd Ieuan, ein mab hynaf yn 9 oed, yn pledio am gael mynd i weithio yn y Nant y diwrnod cyntaf y prynwyd y lle! Mae gen i gof o'r teulu'n plico plastr blewyn ceffyl oddi ar y waliau yn Nhrem y Mynydd, gan ddatgelu waliau cerrig cadarn a arhosodd yn nodwedd o fwthyn 'Dwyfor' tan yr uwchraddio diweddar.

Yn 1981, ar ôl bod yn y 'gadair' am ddeng mlynedd wrth sefydlu'r Ganolfan, roedd yn amser i ildio'r awenau a phwy well nag Allan Wynne i 'nilyn, a arweiniodd at gyfnod difyr ac adeiladol iawn. Erbyn Pasg 1982 hysbysebwyd ein cwrs cyntaf. O dan arweiniad tiwtoriaid gwirfoddol – yr ymddiriedolwraig, y diweddar Gwenno Hywyn a Merfyn Morgan – cynhaliwyd y cwrs yn llwyddiannus yn nhŷ uchaf Trem y Mynydd i sŵn ac arogl y cynhyrchydd trydan disl yn y cefn. Doedd 'na ddim troi'n ôl, ac yr un mor bwysig roedd pawb wedi mwynhau!

Gyda'r arbrawf yn llwyddiannus yn nhŷ pen Trem y Mynydd, ein nod rŵan oedd adfer y tai o fewn y cragenni a chyflwyno'r gwasanaethau angenrheidiol, megis trydan, dŵr, carthffosiaeth, ffôn a mynediad hwylus i'r cwm. Haws dweud na gwneud, ond gyda chwistrelliad o arian o werthiant Bryn Sardis a chyfraniad buan wedyn gan Gyngor Dwyfor, roedd modd dechrau'r gwaith o ddifri. Roedd cael caniatâd cynllunio yn un elfen o symud ymlaen. Roedd *logistics* y datblygiad yn hunllefus gan fod angen, yn ogystal â'r holl wasanaethau, perswadio'r awdurdodau am ein gallu i ymateb i bethau mor amrywiol ag argyfyngau tân ac ambiwlans, a hyd yn oed waredu ein sbwriel. Yr adeg yma, yn anad yr un arall mae'n debyg, y dysgais sut i adrannu yn fy mhen ar gyfer gwahanol ofynion. Fel arall, byddai rhywun wedi mynd yn wallgo!

Ym Mai 1983 ailagorwyd drysau'r capel i'r cyhoedd a chlywid sŵn Cymanfa Ganu am y tro cyntaf mewn chwarter ganrif, a hynny o dan arweiniad Edward Morus Jones, wedi inni gael cymorth ariannol hael ar gyfer yr adnewyddu, y tro hwn gan Bwyllgor Tywysog Cymru. Daeth Edward yn Gadeirydd yr Ymddiriedolaeth ymhellach ymlaen ac yn gyfrannwr cyson a gwerthfawr i adloniant y pentref. O gofio sefydlu Capel Seilo fel yr 'achos Saesneg' cyntaf yn Llŷn, ac yn bennaf ar gyfer cymaint o fewnfudwyr i'r chwareli yn yr 1870au, rhoddodd y Gymanfa falchder arbennig imi!

Un o'r heriau mwyaf yn yr '80au oedd mynediad i'r cwm. Roedd y ffordd gyntefig â'i graddfa 40% yn hollol anymarferol, ond am y pum mlynedd cyntaf hi oedd yr unig ffordd i fewn i'r pentref ar gyfer gweithwyr MSC, gan brofi ein hen Land Rover i'r eithaf. O roi gormod o bwysau yn y cefn, roedd 'na duedd i'r pen blaen godi ar y ffordd i fyny'r hen gamffordd. Trodd y cerbyd ar ei do unwaith, a rhaid imi gyfaddef mai cerdded oedd fy hanes bob tro yn ystod y cyfnod cynnar hwn, mor frawychus oedd y profiad o fynd yn y cerbyd. Newidiwyd y sefyllfa yng nghanol yr '80au pan gafwyd cytundeb gan y Comisiwn Coedwigaeth ar gyfer pryniant hen fferm Tŷ Canol am £2,500. Rŵan, yr Ymddiriedolaeth oedd yn berchen ar yr holl dir coedwig o waelod y cwm hyd at y tir comin ar ben y Nant, a gyda chymorth ac arbenigedd y Comisiwn lluniwyd llwybr newydd ar gyfer y ffordd sy'n dilyn yr hyn rydym ni'n ei weld heddiw. Er hynny, roedd y gost yn bryder ac roedd angen caniatâd Cyngor Gwynedd cyn y medrem wneud y gwaith! Ar yr un pryd, roedd y Cyngor yn awyddus i waredu eu cyfrifoldeb am yr hen gamffordd. Beth am inni daro bargen? A dyna a ddigwyddodd – ar ôl cyfnod o ymgynghori caewyd yr hen ffordd fel ffordd gyhoeddus ar y ddeallt wriaeth na fydden ni'n gwrthwynebu, ac am hynny cafodd yr Ymddiriedolaeth gyfraniad o £12,500 gan y Cyngor tuag at greu ffordd newydd. Doedd hynny ddim yn ddigon, wrth gwrs, ond gweithiodd fel catalydd i hel mwy o arian ar gyfer creu mynediad newydd i'r cwm a oedd wedi bod cymaint o lyffethair i'n dyheadau tan hynny. Agorwyd y lôn newydd ar gost o £40,000 gan Wyn Roberts A S, Gweinidog yn y Swyddfa Gymreig, yn Awst 1987.

Mae'n debyg mai un o'r ysbrydoliaethau mwyaf imi dros y blynyddoedd fu'r nawdd a gafwyd gan ddysgwyr a chefnogwyr ar gyfer y gwaith adnewyddu. Mae enwau'r tai yn adlewyrchu'r gefnogaeth – y boreau coffi di-ri, teithiau cerdded a rhedeg noddedig, cystadlaethau barddoni ac yn y blaen, a gododd gymaint o arian ar gyfer y gwaith. Yn ogystal, cafwyd nawdd sylweddol gan y cynghorau, megis Dwyfor, Arfon, Meirionnydd, Ynys Môn, Maldwyn a Chaerffili a gwelwyd cefnogaeth gan lu o achosion eraill – Cronfa Glyndŵr, *Y Faner*, rhaglen *Catchphrase* y BBC, Dŵr Cymru, HTV, yr Eglwys yng Nghymru, a chyfraniad gan Merched y Wawr o dan arweiniad Eirlys Davies i noddi unedau addas ar gyfer pobl ag anabledd. Ymhlith y lluoedd o unigolion a fynegodd eu cefnogaeth mewn ffordd hollol ymarferol y mae rhai a ddaeth at ei gilydd i noddi tai 'Rhuthun' a 'Clwydfa' yn haeddu sylw neilltuol. Nodweddiadol o'r ymdrechion fu cyfraniad Robin Vaughan Evans, ac yntau dros ei 70 oed, yn rhedeg bron ddeuddeng milltir o gwmpas Llyn Tegid er mwyn cyfrannu £500 tuag at apêl 'Cefnogwyr y Nant' a hynny ar ddiwrnod gwlypaf y flwyddyn. Ar adegau, roedd yno dipyn o ddyfeisgarwch hefyd, fel y tro pan wnaeth MANWEB ganiatáu i rai o Glwyd hel weiren gopr ar lethrau'r Wyddfa a'i gyfnewid am arian! Ymddangosodd 'y Nant' ar faes yr Eisteddfod am flynyddoedd lawer a chael cefnogaeth gyson gan y cyhoedd o Gymru ac ymhell tu draw i'w ffiniau, ac o un i un gwelwyd gwelliannau i'r tai.

Mae cefnogaeth fel hyn ar raddfa genedlaethol i'w thrysori. Mae'n creu perchnogaeth, rhywbeth sydd i'w flasu hyd heddiw mewn ambell sgwrs gydag ymwelwyr yn hel atgofion am eu hymdrechion dros y Nant. Er nad oes gan yr elusen statws 'cydweithredol' cyfreithiol, mae'r ymdeimlad o atebolrwydd i'r genedl yn amlwg ym mhob penderfyniad o bwys a wneir gan yr Ymddiriedolaeth. Bu'r gefnogaeth ariannol yn ysbrydoliaeth ers y cychwyn, ac felly hefyd mae brwdfrydedd y dysgwyr yn symbylu dyn ac yn atgyfnerthu'r ffydd ar adegau gwan. Pan ddaeth disgyblion o Ysgol Pentrehafod, Abertawe, ar gwrs roedden nhw wrth eu boddau gyda'r 'awyrgylch trydanol'. 'Ni allwch chi beidio â dysgu Cymraeg yma,' meddai un disgybl, ac meddai un arall, 'Dych chi'n dechrau gwybod be dych chi yn Nant Gwrtheyrn a chael ymdeimlad o'ch hunaniaeth Gymreig'. Ac mae'r gefnogaeth yn dod o bell ac agos fel y disgrifiodd

Elena Parina, merch o Fosgo, pan gafodd lifft gan deulu o Gymru wrth fodio ei ffordd i Nant Gwrtheyrn. 'O'n i â'm pryd ar gyrraedd Llithfaen, a cherdded oddi yno i'r Nant, ond roedd y teulu wedi synnu gymaint bod 'na ferch o Rwsia wedi dod mor bell i ddysgu Cymraeg, mi wnaethon nhw gynnig lifft imi'r holl ffordd. Mae'r Gymraeg mor hardd, a dw i wedi bod mor ffodus i'w dysgu mewn lle mor odidog â Nant Gwrtheyrn.'

Yn ogystal â'r llecyn godidog, bu ansawdd y dysgu ac ymrwymiad y tiwtoriaid yn ganolog i lwyddiant y Nant dros y blynyddoedd. Yn ogystal â phobl fel Gwenno Hywyn a Merfyn Morgan a enwyd ar gyfer y cwrs cyntaf, roedd cyfraniadau cyson pobl fel Alun Jones, Cennard Davies, Dan Lynn James, Dyfrig Davies, John Albert Evans ac Edward Morus Jones yn hanfodol yn y dyddiau cynnar, ac o'r sylfaen cwbl wirfoddol a chadarn a sefydlon nhw, daeth yr angen am dîm cyflogedig yn fwyfwy amlwg. Gadawodd Edryd Gwyndaf y Nant yn 1982 a fe'i ddilynwyd gan Gwyn Williams ac, wedyn, Dylan Morgan yn 1984, ill dau yn gweinyddu ac yn tiwtora i wahanol raddau. Ond yn 1987, wedi inni benodi Osian Wyn Jones fel Prif Weithredwr, daeth y cyfle inni benodi ein tiwtor llawn amser cyntaf, sef Meic Raymant o dde Sir Benfro oedd wedi dysgu'r iaith ei hun. Gyda'i brofiad a'i ymroddiad ef, roedd modd datblygu'r cyrsiau a chreu adnoddau pwrpasol. O ganlyniad llwyddodd y Nant i ddenu dysgwyr o bell ac agos. Bu Meic yn Brif Diwtor yn y Nant am dair blynedd ar ddeg, a gyda mewnbwn gan Adrian Price a benodwyd yn gefn i Meic yn 1988 datblygwyd natur y cyrsiau ac ystod y dysgwyr yn sylweddol gan ennill clod i'r Ganolfan o bob cyfeiriad. Yn y flwyddyn 2000 symudodd Meic i weithio at Heddlu'r Gogledd i ddysgu Cymraeg a gwelwyd cyfres o benodiadau'n dilyn hynny, pob un â'u cyfraniad arbennig: Howard Edwards, David Hedley Williams a Pegi Talfryn fel Prif Diwtoriaid, ac yn dilyn ymadawiad Osian cyfres o Gyfarwyddwyr: Gareth James, Gwyn Hefin Jones (dros dro) ac Aled Jones-Griffith. Yn 2014, penodwyd Mair Saunders, cyn-Reolwr Marchnata gyda Volvo yn y Gogledd, yn Rheolwr ar y Nant ac esgorodd hynny ar gyflwyno strwythurau staffio hirddisgwyliedig ar gyfer y Ganolfan.

Ar ddechrau taith y Nant roedd y Swyddfa Gymreig yn araf i ddangos cefnogaeth i'r syniad o greu Canolfan Iaith breswyl. Y Swyddfa, fel unrhyw gangen o lywodraeth yn ei hanfod yn ofalus, gan nad oedd y syniad o 'ganolfan iaith' wedi ei brofi. Er hynny, yn 1983 cafwyd cefnogaeth gan y Swyddfa Gymreig, ac oddi ar hynny, yn bennaf o dan arweiniad y diweddar Wyn Roberts fel Gweinidog Gwladol, cafwyd nawdd cyson o'r pwrs addysg. Er syndod i rai 'radeg hynny, doedd 'na ddim nawdd i'w gael gan Fwrdd yr Iaith oherwydd ein ffocws ar addysg.

Trwy'r wythdegau cododd proffil y Nant, ac yn 1983 trefnodd y Swyddfa Gymreig i'r Gweinidog Syr Wyn Roberts ymweld â'r lle gyda Paddy O'Toole, Gweinidog y Gaeltacht yn Iwerddon. Ac, wrth gwrs, yn ôl y disgwyl fe alwon nhw yn y swyddfa 'cwt sinc' yn Llithfaen – y ddau Weinidog a'u gweision sifil, yn eu Daimlers mawr, yn parcio yng nghanol y lôn gul cyn i bawb fynd i fyny'r *steps* am y cwt a gadael eu ceir, nid yn unig yn blocio'r lôn ond wedi parcio tu ôl i'w gilydd roedd eu maint a'u hymddangosiad yn gymaint o wrthgyferbyniad i'r swyddfa ei hun!

Er gwaetha'r llwyddiannau doedd pethau ddim yn rhedeg yn llyfn bob amser. Yn 1984, oherwydd peryglon y Plas, hen dŷ rheolwr y chwarel, ac o gofio hawl y cyhoedd i grwydro'r adfeilion heb unrhyw rwystr, roedd Cyngor Dwyfor ar fin rhoi gorchymyn i'w ddymchwel. Cofiaf bledio'r achos am atal y gorchymyn gydag Arfon Huws, Swyddog Technegol y Cyngor, gan fod 'na gais am arian i'w adfer yn cael ystyriaeth gan y Swyddfa Gymreig ar y pryd. Cafwyd gwrandawiad teg gan Arfon, ac ar y funud olaf daeth y nawdd angenrheidiol. Hyd yn oed wedyn roedd rhaid atal y gwaith ar ôl i'r gweithwyr ddod o hyd i frain coesgoch yn nythu yn y to! Gydag arian y Swyddfa Gymreig yn rhannol noddi'r datblygiad, roedd rhaid cael eu cydweithrediad i drosglwyddo'r nawdd i'r flwyddyn ariannol ganlynol, peth anarferol iawn, ond mi lwyddwyd! Agorwyd y Plas yn swyddogol yn Nachwedd 1989 gyda chynhadledd ar yr

Ieithoedd Ewropeaidd Llai eu Defnydd a John Hume, Aelod Seneddol yn Seneddau Ewrop a Gogledd Iwerddon ac enillydd Gwobr Nobel yn ein hannerch fel gŵr gwadd. Ychwanegwyd at gyfraniadau hael y Swyddfa Gymreig ac Ewrop gyda £2,000 gan Ymgyrch Diogelu Cymru Wledig (YDCW) tuag at y llyfrgell a chyfraniad hael gan Pegi a John Jones, y masnachwr glo lleol, ar gyfer stôf i gynhesu'r lolfa.

Roedd y cynnydd yn y niferoedd oedd yn defnyddio cyfleusterau'r Nant yn her drwy'r cyfnod datblygu, a doedd yr unlle yn fwy na'r caffi ar gael i ateb y gofyn. Daeth cyfnod yr hen le a'i do sinc i ben, a gyda nawdd gan Nwy Cymru yn 1991 cyflwynwyd cynlluniau ar gyfer lle oedd ddwywaith maint y gwreiddiol. Cyfeiriwyd eisoes at natur 'gydweithredol' y Nant ac roedd yr her o gael yr A-ffrâm ar gyfer y to newydd yn profi hyn i'r eithaf. Doedd y ffordd ar y pryd ddim yn addas ar gyfer lori fawr, ond drwy gyswllt ag un o'n myfyrwyr o RAF, y Fali trefnwyd i gludo sawl A-ffrâm o dan hofrenydd fel ymarferiad gwaith y criw! Problem drosodd. Her arall oedd dod â thrydan i'r cwm oherwydd y llethrau serth, a chydag arweiniad Ariel Thomas, un o reolwyr cwmni MANWEB, llwyddwyd i gysylltu â rhai yn y fyddin oedd yn meddu ar sgiliau peirianyddol. Braf yw cael cydweithrediad, a phawb ar yr un donfedd!

O dipyn i beth daeth unedau'r Nant i fwcl fesul un ac yn destun llawenhau – pob un yn haeddu seremoni ddathlu ei hagoriad. Cynigiodd yr achlysuron hyn gyfle inni roi clod i bawb fu wrthi mor ddygn yn hel arian, ac roedd yn fodd hefyd i gadw'r Nant yn llygaid y cyhoedd gydag eitemau cyson yn y wasg a'r cyfryngau trwy gydol yr '80au.

Er mor gadarnhaol oedd yr awyrgylch o gwmpas y Nant, roedd 'na deimlad nad oedd yr her o adfywio'r ardal a rhoi sylfaen i'r iaith yn yr ardal wedi ei chyflawni eto. Roedd mewnlifiad y di-Gymraeg yn gwanhau'r iaith. Yn ogystal, roedd y diwydiant 'croeso', yn wahanol i gymaint o wledydd eraill, yn cael ei ystyried yn felltith i gymaint o'r genhedlaeth iau, efallai oherwydd y berthynas dybiedig rhwng twristiaeth a'r mewnlifiad. Onid oedd 'na fodd inni ddefnyddio ein profiad yn y Nant i gynnig blas a sylwedd amgenach i'r diwydiant? Saif adeiladau Tŷ Canol gerllaw'r pentref, ac er yn furddynnod, a fyddai'n bosib creu gweithdy hyfforddi 'croeso' yno? Sefydlwyd gweithgor i ystyried y posibiliadau, ac yn fuan wedyn aeth Allan a finnau i weld Prys Edwards, Cadeirydd y Bwrdd Croeso, yn Eisteddfod Genedlaethol Llanrwst 1989. Roedd yr her yn 'syml':

> 'Mae ardal Llŷn yn cynnig cyfleon twristiaeth ymysg y gorau
> yng Nghymru, ac eto, mae'r diwydiant twristiaeth yn wrthun i'r
> rhan fwyaf o'n pobl ifainc sydd yn ei weld fel rhywbeth estron
> a Seisnig... onid felly oedd modd creu adnodd ar y penrhyn a
> fyddai'n denu'r to iau i weld twristiaeth fel gyrfa gwerth chweil,
> codi eu hyder a chreu naws llawer mwy Cymreig yn y diwydiant?'

Roedd ymateb Prys yn galonogol, 'yn union be 'dan ni ei angen,' meddai, ac i ffwrdd â ni i rannu'r newydd gyda John Albert Evans y Cadeirydd, a chyfarfod nesaf yr Ymddiriedolaeth.

Saif gwesty Plas Pistyll tua dwy filltir o'r Nant, uwchlaw'r môr ac ar y ffordd i Nefyn. Roedd yr hen blas yn dyddio o'r cyfnod 1900 pan y'i adeiladwyd gan deulu 'polish' Goddards, ond rŵan roedd ar werth am £140,000. Gyda'i 21 o llofftydd a nodweddion chwaethus y cyfnod, yng nghanol ardal gwbl Gymraeg, onid oedd hwn yn rhywbeth i'w ystyried ar gyfer creu 'gwesty hyfforddi' o safon, peth oedd yn ddigon cyffredin ar gyfandir Ewrop a hyd yn oed ar draws y môr yn Iwerddon. Oni fyddai, o'i ddatblygu gydag ethos Gymreig, yn gweddnewid ffawd twristiaeth yn yr ardal a chreu mwy o gyfle i'n pobl ifainc aros yn y fro? Gyda geiriau cefnogol Cadeirydd y Bwrdd Croeso a'r Ymddiriedolaeth wedi pasio cynnig, drwy fwyafrif, gan Idwal Symonds i fynd ymlaen, prynwyd yr hen westy yn 1989.

Roedd y cynllun busnes yn un cadarn a chafodd sêl bendith Coopers & Lybrand Deloitte, cyfrifwyr rhyngwladol, ond arweiniodd y pryniant at rai blynyddoedd digon anghyfforddus.

Cafodd y cynllun sêl bendith gan y Comisiwn Elusennau hefyd a chefnogaeth y banc, ond doedd pawb o'r ymddiriedolwyr ddim o'i blaid, gan gynnwys John Albert, y Cadeirydd. Gwelwyd dros y misoedd nesaf nad oedd y gefnogaeth a addawyd gan rai cyrff cyhoeddus (oedd yn awyddus ar y dechrau) yno mwyach. Ai am fod y 'coridorau' yn siarad â'i gilydd a'u hyder yn y prosiect yn gwegian fel canlyniad, neu bod economi'r wlad yn gwegian? Y naill ffordd neu'r llall, heb gefnogaeth y cyrff cyhoeddus nid oedd modd symud ymlaen a doedd dim dewis yn y diwedd ond gwerthu'r gwesty cyn i'r hwch fynd drwy'r siop, a'r Nant ei hun, fel ased ar gyfer ein benthyciad, yn cael ei pheryglu. Ond doedd 'na ddim gwerthiant hawdd i fod! Aeth misoedd heibio heb fawr ddim diddordeb. Canlyniad hyn oedd fod y sefyllfa ariannol yn gwaethygu o fis i fis a'r banc ac ambell fusnes yn rhoi pwysau arnom am setliad.

Gwyrth oedd yr hyn a ddigwyddodd nesaf wrth i Berwyn Evans, fy nghyd-ymddiriedolwr, a finnau aros mewn gwesty yn Llundain yng Ngorffennaf 1991 yn barod ar gyfer seremoni wobrwyo y bore wedyn. Roedd Nant Gwrtheyrn wedi ennill Gwobr yr Amgylchedd gan *The Times*, RIBA a Shell am gwmpasu'r amgylchedd ffisegol, diwylliannol a chymdeithasol mewn un prosiect, sef datblygiad y Ganolfan Iaith. Er yr achlysur braf a'r edrych ymlaen, roedd 'na gwmwl uwch ein pennau nes imi ffonio adref y noson honno a chael neges gan Dorothi. Roedd Dr Eric Roberts, meddyg teulu o Gaergybi, wedi ffonio'r tŷ gan ofyn imi gysylltu ag un o'i staff oedd yn awyddus i'n helpu. Roedd Eric, o ben Llŷn yn wreiddiol, wedi gwneud ambell i locwm imi yn ystod fy nghyfnod ym mhractis Llanaelhaearn. Ffoniais adref tua 11.00 yr hwyr, ac ar wahân i fethu cysgu oherwydd y cyffro prin roeddwn yn medru disgwyl tan amser brecwast i rannu'r newyddion efo Berwyn. Ond sut fath o gymorth? Doedd disgwyl tan ar ôl y seremoni ddim yn opsiwn gan fod cymaint yn y fantol! Felly, gyda'm calon yn curo fel trên, codais y ffôn i Eric y bore hwnnw a chael fy hun yn syth ar ben arall y llinell â rhywun oedd am ddod yn gyfaill mawr i'r achos. Nyrs yn y practis oedd Heulwen Richards,

Cymraes ddiffuant iawn a fynegodd ei hawydd i brynu Plas Pistyll wrthym a'i redeg fel cartref nyrsio gyda'i mam. Be well? Y Nant yn cael chwistrelliad o arian a fyddai'n codi'r pwysau oddi arnom ni a'r Plas yn cael defnydd pwrpasol yn ei ôl.

Ac felly a fu. Prynodd Heulwen y Plas a dyna ochenaid o ryddhad i'r Ymddiriedolwyr. Ond prin oedd yr inc wedi sychu cyn inni lawn werthfawrogi faint o gagendor oedd ar ôl mewn gwirionedd rhwng y ddyled gyda llogau, oedd yn dal i godi, a'r hyn roeddem wedi ennill drwy'r gwerthiant. Ond, yn bwysig iawn, roedd Heulwen wedi 'prynu' amser inni. Tua £200,000 oedd y bwlch oedd yn weddill, ond sut i'w lenwi? Ar adeg fel hyn mae rhywun yn gweld pwy yn union yw eich ffrindiau, pwy sydd yn sefyll wrth eich ochr a phwy sydd yn gwadu unrhyw gyfrifoldeb. Aeth Dafydd Wigley i Gaerdydd, fel yr Aelod Seneddol lleol, a chyfarfod tri gŵr 'doeth'. Ni wn pwy yn union oedden nhw, ond dw i'n deall nad oedden nhw'n fodlon fy helpu i [sic] er eu bod, yn ôl y sôn, yn fodlon cynorthwyo'r Nant. Ai dylanwad y sgyrsiau ar y 'coridorau grym' oedd yn gyfrifol unwaith eto am yr agwedd 'ma neu, fel oedd rhai wedi awgrymu, a oedd 'na rai yng Nghaerdydd yn disgwyl i'r hwch fynd drwy'r siop fel bod modd i'r Swyddfa Gymreig neu'i thebyg gamu mewn a rheoli'r ganolfan? Y naill ffordd neu'r llall, ni wnaeth awgrym John Elfed, (y byddai gwesty'r Seiont Manor ger Caernarfon yn well lleoliad ar gyfer gwesty hyfforddi na Phlas Pistyll) ddim i leddfu ein pryderon. Wedi'r cyfan, perchnogion Seiont Manor oedd un o gwmnïau Dŵr Cymru gyda'i Gadeirydd John Elfed Jones!

Sut i fesur y pwysau oedd ar rywun ar adeg gwbl dyngedfennol yn hanes y Nant? Roedd y cyfryngau'n awchu am stori a phrin oedd 'na ddiwrnod yn mynd heibio heb i rywun ddarogan methiant y Ganolfan. Yn amlwg, roedd hyn yn straen aruthrol gyda phedwar o blant a 'ngwraig yn rhannu'r un pryder â mi. Roedd yr ymdeimlad o berchnogaeth ar y Nant gan y Cymry, a'r cwestiynau di-ri, yn ddigon naturiol ond yn llethol ar adegau. Beth oedd ffawd eu trysor nhw am fod? Roedd rhaid wrth ateb brys.

Petai gen i unrhyw amheuon am gryfder cymeriad fy ngwraig, roedd y cam nesaf yn eu gosod i'r neilltu unwaith ac am byth. Heb fy nghymelliad i, cynigiodd ein bod ni'n ailforgeisio'n cartref! Cam rhyfeddol, ond wedi inni ymgynghori â'n cyfrifydd dyna a wnaethom a chyflwynwyd rhodd o £150,000 i Ymddiriedolaeth Nant Gwrtheyrn a oedd, gyda Rhodd Cymorth, yn werth £200,000 i'r elusen. Wrth reswm, gosododd hyn faich arnom fel teulu am rai blynyddoedd ond roedd hyn o leiaf o dan ein rheolaeth, a gyda dyled y Nant wedi ei thalu roedd yn fodd i waredu'r Ymddiriedolaeth a finnau o faich a phoen llawer mwy mewn gwirionedd.

Yn anffodus, ni wireddwyd cynlluniau Heulwen ar gyfer Plas Pistyll oherwydd marwolaeth ei mam yn fuan ar ôl y pryniant, ond mae hi'n ffyddlon iawn ei chefnogaeth ers hynny. Hanes digon trist oedd i'r Plas yn y diwedd. Cafodd ei ddifrodi gan dân difrifol a gwerthwyd y lle i ŵr busnes ar ran y cwmni yswiriant. Bellach, mae'r hen le wedi ei ddymchwel.

Ond doedd y boen ddim drosodd eto! Ym Mawrth 1992, darlledwyd rhaglen yn y gyfres *Y Byd ar Bedwar*. Yn y rhifyn hwnnw dywedwyd fod Ymddiriedolaeth Nant Gwrtheyrn yn wynebu anawsterau o ganlyniad i benderfyniad yr ymddiriedolwyr i brynu gwesty lleol, Plas Pistyll, a'i droi yn westy hyfforddi. Yn ystod y rhaglen dywedwyd fod rhai o'r anawsterau hynny yn ganlyniad i dwyll troseddol gan bedwar ohonom: Allan Wynne Jones, Berwyn Evans, Dennis Jones a finnau, y pedwar a arwyddodd y weithred ar ran yr Ymddiriedolaeth. Dywedodd y rhaglen fod y pedwar ohonom wedi ymddwyn yn esgeulus ac wedi camarwain ein cyd-ymddiriedolwyr ac eraill oedd ynghlwm â'r prosiect. Sail hynny oedd honiad gan John Albert Evans, y Cadeirydd, nad oedd 'na benderfyniad dilys i brynu Plas Pistyll. Honiad cwbl di-sail, wrth gwrs. Roedd gennym gofnodion yn profi hynny a chadarnhawyd dilysrwydd penderfyniad yr Ymddiriedolaeth gan y Comisiwn Elusennau. Yn ychwanegol, trafodwyd goblygiadau pryniant Plas Pistyll gyda'r Cadeirydd yn bresennol mewn dim llai na 17 o gyfarfodydd yr Ymddiriedolaeth. Roedd brwdfrydedd John dros y Nant yn ddigamsyniol a'i benderfyniad i deithio yn ôl ac ymlaen i'r Gogledd i'w edmygu. Yn anffodus, tanseiliwyd ei gyfraniad gan ei amharodrwydd i barchu oblygiadau aelodaeth Bwrdd ar sawl achlysur. Arweiniodd hyn at ei ymddiswyddiad – sefyllfa drist iawn ond anorfod.

Mewn Datganiad Agored yn Llys yr Wyddgrug yn Hydref 1995, cydnabu HTV 'nad oedd sail o gwbl i'r honiadau ac... [eu bod] wedi cytuno i dalu iawndal i'r pedwar Pleintydd a'u hindemnio mewn ystyriaeth o'u costau. Ymhellach maent yma heddiw trwy eu Cwnsler i ymddiheuro i'r Pleintyddion am y gofid a achoswyd.'

Cafwyd ymddiheuriad cyhoeddus gan HTV, ond roedd y profiad o gael eich cyhuddo o drosedd mor ddifrifol yn boenus iawn ac yn ergyd i bedwar oedd wedi ymladd cymaint dros Nant Gwrtheyrn yn gwbl wirfoddol ers pymtheg mlynedd a mwy. Yn dilyn yr ymddiheuriad gan HTV, wnaeth y cwmni erlyn y cyfreithwyr Hugh James Jones & Jenkins am £178,000 am eu camarwain, a hynny yn llwyddiannus. Cyfiawnder o'r diwedd!

Mae trawma o'r math hwn yn gadael ei hoel heb os, a gadawodd Allan, Berwyn a Dennis yr Ymddiriedolaeth. Mewn adroddiad gan y bargyfreithiwr Kynric Lewis tua'r un adeg roedd awgrym y dylid ailstrwythuro'r Ymddiriedolaeth, gan wahanu'r gweithgarwch a'r cyfrifoldebau rhwng 'llywodraethwyr' ac 'ymddiriedolwyr'. Derbyniwyd hynny ac estynnwyd wahoddiad i Geraint Stanley Jones gadeirio'r llywodraethwyr tra arhosodd pedwar ohonom ymlaen fel ymddiriedolwyr. Ni pharhaodd y drefn hon yn hir iawn. Am fod y llywodraethwyr yn gyfrifol am y gwariant a'r ymddiriedolwyr eto yn atebol am unrhyw ddiffygion ariannol, roedd rhaid i bethau newid fel roedd dyled newydd yn hel. Gwrthododd Geraint dderbyn y syniad o 'gytundeb rheoli' caeth, ac o ganlyniad diddymwyd bwrdd y 'llywodraethwyr' a sefydlwyd tîm o ymddiriedolwyr wrth y llyw unwaith eto.

Ni fyddai byth yn hawdd sefydlu'r Ganolfan fel achos hyfyw yn ariannol, ac felly'n union y bu i Gareth James gael y sefyllfa yng nghanol y 1990au. Daeth Gareth atom fel Cyfarwyddwr yn sgil cynnal Ewrosgol lwyddiannus yn Llŷn, a'r Nant ac yntau yn ganolog yn y trefniadau. Ond ym Medi 1997, a'r ddyled ar lefel anghynaliadwy, penderfynodd yr ymddiriedolwyr gau'r Ganolfan gyda'r oblygiadau anorfod o ddiswyddo staff er mwyn sefydlogi'r achos ar sail busnes cadarnach. Roedd fy mhrif bryder ar ran y staff a gweision ffyddlon hirsefydlog fel Bethan Roberts, angor ein swyddfa. Doedd ymyrraeth Gwilym Euros Roberts ar eu rhan ddim yn gymorth wedi iddo lunio cynllun busnes, yn honedig ar ran Cymdeithas Gydweithredol Cymru, oedd yn waradwyddus o ddiffygiol gan greu hyder ffals i'r staff yn ei argymhellion. Roedd y paradigm *form follows function* wedi ei droi ar ei ben! Dilynodd cyfnod arall anodd gyda'r wasg a'r cyfryngau yn mynnu cael adroddiadau bron yn ddyddiol, ond gyda chyfeillion i'r achos fel Moi Parri, Treffynnon yn arwain ymgyrch i hel cronfa sylweddol, llwyddwyd i oresgyn pwysau'r ddyled, ac erbyn dechrau 1998 roeddem mewn sefyllfa i ailagor y Ganolfan wedi inni sefydlu tîm newydd o staff, gan gynnwys Bethan, ac ychwanegu aelodau newydd i gryfhau Bwrdd yr Ymddiriedolaeth, yn eu mysg Jeff Williams-Jones sydd bellach yn Gadeirydd, a Gwyn Hefin Jones a weithredodd fel Cyfarwyddwr dros dro. Daeth tro ar fyd ac roedd hyder newydd i'w ddeimlo yn yr achos.

Roedd y sefyllfa'n genedlaethol ar fin newid hefyd gyda dyfodiad y Cynulliad Cenedlaethol. Mabwysiadwyd gweledigaeth 'Iaith Pawb' gan y Cynulliad a gosodwyd her newydd inni. Roedd ffawd troellog y Nant yn y nawdegau wedi ein parlysu i ryw raddau ac wedi ei wneud yn anodd i ganolbwyntio ar ddatblygu'r Ganolfan yn y modd roedd ei angen. Roeddem ni'n ymwybodol fod y stad yn flinedig a bod angen cyfnod o adnewyddu wedi i ugain mlynedd basio ers y gwaith adeiladu gwreiddiol. Roedd disgwyliadau pobl wedi newid hefyd, ac roedd *en suite* bellach yn angenrheidiol. Yn 1999 rhestrodd Cadw y Capel, y Plas, Trem y Môr a Threm y Mynydd yn ddatblygiadau Gradd II ac o bwys i'n treftadaeth, a chreodd hynny, yn ei dro, oblygiadau pellach inni a'n gwaith.

Ar ddechrau'r mileniwm, a finnau yn Gadeirydd unwaith eto, roedd yr Ymddiriedolaeth yn awyddus i ddatblygu'r capel fel Canolfan Ddehongli, ac o dan arweiniad Aled Jones-Griffith ein Cyfarwyddwr llwyddwyd i greu atyniad newydd gydag estyniad gwydr wrth yr hen ddrysau a mynedfa newydd sbon ochr uchaf y capel. Agorwyd y capel ar ei newydd wedd ym Mai 2003 gyda chiw drwy'r nos ar gyfer y tocynnau prin i weld Rhys Ifans a'r Super Furry Animals yn ein diddanu ar gyfer yr achlysur. Roedd y datblygiad yn fynegiant o'r hyder newydd ond nid oedd yn ateb diffygion y tai a'r lpty! Sut oeddem ni'n mynd i symud ymlaen? Beth oedd yn bosibl a faint fyddai'n costio? I'r gad daeth Rhiannon, fy merch hynaf, oedd wedi graddio mewn Dylunio Tecstiliau ac fe ymatebodd i'r her. Cynigiodd Dorothi a finnau swm penodol iddi ar gyfer deunyddiau i ail-greu tu fewn chwaethus i un o'r tai. Gan ddefnyddio staff talentog y Nant, yn fuan iawn roedd y dasg wedi ei chyflawni a daeth 'Aelhaearn' ar ei newydd wedd yn ffefryn gan bawb oedd am aros yn y pentref. Felly, dyma'r prawf ei bod yn bosibl i dorri'r rhigol roeddem ynddo, ond sut i drosglwyddo'r llwyddiant hwn i'r pentref cyfan – a'i ariannu?

Daeth cyfnod Aled yn y Nant i ben wedi iddo gael swydd yng Ngholeg Menai, ac er inni hysbysebu ddwywaith ofer oedd ein hymdrechion i gael rhywun â'r cymwysterau a'r cefndir iawn i gymryd ei le. Roedd gennym fraslun o strategaeth ond sut i symud yr achos ymlaen? Yn dilyn cryn bendroni, cysylltais â Jim O'Rourke, oedd yn gweithio'n llawrydd, i ofyn a fyddai'n awyddus i ymgymryd â'r gwaith ar sail cytundeb rhan-amser; yn amlwg, roedd ei brofiad gydag Urdd Gobaith Cymru a Chanolfan y Mileniwm, gan gynnwys hel arian ar gyfer y ddau, yn cynnig profiad gwerthfawr a phriodol inni hefyd. Mae Jim wedi bod yn gaffaeliad gwirioneddol i'r Ymddiriedolaeth gan ein tywys drwy gyfnod o ddatblygu sylweddol a sicrhau llewyrch heb ei ail. Ffactor arall cwbl allweddol yn y blynyddoedd diwethaf yw caredigrwydd a chefnogaeth diffuant Heulwen Richards a drosglwyddodd ei 'stâd sylweddol i'r Ymddiriedolaeth. Mae hyn wedi creu y modd inni ddatblygu agenda cyffrous ar gyfer y dyfodol. Mae'r Nant wedi derbyn sawl rhodd ac ewyllys calonogol dros y blynyddoedd, ond gyda'r ffynhonnell gefnogaeth newydd hon roedd modd inni bellach wireddu ein dyheadau.

Wrth y llyw ar Fwrdd yr Ymddiriedolaeth ers y 2000au cynnar mae Jeff Williams-Jones, y Cadeirydd, sydd â phrofiad o redeg busnes ei hun ac wedi cynnig llaw ddiogel a chyson ar y gweithgarwch. Wrth ei ochr heddiw mae Huw Jones, gŵr busnes a Chadeirydd S4C yn Is-gadeirydd, Berwyn Evans, a ymddiswyddodd adeg yr achos enllib ac yn ei ôl ac sydd wedi bod yn gyfrifol am fonitro'r datblygiadau diweddaraf ar ran yr ymddiriedolwyr, Phyllis Elis, cyn-Brifathrawes sydd wedi aros yn driw i'r achos ers dros 20 mlynedd a mwy, Gareth Jones, cyn AC ac addysgwr, y Cynghorydd Liz Saville Roberts, sydd bellach yn AS â'i bys ar byls y Gymraeg yn y sector uwch, Clive Wolfendale, Prif Weithredwr CAIS a chyn-Ddirprwy Brif Gwnstabl y Gogledd, Phyl Brake, tiwtor Cymraeg i Oedolion yn y Canolbarth, Gwenda Griffith, Sylfaenydd Cwmni Teledu Fflic, a finnau fel Llywydd. Mae perthynas â'r maes yn bwysig hefyd ac mae Ifor Gruffydd, Cyfarwyddwr Canolfan y Gogledd ar gyfer Cymraeg i Oedolion, yn sylwedydd ar y Bwrdd; yn yr un modd, y cysylltiad lleol â Chyngor Gwynedd gyda'r Cynghorydd lleol yn mynychu'r cyfarfodydd.

Bellach mae Ymddiriedolaeth y Nant yn meddu ar Ganolfan wirioneddol werthfawr. Mae nawdd o gyfeiriad Llywodraeth Cymru, y Comisiwn Ewropeaidd, Cronfa Dreftadaeth y Loteri ac Ymddiriedolaeth Linbury wedi ein galluogi i sicrhau llety gradd 5* yn ôl safonau Croeso Cymru, Canolfan Ddysgu bwrpasol yn y Plas, Caffi Meinir a Neuadd y Nant yn adnodd gwerthfawr ar gyfer cynadleddau, cyngherddau a phriodasau a lle i wledda ar gyfer 150.

Daeth y Ganolfan yn lle poblogaidd i bobl briodi yn y Nant wedi i Bryn Jones a Gwenan Thomas fentro yn Awst 2001. Oddi ar hynny, ac yn arbennig gyda'r adnoddau newydd, cynhelir hyd at dri dwsin o briodasau'n flynyddol. Gwelwyd gwelliannau sylweddol ar y fynedfa i'r cwm o dan lywodraeth

Cymru'n Un wrth i'r ffordd, wedi ei huwchraddio, gael ei hagor gan Ieuan Wyn Jones AC, Dirprwy Brif Weinidog, ym Mawrth 2008.

Mae economi'r Ganolfan yn fwy cymysg nag y bu, ond o ystyried y nod gwreiddiol o roi hwb i gyflogaeth yr ardal yn ogystal â bod yn hwb i'r iaith mae'r Ganolfan yn hynod o lwyddiannus. Tua 30,000 o bobl sydd wedi bod ar gyrsiau yn y Nant o bob man yn y byd – 27 o wledydd ar y cyfri diwethaf. Yn eu mysg, gwelwyd Arglwyddi, Aelodau Seneddol ac Aelodau Cynulliad o bob plaid, Archesgobion, Esgobion ac enillydd Gwobr Nobel ond, yn bwysicach na dim, y miloedd o werin bobl Cymru a gafodd eu hamddifadu o'u hiaith pan oeddynt yn blant ac sydd am ei hadfeddiannu. Dw i'n grediniol bod 'na le i bawb adfeddiannu'r iaith os yw'r amgylchedd yn gynhaliol.

Ym Mawrth 2011 agorwyd y Ganolfan ar ei newydd wedd gan Brif Weinidog Cymru, Carwyn Jones A C, gyda'r geiriau: 'Mae Nant Gwrtheyrn yn Ganolfan o arwyddocâd cenedlaethol a rhyngwladol, a hefyd yn gyflogwr lleol pwysig. Bydd y cyfleusterau newydd yn denu llawer iawn mwy o ymwelwyr dydd, twristiaid ac ymwelwyr i ddysgu a mwynhau ei leoliad unigryw, gan ddod â manteision economaidd sylweddol i'r ardal.' Rhyw 30 o bobl sy'n cael eu cyflogi yn y Nant heddiw, a gyda datblygiad pellach wedi ei agor yn yr hydref 2015 ceir bellach lety ar gyfer 120 o bobl i gyd, yn ogystal ag ystafell seminar newydd ac estyniad i'r caffi. Wrth fanteisio ar yr adnoddau newydd, y nod rŵan yw sicrhau cyflogaeth i hanner cant o bobl o fewn degawd – nod cwbl ymarferol gyda Mair Saunders, y Rheolwr a'r tîm presennol wrth y llyw!

Mae'r Nant wedi chwarae rhan bwysig yn y broses o adennill hyder yn y Gymraeg ac mae'r nod yn glir – i barhau i fod yn ysbrydoliaeth a gobaith ar gyfer y dyfodol.

Mi fûm yn ymwneud â Nant Gwrtheyrn ers 45 o flynyddoedd, profiad sydd wedi arwain at ailforgeisio ein cartref, aberthu sawl cyfle proffesiynol, brwydro ac ennill achos enllib yn f'erbyn a chael fy mygwth yn gorfforol. Ar adegau, mewn cyfnodau o ddigalondid, roedd y cyfan yn ymylu ar hunllef. Ond, wedyn, mae asbri'r dysgwyr yn oriau mân y bore, llwyddiant cymaint ohonyn nhw a'u sylwadau gwerthfawrogol, heb sôn am y gefnogaeth a gefais gan deulu a ffrindiau, yn rhoi'r cyfan yn ei gyd-destun. Mae atgofion fel 'na'n bwysicach yn y pen draw. Er bod amrediad yr emosiynau wedi eu siglo o'r naill ben i'r llall, bu'r profiad o sicrhau dyfodol i'r Nant, hwb i'r iaith a chyflogaeth i lawer yn fraint aruthrol, a does dim pylu ar y weledigaeth wreiddiol!

Gyrfa, Gwrthryfel a Gwynedd

TREULIODD Y TEULU ddeng mlynedd yn Llanaelhaearn – deng mlynedd llawn bwrlwm, cyffro a her a olygodd ddatblygiad personol aruthrol imi. Gyda'r dyletswyddau'n ddi-dôr drwy gydol y flwyddyn, does dim dwywaith mi oedd yn straen ar adegau, nid yn unig arnaf i ond, heb os, ar y teulu hefyd. Prin oedd y cyfle i ddilyn diddordebau tu allan i'r ardal, ac roedd y crwydro gyda'r teulu, er yn atgofion melys, yn gorfod bod yn gyfyngedig i gerdded ar hyd llefydd lleol difyr – Cwm Coryn, Moelfre Fawr, West End Trefor ac, unwaith y flwyddyn, i hel llus ar ochr yr Eifl! Tua 1976, â'r Antur a'r Nant yn mynnu cymaint o'm hamser yn ddyddiol ar ben fy nghyfrifoldebau gwaith, dechreuais feddwl am yr opsiynau ar gyfer y dyfodol. Wedi imi holi, daeth yn amlwg nad oedd unrhyw bractis meddygol arall mewn sefyllfa ar y pryd i weithio ar rota efo fi ac ysgafnhau'r baich.

A oedd 'na opsiwn i symud i bractis arall o fewn yr ardal felly? Yr agosaf y bûm i at hyn oedd trafodaeth efo chyfaill roeddwn wedi dod i'w adnabod drwy gyfarfodydd Cymdeithas Meddygon a Gweinidogion Llŷn, sef Dr Wil Owen, Llanbedrog. Ond am amrywiol resymau daeth dim o hynny chwaith. Roedd hyn i brofi'n beth positif yn y pen draw, oherwydd yng nghanol fy ngwaith meddygol a datblygol yn Llanaelhaearn esgorwyd ar fy nealltwriaeth a'm cred o bwysigrwydd y berthynas rhwng hyfywedd y gymuned ac iechyd y bobl – yr hyn a elwir bellach yn ddylanwad y 'penderfynyddion ehangach' [*wider determinants*] ar iechyd pobl, pethau megis gwaith, tai clyd, incwm a chymdeithas ffyniannus. Er bod 'na her i bob un o'r rhain yn yr ardal, roeddem mewn ffordd fechan wedi ceisio troi'r rhod drwy ein hymdrechion gydag Antur Aelhaearn a Nant Gwrtheyrn. Ar lefel bersonol, er hynny, roedd angen mwy – mwy o wybodaeth am y berthynas, mwy o dystiolaeth, mwy o ymchwil ac, wrth gwrs, yn reddfol roeddwn yn teimlo bod angen llawer iawn mwy o waith, rhywbeth yn nes at chwyldro, i gael y gymuned yn ôl ar ei thraed!

Daeth y symudiad nesaf yn 1977, unwaith eto wrth imi bori'n hamddenol drwy dudalennau'r BMJ – a gweld hysbyseb am swydd Uwch Gofrestrydd mewn Meddygaeth Gymunedol gydag Awdurdod Iechyd Gwynedd. Roedd y term 'meddygaeth gymunedol' yn newydd imi ar y pryd, ond wedi cael manylion y swydd roedd 'na newyddion da a drwg! Ar y naill llaw, roedd y swydd yn ymddangos fel un fyddai'n apelio ataf oherwydd ei phwyslais ar iechyd cymunedau yn hytrach nag iechyd unigolyddol; ar y llaw arall, nid oeddwn ar y lefel 'Cofrestrydd' angenrheidiol na chwaith yn meddu ar y cymwysterau i ymgeisio am y swydd! Ar ôl ychydig ddyddiau yn meddwl o ddifri am y peth, gan wybod nad oeddwn yn 'gymwys' yn ôl y safonau arferol, cysylltais â Dr Gareth Crompton, Prif Swyddog Meddygol yr Awdurdod Iechyd a threfnais fynd draw i Fangor i'w weld. Doeddwn i ddim wedi cyfarfod Gareth o'r blaen, ond yn fuan iawn sylweddolais ein bod ni ar yr un donfedd, ac yn well byth, oherwydd y cyhoeddusrwydd eang am ein gwaith yn Llanaelhaearn a'r fro, roedd yn hen gyfarwydd â'r hyn o'n i wedi bod yn ei wneud yn y practis a thu allan ac, yn amlwg, yn awyddus i'm helpu. Symudodd pethau'n sydyn wedyn ar ôl i Gareth drefnu i'r Athro Ronald Lowe o'r Adran Feddygaeth Gymdeithasol yn yr Ysgol Feddygol Genedlaethol, Caerdydd ymweld â'r Gogledd am sgwrs. Doedd dim cyfweliad am y swydd fel y cyfryw, ond yn ddiarwybod imi ar y pryd arweiniodd y sgwrs at sicrhau nawdd imi ddilyn cwrs Meistr mewn Meddygaeth Gymdeithasol yn yr enwog Ysgol Iechydaeth a Meddygaeth

Drofannol yn Llundain. Rhoddodd hyn gyfle heb ei ail imi, a dw i'n ddiolchgar i'r ddau hyd heddiw am greu'r cyfle.

Er hynny, cododd y marferoldeb y cynnig her arbennig. Roedd yn haf 1977 a'r cwrs yn dechrau yn yr hydref. Derbyniais a rhoi gwybod i'm cyfeillion yn y fro a chynnig fy ymddiswyddiad o'r practis. Disgwylid tri mis o rybudd ymddiswyddiad gan y Pwyllgor Ymarferwyr Teulu yng Nghaernarfon. Ond pwy fyddai'n dod yn fy lle? Wrth i'r Pwyllgor hysbysebu, daeth yn glir nad oedd ganddyn nhw unrhyw fwriad i lenwi'r swydd yn Llanaelhaearn, ond yn hytrach uno'r practis efo'r un agosaf yn Nefyn a gwasanaethu'r ardal o'r fan honno. Roedd brwydr yr ysgol yn atgof clir gan bawb, a gyda bron i gan mlynedd o hanes practis sefydledig yn Llanaelhaearn doedd y penderfyniad ddim wrth fodd y bobl leol.

Er fy mod i wedi dechrau ar fy nghwrs yn Llundain, roedd 'na ddisgwyl am arweiniad oddi wrtha i! A finnau tua 200 milltir i ffwrdd am bum diwrnod o'r wythnos, bu cryn drafod pan oeddwn gartref ar y penwythnos. Cyn i'r broses o newid natur y practis fynd yn rhy bell, canlyniad hyn oedd i mi adael i'r Pwyllgor yng Nghaernarfon wybod fy mod i'n bwriadu tynnu f'ymddiswyddiad yn ôl ac ailgydio yn fy ngwaith yn Llanaelhaearn oni bai bod 'practis Llanaelhaearn' yn cael ei hysbysebu felly. Byddai'r bygythiad hwn wedi golygu gadael fy nghwrs, ac er imi drafod fy mhenbleth gyda'r Athro yn Llundain prin oedd ei ddirnadaeth o'n sefyllfa yn lleol. Er hynny, llwyddais gyda'r 'bygythiad' ac ymddangosodd yr hysbyseb o'r newydd yn y BMJ yn ôl ein dymuniad. Ond mae 'na sawl tro mewn lôn ddifyr, a byrhoedlog iawn oedd ein buddugoliaeth oherwydd, o fewn wythnosau o benodi meddyg newydd i Lanaelhaearn, gwnaeth hi gais llwyddiannus i ymuno â'r practis yn Nefyn! Ond yn Llanaelhaearn heddiw, ar dir yr Antur, mae meddygfa newydd sy'n ffocws ar gyfer anghenion meddygol yr ardal, a hoffwn feddwl mai brwdfrydedd y trigolion am eu pentref sydd yn rhannol gyfrifol am y penderfyniad i'w sefydlu yno!

Ailgydiais yn fy nghwrs heb unrhyw lyffethair uwch fy

mhen a chael profiad arbennig. Yno efo fi roedd 15 meddyg o bob cornel o'r byd – o Ecwador i Bortiwgal, Awstralia i Fecsico, Swdan i Dde Affrica. Roedd yna gynrychiolydd o Ffrainc a chnewyllyn o Loegr, gan gynnwys yr Athro John Catford a ddaeth yn bennaeth ar Hybu Iechyd Cymru. Pan fydd rhywun yn cael ei fagu yn y wlad hon, yr NHS yw'r 'norm' a phrin fy mod wedi deall bod dulliau eraill o gynnig gwasanaeth tan yr adeg hynny. Roedd y cyfle i drafod y gwahanol wasanaethau iechyd a chlywed am natur yr heriau yn yr amrywiol wledydd yn agoriad llygad gwerthfawr. Yn Llundain dysgais am rai o'r egwyddorion pwysicaf mewn ymchwil a chael blas ar yr amrywiaeth sydd mewn ymarfer practis meddygol. Cefais fy hel i'r 'maes' i astudio patrwm nifer y babanod a anwyd drwy ymyrraeth Cesaraidd yn Ysbyty Whipps Cross yn y ddinas. Paham y gwahaniaethau rhwng y gwahanol feddygon, ac a oedd 'na ddeilliannau gwell i'w cyfiawnhau? A oedd gwir angen hanner y llawdriniaethau mewn gwirionedd? Dysgais, gyda'r gwaith hwn, mor sensitif a diplomataidd oedd rhaid i rywun fod wrth holi'r meddygon am fod eu cwestiynu yn sicr yn heriol ac yn creu ambell ymateb adweithiol.

Agorwyd cymaint o ffenestri ar feddygaeth tra o'n i ar y cwrs yn Llundain, a chefais y cyfle i wrando ar bobl sy'n cael eu hystyried heddiw yn gewri yn eu meysydd – yr Athro Jerry Morris, arbenigwr mewn iechyd cymunedol, yr Athro Geoffrey Rose, epidemiolegydd o fri, Syr Michael Marmot a'i ddylanwad amlwg ar bolisi iechyd heddiw, a'r Athro Brian Abel-Smith, economegydd byd-enwog o'r LSE. Agorwyd sawl coridor hefyd, gan gynnwys swyddfa'r Adran Iechyd yn yr Elephant & Castle. Cofiaf i aelodau'r cwrs fynd yno a chyfarfod Prif Feddyg y Llywodraeth, Syr Henry Yellowlees, a'i dîm. Roedd pawb yn eistedd o gwmpas un bwrdd hirsgwar mewn ystafell bwyllgora ddigon cyfyng yn gwrando ar Syr Henry pan ddaeth Cesar o Ecwador, Uwch Swyddog y Weinyddiaeth Iechyd yn y wlad honno, i fewn rhyw bum munud yn hwyr ac eistedd wrth y prif swyddogion ar ben y bwrdd. Nid oedd y Prif Feddyg yn siaradwr da, a hawdd iawn oedd colli diddordeb wrth iddo fanylu ar gyfansoddiad, strwythur a pholisi ei Adran. Roedd hynny yn amlwg ar wynebau pawb, ond roedd Cesar yn fwy agored ei fynegiant. Nid oedd hynny'n plesio Syr Henry, ac wedi ei aflonyddu trodd at Cesar a gofyn mewn llais heriol, 'A ydych chi'n gwrando?' Roedd yr ymateb yn rhywbeth i'w gofio ar gyfer unrhyw siaradwr cyhoeddus. Gan godi ei ysgwyddau ac ysgwyd ei ben o ochr i ochr, dywedodd yn ei lais melfedaidd Sbaeneg, 'Sometimes I am, sometimes I'm not' a rhoddodd ei ben i lawr unwaith eto!

Daeth arwyddocâd un digwyddiad y prynhawn hwnnw i'r amlwg rai misoedd wedyn wrth inni hwylio tuag at ddiwedd blwyddyn gyntaf y cwrs. Roedd yr aelodau, fesul un, yn gorfod paratoi cyflwyniad am eu profiadau, yr hyn roedden nhw wedi ei ddysgu a sut y byddai hyn yn dylanwadu ar eu gyrfa ar ôl iddyn nhw fynd adref. Cofiaf sôn am ein gwaith ym Mro'r Eifl, pwysigrwydd y Gymraeg a'r gwahaniaeth rhwng gwerthoedd Cymru, a'i chefndir sosialaidd, a Lloegr. Ni feddyliais fwy am y peth tan y noson gymdeithasol a ddilynodd pan daeth Cesar ataf, 'Fe gofiwch,' meddai, 'y p'nawn hwnnw gyda Syr Henry Yellowlees pan wnes i gerdded i fewn ychydig yn hwyr, wel dw i'n deall rŵan y nodyn estynnodd y gwas sifil at Syr Henry wrth i chi ofyn cwestiwn neu ddau. Ar y tamad o bapur dywedodd, "be careful with Clowes, he's a rabid nationalist"'! Nid oeddwn wedi cyfarfod y swyddogion o'r blaen a phrin roeddwn wedi cychwyn siarad y prynhawn hwnnw, ac ni allaf ond meddwl bod y neges wedi cyrraedd y gwas wrth un o'i gydnabod yn y Swyddfa Gymreig. Ni fyddaf byth yn gwybod i sicrwydd, ond mi oedd yn agoriad llygad imi weld sut mae'r 'drefn' yn amddiffyn ei hun.

Aeth yr ail flwyddyn yn esmwyth gan fy mod i gartref y rhan fwyaf o'r amser wrth imi gwblhau gwaith ymchwil ar effeithiolrwydd y Ganolfan Dydd Seiciatryddol yng Nghyffordd Llandudno cyn imi ei gyhoeddi fel traethawd hir. Gyda hynny cwblhawyd yr M.Sc. mewn Meddygaeth Gymdeithasol yn llwyddiannus yn haf 1980. Roedd y radd yn rhywbeth i'w drysori, ond y nod erioed oedd dychwelyd i Wynedd i lenwi swydd Cofrestrydd a pharhau gyda chwrs hyfforddiant, a dyna'n union fu'r llwybr nesaf.

Pencadlys Awdurdod Iechyd Gwynedd oedd Coed Mawr, Bangor, ac yn y dyddiau hynny, gan fy mod ar rota dyletswydd, roedd yn ofynnol byw o fewn deng milltir. Am fod Llanaelhaearn yn nes at 25 milltir, a'r ffordd heb ei gwella ac yn ddigon araf, nid oedd dewis ond gwerthu Bryn Meddyg a symud cartref.

Roeddem wedi cael deng mlynedd hapus iawn yn Llanaelhaearn, wedi dysgu cymaint ac wedi ymroi cymaint i'r gymuned, doedd hi ddim yn mynd i fod yn hawdd codi gwreiddiau'r plant. Er bod Dafydd Ieuan gennym ni pan aethom i Lanaelhaearn, roeddem wedi cael ein bendithio gyda thri o blant ychwanegol yn ystod ein cyfnod yno – Rhiannon Ceiri (1971), Angharad Elidir (1974) a Cian Ciarán (1976). Roedd y tri hynaf wedi hen setlo yn Ysgol Llanaelhaearn ac yn hapus iawn o dan ofal John Roberts a Marged Elis, ond symud wnaethom ni ym Mai 1980 wedi inni ddod o hyd i Wigoedd yn Rhoscefnhir, pentref bach rhyw bum milltir o Borthaethwy ar Ynys Môn. Cyn gartref John Phillips, sylfaenydd y Coleg Normal, yw'r Wigoedd. Mae'r tŷ'n dyddio yn ôl i'r 18fed ganrif, wedi ei gofrestru yn Radd II gan Cadw ac yn arfer bod yn dŷ'r rheolwr ar stad Plas Gwyn gerllaw. Yn anffodus, collais fy mam dri mis ar ôl inni symud i'r Wigoedd, a hynny yn ddisymwth wedi iddi ddychwelyd efo 'nhad o wyliau i weld y bywyd gwyllt yn Kenya. Roedd y gwyliau'n anrheg gan Dorothi a finnau ac yn fodd i Mam gyflawni breuddwyd oedd ganddi erioed! Roedd hi'n anymwybodol wrth gyrraedd adref yn Heathrow ac fe fu farw mewn ysbyty *isolation* ddeuddydd wedyn, ac mae achos ei marwolaeth heb ei brofi. Gwaetha'r modd, prin felly oedd ei hadnabyddiaeth o'n cartref newydd. Bu fy nhad byw am ymron i ddeuddeg mlynedd wedi hynny, er dioddef o'r clefyd Alzheimer am oddeutu pum mlynedd olaf ei fywyd, cyfnod a brofodd yn boenus iawn i Dorothi, finnau a'r plant.

Gyda dwy acer a hanner o goedwig yn bennaf, pwll bywyd gwyllt, perllan a gardd lysiau, bu Wigoedd yn gartref braf iawn i fagu'r teulu ac ambell i fleiddgi Gwyddelig: Conali (James

Connolly) a Seosamh neu Joseph (Joseph Plunkett). Bu'r cyntaf o'r llinach – Padraig (Padrig Pearse) – farw tra oeddem yn Llanaelhaearn.

Cefais fy nghadarnhau fel Cofrestrydd gyda'r Awdurdod Iechyd yn Hydref 1980 a dechrau ar gwrs hyfforddi pellach a oedd yn cynnwys cyfnodau yn y Swyddfa Gymreig. Yn absenoldeb strwythur hyfforddiant eglur ar y pryd, roedd fy chwilfrydedd yn mynnu'r profiad hwn gan fod cymaint o gylchlythyrau polisi pwysig yn dod i'r Awdurdod Iechyd o'r fan honno, ac ro'n i'n awyddus i ddeall eu tarddiad a phwy oedd yn cynnig yr arweiniad ar eu cyfer. Ai un Gweinidog yn y Swyddfa Gymreig oedd yn gyfrifol, ac os felly a oedd hon yn enghraifft o'r bwlch democrataidd o'n i wedi clywed sôn amdano? Roeddwn yn awyddus i wybod mwy.

Llwyddodd fy nghyfaill Gareth Crompton i gael swydd Prif Swyddog Meddygol Cymru yn ystod f'amser yn Llundain, ac felly roedd fy nghyfnod o ddeufis yn y swyddfa yn gyfle i rannu amser ag o. Profiad ardderchog oedd hwn, ond roedd gen i deimladau cymysg achos fe fyddwn i'n ei golli pan fyddwn i'n dychwelyd i Wynedd. Y wobr gysur oedd fod Cymru wedi ennill yn sgil ei ddyrchafiad! Profodd Gareth yn gryn ddylanwad ar fy ngyrfa, a phe bawn wedi ymateb i sawl anogaeth ganddo i ymuno â fo yng Nghaerdydd, pwy a ŵyr pa drywydd gyrfa fyddwn wedi ei gael! Yn yr un cyfnod hyfforddi yn y Swyddfa Gymreig roedd 'na sesiynau gyda Dr Phillips-Miles, cyn-Swyddog Meddygol yn Tansania. Er nad oeddynt yn ganolog i'm gwaith ar y pryd, deuai bwletinau Sefydliad Iechyd y Byd (WHO) i'w swyddfa yn rheolaidd a theimlais gryn chwilfrydedd amdanynt hwy. Roedden nhw'n adeiladu ar fy mhrofiad ôl-radd yn Llundain ac yn cynnig mewnwelediad i batrymau iechyd ac afiechyd ledled y byd; roedd yn gyfle hefyd i drafod gyda rhywun a oedd mor brofiadol yn y maes ac a fyddai'n dylanwadu arna i ymhellach ymlaen.

Wedi plethu ynghyd â'm hyfforddiant oedd yr amser a dreuliais gyda'r Athro Archie Cochrane, awdur y llyfr enwog *Effectiveness & Efficiency* a gyhoeddwyd yn 1972, a sefydlydd Uned Epidemioleg y Cyngor Ymchwil Meddygol yng Nghaerdydd. Chwildrôdd Archie ein ffordd o edrych ar driniaethau ac o farnu eu gwerth. Cymaint oedd ei arloesedd, bellach mae yna sawl sefydliad ar hyd a lled y byd wedi eu henwi ar ei ôl ac mae'n hawdd gweld rŵan cymaint o fraint oedd hi i gael treulio amser yn ei bresenoldeb.

Yn yr un cyfnod dilynais gwrs Tystysgrif Mewn Economeg Iechyd ym Mhrifysgol Aberdeen o dan yr Economegydd Iechyd blaengar, y diweddar Gavin Mooney. Roedd hyn yn fodd o adeiladu ymhellach ar y profiad a gefais yn Llundain ac yn cynnig arweiniad imi mewn gwyddor oedd yn prysur ennill ei phlwyf. Wrth adeiladu fy mhortffolio 'arbenigol' dros y ddwy flynedd nesaf, bues i'n dilyn sawl trywydd: ymchwilio i anghenion cleifion yn dioddef o sglerosis amryfal (MS) yng Ngwynedd, cyfrannu tuag at gynllunio ar gyfer rhai sâl eu meddwl a'r henoed, addysg iechyd yn y sir ac, wrth gwrs – gyda dyfodiad ysbyty rhanbarthol newydd i'r gogledd-orllewin – cyfrannu at y broses o 'gomisiynu' ar gyfer Ysbyty Gwynedd. Yr oedd yn braf cael blasu'r fath amrywiaeth o wythnos i wythnos, ac roedd fy mhrofiad cynnar yn y swydd yn cadarnhau fy newis, neu hyd yn oed fy awch, i ddilyn llwybr 'meddygaeth gymdeithasol'.

Yn Ionawr 1981, cefais Ran II Aelodaeth y Gyfadran Meddygaeth Gymunedol, ac ym mis Mawrth 1982 cadarnhawyd fy sefyllfa fel Uwch Gofrestrydd. Yn mis Hydref yr un flwyddyn cefais lythyr gan Gyd-bwyllgor ar Hyfforddiant Meddygol Uwch, Coleg Brenhinol y Ffisigwyr yn cadarnhau fy mod i wedi f'achredu ac, felly, yn gymwys ar gyfer swydd Ymgynghorydd. Yn yr un mis ymddangosodd hysbyseb ar gyfer Arbenigwr mewn Meddygaeth Gymunedol (Cynllunio, Gweithlu a Gwybodaeth Iechyd) a braf iawn oedd cyrraedd y nod hwnnw yn Ionawr 1983 – fy swydd gyntaf fel ymgynghorydd meddygol!

Dechreuodd pethau fel y disgwyl wrth imi gyfrannu tuag at ddatblygu syniadau yn rhinwedd fy nghyfrifoldeb am 'gynllunio' gwasanaethau. Fy nghynnig cyntaf oedd sefydlu gwasanaeth brechu rhag 'y clefyd melyn' yn Llandudno gan fod y gwasanaeth agosaf ar y pryd yn Lerpwl. Llwyddais yn hynny o beth, ond yn fuan wedi hynny aeth pethau'n chwithig. Yng Ngwynedd ar y pryd roedd yna Dîmau Cynllunio Gofal Iechyd yn gyfrifol am Iechyd Meddwl a Gofal yr Henoed. Gyda'm cyd-weithiwr Dr Gwilym Lloyd Griffith, a oedd newydd ddychwelyd i Gymru o'i swydd gyda Sefydliad Iechyd y Byd yn Washington, UDA, ym Mai 1983 cynigiais bapur ar gyfer anghenion rhai sâl eu meddwl. Tua'r un adeg cyflwynais ddogfen arall o'n i'n ymfalchïo ynddi oherwydd ei natur amlddisgyblaethol: *Gofalu am yr Henoed yng Ngwynedd: Tuag at Ddarpariaeth Fwy Effeithiol*. Cadarnhaodd y Tîmau Gofal Iechyd eu cynnwys, ond ofer fu ein hymdrechion i gael ymateb Tîm Rheoli yr Awdurdod. Ymysg y cynigion yn y papur iechyd meddwl oedd sefydlu 'canolfan aml-asiantaeth' yn Ffordd yr Abaty, Bangor, syniad arloesol a'r cyntaf o'i fath o fewn dalgylch yr awdurdod. Yn anffodus, ni chafwyd ateb er gwaethaf dau nodyn i'w hatgoffa. O gofio fy nghefndir meddygol yng ngwlad Llŷn, prin yr âi wythnos heibio heb fod 'na her yn fy wynebu am briodoldeb datblygiadau yn Ysbyty Gwynedd ar draul neu heb eu cydbwyso gan ddatblygiadau yn y gymuned. Dr Cedric Davies oedd y Prif Swyddog Meddygol Gweinyddol ar ôl i Dr Gareth ymadael, a hyd y gwelwn i cyndyn oedd y Tîm Rheoli i drafod unrhyw syniadau newydd, boed hynny oherwydd diffyg eu cyflwyno i'r tîm gan Cedric neu'r tîm ei hun, ni wn.

Yng Ngorffennaf 1984, yn dilyn chwe mis o ymdrechion ar ran Tîm Cynllunio Gofal Iechyd y Rhai Sâl eu Meddwl, cyflwynwyd papur arall yn amlinellu'r angen am Gyd-bwyllgor ar gyfer y gwasanaeth hwn a oedd yn golygu dod â chynrychiolaeth y Gwasanaethau Cymdeithasol i fewn i'r broses gynllunio. Aeth chwe mis heibio eto heb unrhyw ateb cyn imi ysgrifennu at y Prif Weinyddwr a Chadeirydd Pwyllgor Meddygol y Dosbarth yn tynnu eu sylw at yr oedi annerbyniol. Aeth wyth mis heibio cyn i'r Tîm ei drafod. Nodir yng nghofnod byr mis Chwefror 1985, 'the General Manager stated "he had some reservations about the matter and to note the proposal only at this stage"'. Wyth mis i ganfod hyn!

Digwyddodd sawl enghraifft arall o ddiffyg parch tuag

at y Pwyllgorau Cynllunio – awgrymais y dylai cofnodion y pwyllgorau fynd yn uniongyrchol at y Tîm Rheoli yn hytrach nag at Brif Feddyg yr Awdurdod. Gwrthodwyd yr awgrym. Cynigiodd y tîmau cynllunio y dylid sefydlu Tîm Gofal Iechyd i'r Henoed Dryslyd. Gwrthodwyd hyn yn yr un modd. Yr enghraifft waethaf o sarhau'r drefn gynllunio gydnabyddedig oedd y ffordd y cyflwynodd yr Awdurdod Iechyd Gynllun Strategol yr Awdurdod yn gyhoeddus yn 1984 heb unrhyw gyfeiriad at y Tîmau Cynllunio. Y canlyniad oedd cyfnod o rwystredigaeth lwyr i mi a'r tîmau. Sut oedd rhywun i fod i ymateb? Yn reddfol, nid oeddwn yn credu bod yr Awdurdod yn gweithredu'n gywir, ond wedyn cymharol ddibrofiad o ran y 'drefn' o'n i ac roeddwn ychydig yn ansicr o'm pethau!

Meddyliais lawer am hyn cyn mentro draw i Glwyd am gyfarfod cyfrinachol â Dr David Jones, y prif swyddog cyfatebol i Cedric yn y sir honno, ac egluro'r sefyllfa. Roedd enw da gan David a'i Awdurdod ac ro'n i'n fodlon ymddiried yn yr hyn oedd ganddo i'w ddweud, ac yn wir roedd y cyfarfod y prynhawn hwnnw yn dipyn o drobwynt personol. Cadarnhaodd y sgwrs fy nealltwriaeth o'r hyn oedd i fod i ddigwydd, sef y dylai gwaith y tîmau cynllunio gael sylw gan y Tîm Rheoli, ac os oedd yn briodol ei gyflwyno i'r Bwrdd. Fel arall, gwastraff amser oedd gwaith y pwyllgorau. Fe atgyfodwyd fy ffydd gan fy ngwneud yn fwy penderfynol nag erioed y dylid dal ati ac herio'r broses yn fy Awdurdod fy hun. Es ati gyda hyder newydd. Er hynny, ni newidiodd y sefyllfa a roedd y rhwystredigaeth proffesiynol yn mynd yn fwy o fis i fis. Dysgais yn y cyfnod hwn mor bwysig yw hi i gael amgylchedd waith gynhaliol os ydych am gael y gorau o'r adnoddau dynol sydd ar gael!

Yn cydredeg â'r profiadau uchod roedd diffyg parch tuag at y Gymraeg o fewn yr Awdurdod yn bryder mawr. Fel rhywun a oedd wedi byw bywyd bron yn gyfan gwbl yn Gymraeg yn fy mhractis yn Llanaelhaearn, roedd y gyfundrefn Saesneg o'm cwmpas yn llethol, ac yn amlwg prin oedd y dymuniad i weld unrhyw newid i gydnabod y 63% o'r boblogaeth oedd yn siarad Cymraeg yn y sir. F'ymateb cyntaf oedd trefnu deiseb o fewn yr Awdurdod, ac ar 11 Gorffennaf 1983 fe'i cyflwynais, wedi ei harwyddo gan bron i 400 o staff:

'Mae yng Ngwynedd 135,821 o Gymry Cymraeg (Cyfrifiad 1981) sef y mwyafrif o'r boblogaeth. Rydym ni fel staff cyflogedig yr Awdurdod Iechyd yng Ngwynedd yn erfyn arnoch i sicrhau polisi dwyieithrwydd teg o fewn y gwasanaeth iechyd yn y sir.'

Ni chafodd y ddeiseb ymateb gan yr Awdurdod, ac ar ôl hir bendroni am y camau gorau nesaf, esgorodd fy rhwystredigaeth ar gynllun fyddai'n cael effaith pellgyrhaeddol arna i ac ar yr Awdurdod Iechyd yng Ngwynedd. Yn amlwg, yr iaith Gymraeg oedd man gwan yr Awdurdod ac roedd yn destun y byddai'r cyhoedd yn ei ddeall. Ar 8 Awst 1983 cyflwynais y *memo* isod i'r Prif Swyddog Meddygol Gweinyddol, Dr Cedric Davies:

MEMO MEWNOL

O heddiw ymlaen, byddaf yn gweithredu yn Gymraeg yn unig am un diwrnod yr wythnos. Am fis Awst yn unig y gwneir hyn. Wedyn ychwanegir un diwrnod yr wythnos yn fisol ac ymhen pum mis byddaf yn gweithredu yn gyfan gwbl yn Gymraeg.

Ystyr 'gweithredu' yw ymwrthod ag unrhyw femo, llythyr, cofnodion, dogfen, galwad ffôn ac yn y blaen os nad ydyw yn Gymraeg. Ar yr un pryd, byddaf yn siarad Cymraeg mewn cyfarfodydd o fewn yr Awdurdod.

Byddaf, yn ogystal, yn annog rhai eraill i wneud yr un peth o dro i dro nes y cydnabyddir y Gymraeg yn deilwng gan yr Awdurdod fel iaith frodorol a iaith gyntaf y mwyafrif o fewn ei thiriogaeth.

Achosodd y *memo* gryn donnau o fewn y gyfundrefn, ac nid yn annisgwyl cefais ateb o fewn yr wythnos gan Huw Thomas, y Prif Weinyddwr:

INTERNAL MEMORANDUM

Cyn ymgymryd â'r cwrs hwn, buaswn yn gofyn i chwi ystyried a fydd y weithred yn gwrthdaro â'r dyletswyddau sy'n ofynnol ohonoch gan yr Awdurdod Iechyd. Buaswn hefyd yn awgrymu eich bod yn derbyn cyngor ynglŷn â'ch sefyllfa mewn perthynas â'ch cytundeb gyda'r Awdurdod Iechyd.

Doedd yna ddim troi yn ôl, ac er bod yr awyrgylch yn dwysáu parhau wnaeth yr ymgyrch ac ymatebais i femo Huw Thomas ar 1 Medi gan egluro fy sefyllfa unwaith eto:

MEMO MEWNOL

Nid oes cyfeiriad yn fy nghytundeb gwaith (uniaith Saesneg) at y defnydd o unrhyw iaith yn benodol. Rwyf yn bwriadu parhau gyda'm bwriad o gynyddu'r nifer o ddyddiau pan nad wyf am ddefnyddio'r Saesneg nes y mabwysiadir gan yr Awdurdod Iechyd bolisi iaith sy'n cydnabod yr iaith frodorol yn gyflawn.

Rwyf bellach yn dechrau'r ail fis o weithredu ac mae 'na weithwyr eraill o fewn yr Awdurdod yn gweithredu ar linellau cyffelyb.

Roedd y frwydr yn un ddyddiol. Pwysais ymhellach ar Huw Thomas, y Prif Weinyddwr, gyda memo arall fel â ganlyn:

MEMO MEWNOL

Gallaf weithio yn effeithiol yn Gymraeg gyda chymorth cyfieithydd yn yr un modd â mae'r rhan fwyaf o'r uwch swyddogion yn gweithio yn Saesneg gyda chymorth cyfieithydd.

Y gwahaniaeth yw, wrth gwrs, fy mod i'n gweithio trwy gyfrwng yr iaith sy'n frodorol i Wynedd ac yn iaith gyntaf i'r mwyafrif yn y sir hon – y sir rydych chi a mi yn ei gwasanaethu.

Y cyd-weithiwr penodol oedd gen i mewn golwg oedd Menna Jones, fy ysgrifenyddes, merch o Sir Gaerfyrddin a oedd yn ei swydd ers Mehefin 1983. Roeddem wedi pwysleisio o'r cychwyn ein bod ni'n dau yn fodlon ymateb ar ran yr Awdurdod i unrhyw argyfwng pe bai angen. Roedd Menna wedi ei phenodi am chwe sesiwn yr wythnos, â'i chyfrifoldebau wedi eu rhannu rhwng Gwyn Roberts, Clerc Meddygol yr Awdurdod, a finnau. Ar 15 Awst roedd Dr David Roberts, un o'm cyd-arbenigwyr, wedi gorfod cael triniaeth yn yr ysbyty a chytunwyd dros dro i ychwanegu at oriau Menna fel ei bod hi'n gweithio'n llawn-amser.

Cyd-darodd y cyfnod hwn â'm llwyddiant i ennill Ysgoloriaeth Cyngor Ewrop i Norwy ac Awstria, cais a wnaed ar anogaeth Gareth Crompton. Ar ddechrau Medi es i Norwy ar gyfer rhan gyntaf yr Ysgoloriaeth i astudio gwasanaethau iechyd ar gyfer y bobl fwyaf bregus eu hiechyd meddyliol, taith a olygodd fy mod i ffwrdd o'm gwaith am bythefnos. Wedi i mi ddychwelyd cefais sioc i ddweud y lleiaf! Yn f'absenoldeb roedd Gwyn Roberts wedi gofyn i Menna ysgrifennu llythyr Saesneg i ganiatáu i feddyg gymryd gwyliau i fynd ar gwrs yr wythnos wedyn. Gwrthododd Menna y diwrnod hwnnw. Doedd 'na ddim brys mawr a roedd 'na dri diwrnod ar gael i wneud y gwaith Saesneg ymhellach ymlaen yn yr wythnos. Er hynny, ac o ganlyniad i'w hymateb, gofynnodd Gwyn Roberts am ei diswyddo. Wedi i Dr David Roberts ddychwelyd i'w waith ar 13 Medi penderfynodd David nad oedd ef chwaith yn medru cadw Menna, ac ysgrifennodd Cedric Davies lythyr i'w diswyddo o'i chyfrifoldebau gyda 'Dr Roberts a Mr Gwyn Roberts o 26 Medi ymlaen'. Gan fy mod i ddim yno, digwyddodd hyn heb unrhyw ymgynghoriad â fi, ond yn ôl y sôn roedd Menna wedi bod yr un mor brysur ag arfer ar ddau ddiwrnod y 'streic' ieithyddol.

Gallaf ddweud yn gwbl ddiffuant bod Menna yn ysgrifenyddes effeithiol a chydwybodol yn ei gwaith a chanddi'r cymwysterau gorau i gyflawni ei swydd o fewn yr Awdurdod. Roedd hi wedi graddio yn y Gymraeg a Drama cyn dilyn y Cwrs Ysgrifenyddol Uwch Gymraeg arloesol yn y Coleg Technegol ym Mangor. Roedd ei sgiliau yn y ddwy iaith yn rhagorol. Wrth reswm, nid oedd Menna'n medru byw ar dair sesiwn yr wythnos a gwnes gais ffurfiol am ei hailbenodi'n llawn-amser. Ni dderbyniwyd hynny. Doedd Menna ddim am dderbyn y sefyllfa fel ag yr oedd ac ysgrifennodd at Cedric Davies ar 21 Medi 1983.

MEMO MEWNOL

Annwyl Dr Davies,

Yn dilyn eich llythyr Medi 13, 1983 a fyddech cystal â rhoi esboniad i mi ynglŷn â'ch penderfyniad a'ch rhesymau dros fy niswyddo ar Medi 24, a chaniatáu i mi weithio 12 awr yr wythnos yn unig o Medi 26 ymlaen. Rwyf yn anfodlon eich bod yn gweld eich ffordd yn glir i wneud hyn heb fy rhybuddio ymlaen llaw, na thrafod y mater gyda mi... os yw fy ngwaith yn anfoddhaol ac islaw'r safon ddisgwyliedig, credaf y dylwn fod wedi cael fy hysbysu ynglŷn â'r ffaith.

Yng ngoleuni y diffyg ystyriaeth hyn ar eich rhan, teimlaf ei bod yn rheidrwydd arnaf fynd â'r achos i Dribiwnlys.

Yn disgwyl esboniad oddi wrthych.

Yn gywir,
MENNA JONES

Roedd ymateb Dr Cedric Davies i'w ddisgwyl – 'oherwydd y modd anfoddhaol [sic] yr ydych yn cyflawni eich dyletswyddau' ac 'fel canlyniad uniongyrchol' i hynny y cafwyd gostyngiad yn eich horiau. Ysgrifennais at Cedric yn datgan fy siom bod Menna wedi colli saith sesiwn o'i gwaith gan wneud ei swydd yn anhyfyw. Nid oedd y ffaith bod hyn wedi digwydd tra fy mod i ffwrdd, a heb unrhyw ymdrech i gymodi â hi nac chwaith ymgynghori â mi cyn cymryd y camau hyn, yn lleddfu dim ar y sefyllfa.

Cynigiodd Menna ei hymddiswyddiad ar 28 Tachwedd 1983; diwrnod trist iawn imi a cholled aruthrol i'r Awdurdod. Bellach, wrth gwrs, mae Menna wedi llwyddo yn rhyfeddol fel Prif Weithredwr Antur Waunfawr ond mae clod mawr iddi am ei safiad.

Esgorodd disgyblaeth Menna ar sawl protest. Cyn hynny roedd y rhan fwyaf o'r storom yn dilyn y 'streic iaith' yn fewnol, ond rŵan aeth y sylw yn gyhoeddus ac yn ei sgil anfonwyd enghreifftiau di-ri o ddiffygion ieithyddol yr Awdurdod ataf o bob cyfeiriad.

Wrth ysgrifennu at aelod o'r cyhoedd o Felin-y-Coed, dywedodd yr Uwch Gynghorydd Nyrsio (Staff) Mr J A Smith:

'With reference to your letter of the 2nd October, 1983, I would be grateful if you would write to me in English as I am not Welsh-speaking, and the Gwynedd Health Authority is a bilingual authority.'

Ysgrifennodd Dafydd Wigley at y Cadeirydd ar ôl iddo dderbyn cwyn gan un o'i etholwyr o Lŷn a fu ar y ffôn ag ysbyty Gallt-y-Sil gan holi am gyflwr ei pherthynas. 'Dywedwyd wrthi nad oedd neb ar gael a oedd yn gallu siarad yn Gymraeg ac y byddai'n rhaid iddi ddisgwyl tan ddydd Llun i gael rhywun a oedd yn gymwys i siarad Cymraeg. Dywedwyd wrthi hefyd "You can speak in English can't you?"'

Meddai Dafydd, 'Dyma ni unwaith eto'n adlewyrchu methiant Awdurdod Iechyd Gwynedd i ddaparu gwasanaeth trwy gyfrwng iaith fy etholwyr. Nid ydyw yn ddigon da fod Cymry Cymraeg yng Ngwynedd yn cael eu trin fel hyn. Am faint mwy y bydd yn rhaid i ni gwyno cyn y bydd rhywbeth yn cael ei wneud? Onibai fy mod yn cael sicrwydd gennych fod yna ryw newid yn dod yn y materion hyn, ni fydd gennyf unrhyw ddewis ond i geisio ymddiswyddiad pob aelod o'r Awdurdod er mwyn cael aelodaeth a fydd yn fodlon gwneud mwy na chwarae gyda'u cyfrifoldebau tuag at fy etholwyr... Yr wyf wedi ysgrifennu heddiw at Lefarydd Tŷ'r Cyffredin i ofyn am ddadl arbennig ar y sefyllfa oherwydd fy mod i, fel cyn gymaint o'm hetholwyr, wedi cael llond bol ar agwedd drahaus yr Awdurdod sydd yn cael ei adlewyrchu yn agwedd aelodau'r staff tuag at y rhai sydd yn dymuno defnyddio'r iaith Gymraeg.'

Mae'n werth nodi ar ddechrau'r cyfnod o brotestio fod gan yr Awdurdod Iechyd bolisi iaith a fabwysiadwyd mor bell yn ôl â Hydref 1975. Mewn ateb imi ar 20 Ionawr 1981, mewn ymholiad yn fuan ar ôl imi ddechrau yn ôl yng Ngwynedd, cyfeiriodd Huw Thomas at ddogfen yn dwyn y teitl *Polisi Dwyieithog yr Awdurdod Iechyd yng Ngwynedd*. Yn ei ragair, dywed Bob Freeman, Prif Weinyddwr yr Awdurdod ar y pryd, fod angen diffinio 'ymrwymiad yr Awdurdod i ddwyieithrwydd a nodi y cyfyngiadau sydd yn anorfod'. Roedd yn ymateb i gylchlythyr WHSC (IS) 117 a gyhoeddwyd gan y Swyddfa Gymreig ym Mawrth 1975 yn dilyn digwyddiad lle'r atebwyd llythyr Cymraeg gen i i'r Adran Ddamweiniau ym Mangor mewn Hindi. Ar yr wyneb, roedd polisi yr Awdurdod Iechyd yn edrych yn eithaf goleuedig fel mae'r datganiadau isod yn awgrymu:

i) 'Fel corff cyhoeddus mewn ardal lle y defnyddir Cymraeg yn gyffredin derbynia'r Awdurdod bod ganddo gyfrifoldeb i ddefnyddio'r iaith i amcanion swyddogol a gweinyddol. Y mae hyn yn cynnwys materion fel – enwau sefydliadau'r gwasanaeth iechyd, adroddiadau a chyhoeddiadau swyddogol a ffurflenni dwyieithog.'

ii) 'Y mae'r Awdurdod [*sic*] bod arno gyfrifoldeb i ddarparu yn ddigonol wybodaeth am ei wasanaethau i'r rhai hynny sydd yn dewis defnyddio'r Gymraeg gan gynnwys pethau fel – arwyddion a hysbysiadau mewn sefydliadau iechyd, gwasanaethau teleffon a chroeso a defnyddiau cyhoeddusrwydd a chyfleu gwybodaeth.'

iii) 'Derbynia'r Awdurdod fod gan y cyhoedd hawl i ddewis iaith eu cyfathrach â'r Awdurdod. Felly, atebir llythyrau i'r Awdurdod gan unigolion neu gyrff cyhoeddus yn iaith y llythyr gwreiddiol.'

iv) 'Ar wahân i ddefnydd cyhoeddus a gweinyddol o'r iaith derbynia'r Awdurdod fod meysydd lle y byddai defnyddio Cymraeg yn rhan o ddarpariaeth ddelfrydol-effeithiol o wasanaeth. Tra'n cyhoeddi hyn fel polisi y mae yn ymwybodol bod prinderau staff gyda'r cymwysterau angenrheidiol yn golygu na ellir ei weithredu yn llawn yn ddiymdroi.'

Yr awgrym yn y geiriau olaf oedd y byddai'r Awdurdod yn symud tuag at bolisi cryfach dros gyfnod o amser, ond fel roeddwn i'n dod yn gyfarwydd â'r drefn daeth yn fwyfwy amlwg i mi nad oedd 'na unrhyw gamau yn cael eu cymryd i gyflawni hynny. Ysgrifennais at Huw Thomas yn Rhagfyr 1982 gan ofyn beth oedd sefyllfa fonitro'r polisi. Yr oedd yr ateb yn ddadlennol.

Sefydlodd yr Awdurdod Bwyllgor Dwyieithogrwydd [sic] yn sgil Cylchlythyr y Swyddfa Gymreig yn 1975, ond er gwaetha'r 'ymrwymiad' i'r polisi hwnnw, ni chynhaliwyd cyfarfod ers Tachwedd 1977, bum mlynedd yn gynt! Ychwanegodd Huw Thomas mai 'pwyllgor *ad hoc* yw hwn a chyferfydd yn unig pan fo galw am hynny'. I lawer ohonom roedd y galw yn amlwg ers blynyddoedd, ond yn anffodus, ni welodd yr aelodaeth yr angen.

Ar brynhawn Sadwrn, 8 Hydref 1983 cynhaliodd mudiad ADFER Rali Gyhoeddus – 'Seisnigrwydd Awdurdod Iechyd Gwynedd' – ym Maes Parcio Ysbyty Dewi Sant gyda siaradwyr amlwg fel R S Thomas, y Prifardd Ieuan Wyn, Glyn Tomos a'r Parchedig John Owen yn areithio. Paratowyd y papur 'Paham Protestio?' yn gefn i'r ymgyrch ac ynddo amlinellwyd sawl pryder.

- Nid oes gan brif swyddogion yr Awdurdod unrhyw barch tuag at y Gymraeg o safbwynt gweinyddiad a phenodiadau o fewn yr Awdurdod,
- Awdurdod cwbl Saesneg yw Awdurdod Iechyd Gwynedd. Wrth weithredu yn y fath fodd maent yn dangos diffyg parch sylfaenol ac yn gwneud cam difrifol â'ch iaith chwi a ninnau,
- I bob pwrpas gweithredir pob agwedd o waith yr Awdurdod ar yr un patrwm ag awdurdodau tebyg yn Lloegr. O wneud hyn maent yn gwrthod cydnabod bodolaeth a defnydd iaith y mwyafrif y maent i fod i'w wasanaethu, sef y Gymraeg,
- Mae'r prif swyddogion wedi anwybyddu ein cais i roi lle teilwng i'n hiaith,
- Rydym yn galw ar Awdurdod Iechyd Gwynedd i weithredu polisi ymhob agwedd o'u gwaith a fydd yn rhoi lle blaenllaw a llawn i'r defnydd o'r Gymraeg. Er mwyn cyrraedd y nod yma rydym yn gofyn i chwi fel rhai sydd yn cael eu cyflogi gan yr Awdurdod i ddwyn pwysau ar eich prif swyddogion i sicrhau fod hyn yn digwydd.

Ymunodd Cymdeithas yr Iaith yn y brotest gan ofyn i'r cyhoedd am enghreifftiau o ddiffyg parch tuag at y Gymraeg cyn cyhoeddi 'Bwletin Afiach' yn llawn hanesion llai na derbyniol. Ceir isod ychydig o'r enghreifftiau o'r bwletin hwnnw.

- 'Pan ymwelodd parti o blant Cymraeg â'r ysbyty yn ddiweddar, cafwyd cais i'r Awdurdod am rywun Cymraeg i'w tywys o gwmpas. Cafodd y cais ei anwybyddu yn llwyr gyda Sais uniaith yn eu tywys heb unrhyw ymddiheuriad.'
- 'O'r 20 hysbyseb sydd wedi ymddangos ym mhapurau Cymraeg *Yr Herald* yn ystod y 12 wythnos ddiwethaf, mae 17 wedi ymddangos yn uniaith Saesneg.'
- 'Cafodd aelod o'r cyhoedd a siaradodd Gymraeg ei sarhau gan deleffonydd di-Gymraeg ym mhencadlys yr Awdurdod gyda'r geiriau anfarwol, "What's that you're talking then?"'
- 'Ateb Awdurdod Iechyd Gwynedd i'r pwysau o blaid yr iaith frodorol oedd sefydlu Pwyllgor Dwyieithrwydd – pechod nad oedd dwy ran o dair o'r aelodau yn bresennol – yn cynnwys y Cadeirydd – yn y cyfarfod diwethaf.'
- 'Dileu Dydd Gŵyl Dewi fel dydd gŵyl.'
- 'Hysbysebodd yr Awdurdod Iechyd am Ymwelwyr Iechyd ym Môn – staff broffesiynol a fydd yn archwilio a phrofi plant uniaith Gymraeg 1–2 oed. Dim sôn am yr iaith Gymraeg yn yr hysbyseb ond digon o le i sôn am "Sunny Anglesey". Be a wnelo'r haul (pe tasa'n wir!) â'r gallu i brofi datblygiad ein plant?'
- 'Clywyd y geiriau anfarwol gan nyrs Saesneg mewn ysbyty sy'n gwasanaethu pobl Gwynedd – "it's impossible to get a history from this lady – she's very Welsh". Nid ydym erioed yn clywed am yr un claf â'r label "very English". A ydyw bod yn Gymraes uniaith yn ddiagnosis ynddo'i hun bellach? Er mwyn pwy mae'r gwasanaeth – y cleifion ynteu'r staff?!'

Penderfynodd rhai o Gymry amlycaf Gwynedd gefnogi'r

ymgyrch gyda llythyr agored at yr Awdurdod Iechyd yn *Y Cymro*
yn pledio hawl i bobl leol gael eu trin a'u trafod yn Gymraeg
pan ddygir hwy i ysbytai'r sir:

LLYTHYR AGORED AT AELODAU AWDURDOD IECHYD
GWYNEDD

'Mae methiant Awdurdod Iechyd Gwynedd i fabwysiadu polisi iaith
yn ei gyfarfod diwetha' ar 30 Ebrill yn ddim llai na brad ar bobl
Gwynedd.

Gerbron eich cyfarfod diwetha' roedd drafft o bolisi a
baratowyd gan yr is-bwyllgor iaith ar ôl hir ymgynghori â chyrff
proffesiynol. Roedd yr is-bwyllgor yn cynnwys aelodau amlwg
mewn bywyd cyhoeddus yng Ngwynedd – yr Athro Bedwyr Lewis
Jones, Y Parchedig Robert Williams, Is-gadeirydd yr Awdurdod
Iechyd, Cynghorydd Algwyn Hopkins, cyn-faer Aberconwy a'r
Cynghorydd R H Roberts, Cyn-Gadeirydd, Cyngor Sir Gwynedd.

Mae'r Awdurdod yn ei ddoethineb wedi penderfynu ymgynghori
â'r un cyrff eto – tacteg o ohirio yw hyn wrth gwrs gan na fydd
yr Awdurdod yn medru ystyried unrhyw sylwadau pellach tan
ddiwedd mis Gorffennaf. Gyda thymor yr haf, ni fydd unrhyw
weithredu felly (os o gwbl, ac arian fydd yr esgus nesaf) tan yr
hydref.

Tristwch hyn i gyd yw y bydd yr Awdurdod heb unrhyw bolisi
eglur yn ystod y misoedd tyngedfennol nesaf pan agorir Ysbyty
Gwynedd ac, ar yr un pryd, cyflogir degau o bobl o'r newydd o
fewn yr Awdurdod. Roedd gelynion yr achos yn deall hyn a bod
gohirio yn gyfystyr â buddugoliaeth y dydd o'r blaen.

Huawdl iawn eu gwrthwynebiad i unrhyw bolisi oedd rhai o'r
meddygon sy'n aelodau o'r Awdurdod. Gwrthwynebiad emosiynol
oedd yr alwad i gadw pethau fel ag y maent 'rhag i ni greu
anialwch meddygol'. Dywedwyd hyn am fod y drafft o bolisi wedi
cyfeirio at yr angen am bobl sy'n medru cyfathrebu ym mamiaith
y claf.

Nid oedd eu gwrthwynebiad amgenach nag ymgais i warchod
breintiau a buddiannau meddygon 'Prydain oll', a hynny'n
anffodus ar draul anghenion cleifion Gwynedd. Trist felly oedd
gweld barn y meddygon hyn yn cario'r dydd, barn sydd wrth gwrs
yn cynrychioli neb o dan y drefn bresennol – trefn enwebedig o dan
Gadeirydd enwebedig gan yr Ysgrifennydd Gwladol. Yr un mor

drist oedd y dewis gan Weinyddwr yr Awdurdod i beidio â chyfeirio yn yr un cyfarfod at yr holl ohebiaeth oddi wrth y cyhoedd a chyrff cyhoeddus democrataidd sydd wedi ei derbyn yn ystod y misoedd diwethaf – yn mynegi eu siom gyda'r polisi presennol.

Nid yw'r polisi presennol yn dderbyniol – yn ddyddiol mae rhywun yn clywed am gwynion ac enghreifftiau o gleifion Cymraeg yn wynebu llu o gwestiynau yn Saesneg – ail iaith y mwyafrif ohonynt, ac yn aml iawn ail iaith sydd heb ei harfer ryw lawer.

Dyw hyn ddim yn feddygaeth dda – mewn unrhyw gyfweliad â chlaf mae'n ofynnol yn gyntaf i wneud i'r claf deimlo'n gartrefol, ac yn ail, i gymryd hanes y gŵyn yn fanwl. Yn anhepgor i'r ddau beth hyn yw'r gallu i gyfathrebu â'r claf yn yr iaith sy'n dod hawsaf iddo. Fe wnaeth y Cyngor Meddygol Cyffredinol ddatgan hyn yng nghanol y saithdegau pan gyflwynwyd profion iaith Saesneg i bob meddyg o wlad dramor cyn iddo fedru ymarfer yng ngwledydd Prydain.

Nid yw'r diffyg democratiaeth yn y drefn bresennol yn ychwanegu dim at hyder y cyhoedd yn eu gwasanaeth iechyd – pe bai'r 'drefn iechyd' yn atebol, fel y mae ein Cyngor Sir, mae 'na le i gredu y byddai gennym ni bolisi sy'n cydnabod y ddwy iaith yn deg, ac yn bwysicach yn cydnabod hawliau sifil cleifion Gwynedd.

Brysied y dydd felly pan wnewch chi fel aelodau anghofio eich rhagfarnau a chynllunio at nod o wasanaeth iechyd sy'n deilwng o'n pobl.'

Yn gywir iawn,

SYR THOMAS PARRY (Cyn-brifathro Coleg Prifysgol Cymru, Aberystwyth); DAFYDD ORWIG (Cadeirydd Cyd-bwyllgor Polisi Dwyieithog Cynghorau Gwynedd); O GWYN JONES (Cadeirydd Pwyllgor Polisi Dwyieithog Cyngor Ynys Môn); DR R TUDUR JONES (Prifathro Coleg Bala-Bangor); DR GRUFFYDD ALED WILLIAMS (Darlithydd, Adran Y Gymraeg, Coleg y Brifysgol, Bangor); PARCH R S THOMAS; JOHN MEIRION DAVIES (Cadeirydd, Pwyllgor Cynllunio Cyngor Ynys Môn)

Cofiaf un diwrnod yn arbennig pan aeth aelodau o'r Gymdeithas i fewn i bencadlys yr Awdurdod a meddiannu swyddfeydd y Cadeirydd Noreen Edwards, y Prif Weinyddwr Huw Thomas a'r Trysorydd Bill Owen. Casglwyd pob dim yr oedd modd cael gafael arno a'u rhoi mewn bagiau sbwriel cyn eu taflu drwy'r ffenestri. Cyhuddiad y Gymdeithas, a'r rhesymeg tu ôl i'r weithred, oedd yr 'oedi cwbl annerbyniol gan yr Awdurdod i weithredu polisi iaith newydd'. Arhosodd yr aelodau yn y swyddfeydd am tuag awr a hanner, ac er na chafodd dim byd ei ddwyn cymerodd rai dyddiau i adfer a didoli'r ffeiliau i'w priod sefyllfa. Nid yn annisgwyl, esgorodd y digwyddiad ar gryn benbleth i'r Awdurdod, ac o ganlyniad cyflwynwyd cwys uchel lys i Gymdeithas yr Iaith gan 'atal y pump ac unrhyw aelodau eraill rhag rhoi troed ar eiddo'r Awdurdod'.

Wnaeth hynny ddim i dawelu pethau, ac aeth protest y Gymdeithas yn fwy gwrthdrawiadol wedi i Angharad Tomos a Gwenith Huws sefydlu gwersyll wrth fynedfa Ysbyty Gwynedd a dechrau ar ympryd, a hynny, wrth gwrs, yn her uniongyrchol i'r gwaharddiad llys. Nod Angharad a Gwenith oedd cefnogi ymgyrch y Gymdeithas a thynnu sylw at yr angen:

i) I staff yr Awdurdod fedru'r Gymraeg. Os oes raid i bob meddyg fedru'r Saesneg cyn gweithio ym Mhrydain, dylai pob meddyg fedru'r Gymraeg cyn gweithio yng Nghymru.

ii) I weinyddiaeth yr Awdurdod fod yn ddwyieithog. Ni fyddai cost hyn yn effeithio ar gyflogau nac offer ysbyty.

iii) I'r Awdurdod atal unrhyw gwtogi neu ganoli ar y gwasanaeth iechyd ac i wrthwynebu preifateiddio ar bob lefel.

iv) I'r Swyddfa Gymreig ad-drefnu'r Awdurdod Iechyd i'w wneud yn un democrataidd ac yn atebol i bobl Gwynedd.

Ar Sadwrn cyntaf yr ympryd, cynhaliwyd rali o flaen Ysbyty Gwynedd pan aeth tua 30 o brotestwyr i gyfeiriad yr ysbyty a gosod posteri ar y waliau a'r ffenestri. Ni alwyd yr heddlu ac ni fu cwthrwfl, ond yn sgil hynny arwyddodd tua 100 o aelodau'r Gymdeithas lythyr yn cyfaddef iddynt dorri gwaharddiad yr uchel lys. Gwnaed hynny, medden nhw, oherwydd 'arafwch yr Awdurdod i weithredu ei bolisi dwyieithog'. Mynegodd y Cynghorydd Dafydd Orwig, un o'r siaradwyr, bryder ynglŷn ag agwedd prif swyddogion yr Awdurdod, a dywedodd Karl Davies ar ran Cymdeithas yr Iaith mai 'protest yn unig yw'r ffordd i ddylanwadu ar yr Awdurdod gan nad yw'n gorff sydd wedi ei ethol yn ddemocrataidd'.

Pe bai angen mwy o dystiolaeth am faint y mynydd roedd angen ei ddringo yn y frwydr iaith, yng Ngorffennaf 1984 cyhoeddodd John Bradshaw, Swyddog Personél yr Awdurdod, adroddiad yn cynnig arweiniad a rhybudd i'w Awdurdod wrth i bolisi drafft newydd ar gyfer yr iaith gael sylw. 'A bilingual policy would legitimize minority demands for special treatment,' meddai, ac 'I recommend extreme caution in what is a potentially dangerous form of social engineering'. Bwriad diymwad Adroddiad Bradshaw oedd tanseilio yr ymdrechion teilwng i weddnewid yr Awdurdod Iechyd a darparu gwasanaeth iechyd proffesiynol yn iaith y mwyafrif. Aeth Dafydd Wigley i'r ffau gan ofyn i'r Cadeirydd Noreen Edwards ymbellhau wrth sylwadau Mr Bradshaw. 'Mr Bradshaw's accusation that "the pursuit of a positive policy for the Welsh language could turn the authority into a 'third rate institution'" is quite astounding... The Personnel Officer's words represent an attitude which is totally unacceptable and I urge you to repudiate the statement.'

Ar 20 Medi 1983 danfonais sawl cylchlythyr uniaith Saesneg gan y Swyddfa Gymreig yn ôl at Brif Weinyddwr yr Awdurdod Iechyd oherwydd eu natur uniaith. Er i Huw Thomas ofyn i'r Swyddfa Gymreig am fersiynau Cymraeg ohonynt, tynnodd fy 'sylw at y ffaith y bydd gwrthod derbyn cylchlythyrau yn cael effaith ddifrifol ar eich gallu i ymgymryd â'ch dyletswyddau'. Gwrthodwyd y cais gan Y Swyddfa Gymreig gan guddio tu ôl i hen ganllawiau'r '60au:

'In deciding whether official forms and documents should be available in the Welsh language or bilingually in English and

Welsh, the Department is guided by the criteria identified... in the report entitled "Legal Status of the Welsh Language" published in 1965.

"The matter will need to be treated by all concerned as one of expediency and expense, as well as of prestige [*sic*]."

Guided by these criteria the Department has issued an increased number of forms in Welsh or bilingually in recent years... There would be no justification on the basis of this approach for an undertaking that all circulars sent to your Authority will be in Welsh, and you will understand that it would not be appropriate for policy to be dictated by the kind of case you mention.'

R A PENGELLY

Roedd y pwysau yn ôl ar yr Awdurdod, ac o ganlyniad ysgrifennais at Huw Thomas yn gofyn iddo beidio â gadael llonydd i'r mater... gan erfyn arno i fynnu cefnogaeth yr Awdurdod i'w ymdrechion. 'Mae'r sefyllfa bresennol lle mai un iaith yn unig i bob pwrpas sydd yn cael ei chydnabod gan y Swyddfa Gymreig yn un gwbl annerbyniol i'r Cymry Cymraeg.'

Roedd awyrgylch y coridorau yn y pencadlys yng Nghoed Mawr yn anodd yn ystod y cyfnod hwn – roedd diswyddiad disymwth Menna wedi achosi cryn dyndra; felly hefyd y diffygion rhyfeddol yn y prosesau cynllunio a'r diffyg parch tuag at y Gymraeg. Gadawodd protestiadau cyson gan Adfer, Cymdeithas yr Iaith, deisebu mewnol a llythyrau di-ri eu hôl, a'r cyfan yn destun sylw nacaol cyson yn y wasg ar y pryd.

'ANGEN MEDDYGINIAETH AR FRYS I AWDURDOD AFIACH' –
  Y Faner
'DIM LLAI NA BRAD AR Y BOBL' – *Y Cymro*
'HEALTH LOCK-OUT IN LANGUAGE PROTEST' – *Daily Post*
'PROTESTERS AIM TO STAND FAST – Hunger strike goes on'
  – *Bangor and Anglesey Weekly News*
'WE WILL STRIKE AGAIN WARN WELSH ACTIVISTS' –
  Daily Post
'CLASH OF TWO TONGUES' – *Health and Social Services Journal*

'AWDURDOD IECHYD GWYNEDD – Awdurdod Mwyaf Trahaus
   Prydain? – *Y Faner*
'FEL KGB YN YSBYTY NEWYDD GWYNEDD' – *Herald Môn*
a'r gwaethaf i gyd:
'GWARTH GWEINYDDWR IECHYD GWRTH-GYMRAEG
   GWYNEDD' – *Y Faner*

Yr hyn oedd yn drist imi drwy'r cyfan oedd diffyg
gweledigaeth yr Awdurdod o safbwynt yr iaith. Onid oedd
Is-Ysgrifennydd y Swyddfa Gymreig Mr Wyn Roberts wedi
cynnig arweiniad mewn cylchlythyr (WHSC (IS) 117) mor bell
yn ôl ag 1975, a methiant amlwg yn ewyllys yr Awdurdod i
adeiladu ar hynny yn y cyfamser? Mewn llythyr ar 29 Mawrth
1982 cydnabyddodd Mr Roberts fod y cylchlythyr 'yn dal
mewn grym' a bod angen 'cydnabod pwysigrwydd y Gymraeg
i bobl y mae'n iaith gyntaf iddynt'. Yng nghanol y cwthrwfl,
mi oedd 'na gynigion adeiladol cyson gyda chyfarfodydd a
llythyrau gan yr Aelodau Seneddol Dafydd Wigley a Dafydd
Elis-Thomas oedd o blaid newid. Ategwyd at y pwysau drwy
rai o aelodau unigol yr Awdurdod a'r Pwyllgor Dwyieithrwydd.
Roedd yn gymaint mwy o siom felly gweld Cyngor y Brifwyl
yn gwrthod cais Cymdeithas yr Iaith i ddangos 'cefnogaeth i'r
ymgyrch i Gymreigio Awdurdod Iechyd Gwynedd' gyda'r esgus
tila 'teimlad y Cyngor yw fod safbwynt yr Eisteddfod ar fater yr
iaith yn hysbys i bawb, gan ei bod trwy ei gwaith wedi bod yn
ceisio diogelu'r Gymraeg dros y blynyddoedd'.

O'r diwedd, yng Ngorffennaf 1984, penderfynodd Awdurdod
Iechyd Gwynedd fabwysiadu polisi dwyieithrwydd cyflawn, ond
nid cyn iddyn nhw gael eu beirniadu am gynnal cyfarfodydd
'agored' yr Awdurdod Iechyd tu ôl i ddrysau caeëdig 'because
we don't want any disturbances'. Ond roedd yn ymddangos
fod 'na oleuni, ac mewn llythyr i'r *Faner* ddechrau Awst ro'n
i'n medru 'edrych ymlaen at gyfnod adeiladol ym mherthynas
yr Awdurdod â phobl Gwynedd'. Ond, ar yr un pryd ro'n i'n
cwestiynu pam oedd 'polisi iaith yr Awdurdod mor wahanol i'r
Cyngor Sir – ai am fod y naill yn enwebedig a'r llall yn etholedig

ac yn atebol i'r gymuned'? Mae'n gwestiwn sydd yn dal yr un mor berthnasol heddiw mewn cymaint o wahanol feysydd!

Er y llwyddiannau, un peth na ddiflannodd – wedi i'r polisi ddod i rym – oedd y feirniadaeth am organoli gwasanaethau o fewn y sir a'r diffyg cynllunio ar gyfer gwasanaethau yn y gymuned. Cefais gyfle i fynegi fy mhryderon am hyn mewn cyfarfod efo'r Cadeirydd, Noreen Edwards, yng Ngorffennaf 1984. Trwy ryw gyd-ddigwyddiad, yr un prynhawn, gwelais am y tro cyntaf Gynllun Strategol arfaethedig yr Awdurdod ar gyfer sylw cyfarfod yr Awdurdod Iechyd. Unwaith eto, ni chafodd hwn mo'i drafod gan Dîmau Cynlluniau Gofal Iechyd yr Henoed ac Iechyd Meddwl. Yn hytrach, roedd y 'strategaeth' yn ffrwyth gwaith pedwar prif swyddog yr Awdurdod heb unrhyw ymgom â'r arbenigwyr perthnasol. Doedd gen i ddim dewis ond ysgrifennu at Mrs Edwards yn mynegi fy siom, 'I really do despair as to our planning arrangements and this only confirms once again the autocratic nature of our authority.'

Ym mis Tachwedd 1984, penderfynodd y gyfres HTV *Wales This Week* wneud rhaglen am ofal yr henoed yng Ngwynedd. Wrth i'r cwmni wneud eu gwaith ymchwil a holi'r Awdurdod ar y ffôn, deallon nhw mai fi oedd yr arbenigwr meddygol yn gyfrifol am gynllunio iechyd. Cytunais i wneud cyfweliad, ond serch hynny, oherwydd sensitifrwydd yn yr adran, awgrymais fod y cwmni yn cysylltu â'r Awdurdod cyn imi siarad â nhw a siaradodd y cynhyrchydd efo Mr Huw Thomas, Prif Weinyddwr Awdurdod Iechyd Gwynedd. Mae'n bwysig nodi bod gan Ymgynghorydd Meddygol Iechyd y Cyhoedd yr hawl i lefaru ar unrhyw bwnc lle mae'n ystyried bod iechyd yn cael ei beryglu. Roedd yr hyn a ddigwyddodd nesaf yn anodd i'w ragweld. Dewisodd Huw Thomas beidio â mynychu'r cyfweliad roedd HTV wedi ei drefnu efo fo a gofynnwyd i Cedric Davies fynd yn ei le. Roedd yn anorfod wedyn ein bod ni'n dau yn ymddangos ar yr un rhaglen – finnau yn rhoi fy marn broffesiynol mewn maes oedd yn rhan o'm swyddogaeth tra oedd Dr Cedric Davies yn rhoi barn swyddogol yr Awdurdod fel un o'r prif swyddogion ac aelod o'r tîm rheoli. Mi wnes i osgoi beirniadu'r Awdurdod

Iechyd, ond nid oedd Cedric Davies yn hapus efo cynnwys y rhaglen nad oedd yn ffafrio polisïau'r Awdurdod. Canlyniad f'ymddangosiad oedd i mi orfod wynebu achos disgyblu am nad oeddwn wedi cael 'caniatâd' i ymddangos. Cododd hyn ddau egwyddor eithaf pwysig. Yn gyntaf, roedd Elis Owen, cynhyrchydd y rhaglen, yn egluro mewn llythyr ataf ar 3 Ionawr 1985, â chopi at y Cadeirydd, fy mod i wedi gofyn iddyn nhw sicrhau caniatâd:

'At our initial approach, before agreeing to conduct the interview, you asked us to speak to the Health Authority's Chief Administrator to inform him that we would be speaking to you. Accordingly, we did so and at the same time asked Mr Thomas if he would take part in the programme... In the event we did not interview Mr Thomas. At the last minute, despite having agreed to be interviewed, Mr Thomas asked us to interview Dr Cedric Davies, the Chief Adminstrative Medical Officer...'

Yn ail, fel roedd fy nhelerau cyflogaeth yn datgan, 'All community physicians (four in Gwynedd including the Chief Administrative Medical Officer) accept a continuing obligation to the community which they serve for which they have a shared responsibility with all other Community Physicians employed by the Authority', ac felly doedd dim angen caniatâd. Roedd barn y BMA yn allweddol ar y pryd ac fe wnaethon nhw roi pwysau ychwanegol ar yr Awdurdod, yn lleol ac yn genedlaethol fel mae'r llythyr a ysgrifennais at Noreen Edwards, Cadeirydd yr Awdurdod ar 4 Rhagfyr 1984, yn tystio:

'Annwyl Mrs Edwards,

It was with considerable personal disappointment and concern that I received a letter from Dr Cedric Davies on Thursday last indicating his intention to formally warn me following my appearance on the recent HTV programme.

I refer to disappointment because his letter flies in the face of a recent discussion within our Department (with Dr Davies) where, following probably two hours of debate, Dr Evan Richards (Consultant), Dr David Roberts (Consultant) and myself

(Consultant) were unanimous in our affirmation of our right to express our views in public on any matter that influences the public's care and health.

Dr Davies' view that we should seek his permission before speaking publicly was not acceptable to any of us and, clearly, his interpretation of our role as Consultant grade Community Physicians is very different from ours.

I should further add that our view is supported by the Chairman of the BMA in Gwynedd who recently took this principle to the appropriate committee at an all-Wales level where again it was reaffirmed that we have a right to "speak publicly on professional matters".'

A hynny, mewn gwirionedd, oedd bwrdwn y ddadl. Roedd fy nghyfraniad i'r rhaglen yn un a fynegodd farn broffesiynol, nid beirniadol o'r Awdurdod fel y cyfryw. Roedd yn ymgais i osod rhai ffeithiau gerbron y cyhoedd mewn ffordd gytbwys ar gyfer cynlluniau'r henoed a rhai â salwch meddwl, a'r angen i sicrhau cydbwysedd rhwng Ysbyty Gwynedd a gwasanaethau cymunedol yn y dyfodol. Ond nid fel'na y cafodd ei dderbyn gan Dr Cedric Davies ac, yn anffodus imi ac i'r BMA ar y pryd, fe wnaeth yr Awdurdod dderbyn ei arweiniad gan Cedric, sef fy mod yn feirniadol o'r Awdurdod.

Cynhaliwyd yr achos disgyblu ar 10 Ionawr 1985 er gwaethaf gwrthwynebiad gan y BMA oedd yno yn fy nghynrychioli. Yn dilyn yr achos mynegodd y BMA bryder am y broses a fabwysiadwyd gan yr Awdurdod Iechyd. Awgrymodd Tony Chadwick ar ran y BMA wrth Dr Davies: 'we exchanged completely opposite evidence during this meeting and I am sincerely of the opinion that the warning should be withdrawn... If you are adamant that the warning must stand then both Dr Clowes and I would be extremely grateful if you could now arrange for a formal appeal hearing to be convened.' Mynegodd Dafydd Wigley AS ei bryderon yn gyhoeddus am benderfyniad Dr Davies. Mewn ymateb i gwestiwn Seneddol gan Dafydd ar 24 Ionawr 1985, cadarnhaodd Wyn Roberts AS ar ran y Swyddfa Gymreig, 'Public Statements by doctors employed as specialists in community medicine are covered by their terms and conditions of service.' Yn union.

Ond roedd y cam nesaf yn hollbwysig – yr hawl gen i i apelio i'r Awdurdod yn erbyn y disgyblu; roedd hyn yn bwysig am fwy nag un rheswm. Yn amlwg, ro'n i'n awyddus i adennill fy enw da, ond yn ail, roedd yr achos yn f'erbyn yn cydamseru â chais gen i ar gyfer swydd Rheolwr Cyffredinol yr Awdurdod! Pan gyfarfu'r Pwyllgor tynnu rhestr fer yr wythnos ddilynol roedd f'enw yn parhau i fod dan gwmwl, ac felly roedd hi'n anodd rhoi ystyriaeth deg i'm cais nes byddai'r apêl wedi ei chlywed. Cafwyd cynnig – tu ôl i ddrysau caeëdig – am oedi'r penodiad nes y byddai canlyniadau'r ymchwiliad i'w cael. Ac fe eiliwyd y cynnig.

Cymerodd dros dri mis cyn i'r apêl gael ei chlywed, ac ar 3 Mai o flaen panel o dri a barodd am bum awr gwrthodwyd f'apêl. Doedd hynny ddim yn annisgwyl efallai ond roedd un cam arall ar ôl, sef yr angen i'r Awdurdod llawn roi eu sêl ar y penderfyniad hwnnw yn eu cyfarfod nesaf ddiwedd y mis. Yn ogystal â lobïo cyson gan y cyhoedd, roedd yno ddeiseb gyda 1,700 wedi ei harwyddo yn gofyn am dynnu'r disgyblu yn ôl, pwysau o du y BMA ynghyd â rhai aelodau unigol o fewn yr Awdurdod, a barn Cyfadran Feddygaeth Gymunedol Coleg Brenhinol y Ffisigwyr wedi iddyn nhw ddatgan bod swydd Arbenigwr yn 'asiant newid' ac nid 'asiant biwrocratiaeth'! Roedd erthygl flaen y BMJ ar 16 Mawrth 1985 yn adleisio'r un farn: 'Doctors have an ethical obligation to speak out... and remind politicians that the care of its (society's) weakest members is the measure by which our society will be judged by future generations.' Ar yr un pryd, roedd datganiad gan y Gymdeithas Feddygol yn galondid imi. Yn ystod eu Cynhadledd Gwanwyn yng Nghaerdydd, rhyddhawyd y canlynol: '... yn condemnio penderfyniad Awdurdod Iechyd Gwynedd i ddisgyblu Dr Clowes a'i fod yn cefnogi ei hawl i... siarad yn gyhoeddus ar faterion yn ymwneud â'i gyfrifoldebau a'i waith proffesiynol... heb ymyrraeth o gwbl mewn unrhyw ffordd gan yr Awdurdod Iechyd lleol neu unrhyw un o'i swyddogion.'

Nant Gwrtheyrn yn dangos ei swyngyfaredd o dan fantell o niwl.

Cyflwr truenus Nant Gwrtheyrn yng nghanol y '70au.

Hogia MSC a oedd yn gyfrifol am y gwaith o adfer y Nant ar ddechrau'r '80au.

Yr Arglwydd David Davies, Llandinam, Cadeirydd Apêl y Nant (rhes flaen, chwith). Yn ei gwmni wrth ei ochr mae John Llyfnwy Jones, Bob Jones Parry a finnau. Y tu ôl o'r chwith mae Emrys Williams, Edryd Gwyndaf, Cyfarwyddwr, Caren Efans, Gweinyddwr a Cathrin Griffith, fy nghynorthwy-ydd.

Ein cynnig cyntaf i greu Caffi Meinir o'r murddun ger Tŷ Hen – gwaith Berwyn Evans yn ystod ei 'wyliau'.

Ras noddedig yn Rhuthun – digwyddiad nodweddiadol o'r ymdrechion i hel arian yn yr '80au – gyda'r ymgyrchydd, Moi Parry, yn y cefn.

Dyddiau cynnar yn y caffi gydag Elspeth Roberts (ar y dde) yn gofalu am y lle. Mary Hughes (ar y chwith) a Branwen Cennard sy'n cynorthwyo.

Dafydd Iwan a Cennard Davies, dau ymddiriedolwr gyda Gwyn Williams, Cyfarwyddwr ar y gitar.

Meic Raymant, Prif Diwtor y Nant (ail o'r chwith) yng nghanol yr '80au, gyda rhai o'i braidd.

John Hume, enillydd Gwobr Heddwch Nobel ac ymgyrchydd arloesol dros hawliau ieithoedd llai yn Senedd Ewrop, ar ymweliad â'r Nant wrth iddo annerch Cynhadledd Ewropeaidd yn y Ganolfan.

Cynrychiolwyr o Gyngor Maldwyn yn cyflwyno siec i'n coffrau ar gyfer Tŷ Maldwyn. Ar y chwith hefyd mae Allan Wynne Jones, Cadeirydd yr Ymddiriedolaeth.

Bryn Sardis a werthwyd gan Dorothi a finnau i gyllido'r gwaith ar y dechrau.

Gwyn Elis, Llithfaen – cyfrannwr cyson i weithgarwch y Nant a'r fro.

Agoriad y Capel
fel canolfan
ddehongli ym
Mai 2003 ym
mhresenoldeb
Rhys Ifans
(ar y dde) a
Dafydd Wigley
(ar y chwith)
gydag Aled
Jones-Griffith, y
Cyfarwyddwr, yn
eu cyflwyno.

Tu allan i Lys
yr Wyddgrug
wedi i ni sicrhau
ymddiheuriad ac
iawndal gan HTV
am raglen enllibus
Y Byd ar Bedwar
yn erbyn pedwar
ymddiriedolwr.

Nant Gwrtheyrn
heddiw – Neuadd
y Nant a Chaffi
Meinir ar eu
newydd wedd.

Derbyn Cymrodoriaeth er Anrhydedd gan Goleg Brenhinol y Meddygon Teulu.

O T Sefako, llysgennad Lesotho i'r DU, a finnau adeg lansiad Dolen Cymru yn y Swyddfa Gymreig yn 1985.

Achlysur ymweliad Gweinidog Tramor Lesotho, Mohlabi Tsekoa, a'i wraig Keke â'r Wigoedd. Yn y llun hefyd wrth ochr Dorothi (cefn, ar y chwith) mae Annis Milner, Ifanwy Williams, Paul Williams (Ysgrifennydd rhyfeddol Dolen Cymru am 18 mlynedd), Dafydd Idriswyn (cyn-Gadeirydd Dolen Cymru) ac, yn eistedd o 'mlaen i, Elizabeth Williams.

Sefyll o flaen swyddfa'r ddolen yn Maseru yn ystod ymweliad Jane Davidson AC, y Gweinidog Addysg. Yn y rhes gefn ar fy mhwys i mae Thato Makumane a Catrin Daniel, Cyfarwyddwr Dolen Cymru. Ar y dde i'r Gweinidog mae'r Cadeirydd yn Lesotho, 'M'e Flora Mokhitli, ac ar y chwith iddi 'M'e Lineo Phachaka, y Cyfarwyddwr yn Lesotho.

Plant Ysgol Pontyberem yn llwytho llyfrau ar gyfer plant Lesotho fel rhan o ymgyrch genedlaethol.

Ysgol Phelisanong ger Pitseng, ffocws ar gyfer sawl prosiect gan Dolen Cymru.

Y Fam Frenhines 'Mamohato ar ein haelwyd yng nghwmni Glenys Roberts, ei merch Manon ac Ifanwy Williams, Merched y Wawr. Nod y daith oedd dolennu Tyddewi â phentref brenhinol Matsieng yn Lesotho.

Roedd y pwysau ar yr Awdurdod i wrthod argymhelliad y Pwyllgor Apêl yn drwm, ac yn y diwedd roedd y gwahanol gyhoeddiadau uchod, ynghyd â datganiad y Swyddfa Gymreig am bwysigrwydd telerau ac amodau cenedlaethol fy swydd, yn ddigon i ddwyn perswâd ar yr Awdurdod a gwrthodwyd yr argymhelliad i'm disgyblu. Roedd f'enw wedi ei glirio!

Er hynny, roedd yn rhy hwyr i unioni'r cam. Oherwydd y diflastod o amgylch yr holl broses 'ddisgyblu' a'r un mor bwysig y rhwystredigaeth broffesiynol oedd yn nodweddu f'amser yng Ngwynedd, penderfynais ymadael â'm swydd. Ond ble i fynd? O'n i wedi uniaethu â'r her o sicrhau gwasanaethau yng nghefn gwlad, a thrwy lwc daeth cyfle bron yn syth ym Mhowys, y sir fwyaf gwasgaredig ei phoblogaeth yng Nghymru, ac ymgeisiais yn ddiymdroi. Yr un oedd y swydd â'r un yng Ngwynedd mewn gwirionedd, sef Arbenigwr Mewn Meddygaeth Gymunedol ond gyda chyfrifoldeb ychwanegol fel Cyfarwyddwr Cynllunio. Cafodd dau ohonom gyfweliad, Alan Spence, Swyddog Meddygol Dosbarth Henffordd, a finnau. Un swydd gafodd ei hysbysebu. Er hynny, yn dilyn y cyfweliadau cymerodd y panel gryn awr i benderfynu cyn i'r Prif Feddyg, Dr Dani Bevan, gyhoeddi eu bod nhw wedi 'creu' swydd arall – ar amrantiad – ac, felly, am benodi'r ddau ohonom! Onid yw'r byd wedi newid? Daeth y cynnig yn ffurfiol yr wythnos wedyn ac ysgrifennais ar 15 Chwefror 1985 gan dderbyn y swydd gyda llawenydd. Dechreuais yn y swydd honno ar 13 Mai. Llwyddodd f'ymgais i Awdurdod Iechyd Powys yng nghanol yr apêl ddisgyblu. Byddai wedi bod yn weddol saff i'r Awdurdod fy ngwrthod ar sail y storom gyhoeddus a'r sylw cenedlaethol, ond roedd unrhyw bryderon ar fy rhan yn ofer a dechreuodd cyfnod newydd yn fy ngyrfa.

Fel ôl nodyn i'r saga uchod, ym Mai 1987 comisiynodd y Swyddfa Gymreig Deloitte, Haskins & Sells i ymchwilio i reolaeth Awdurdod Iechyd Gwynedd, ac ategwyd fy mhryderon blaenorol. 'Planning operates outside the general management structure' oedd bwrdwn ei neges. Mewn ymateb i'r adroddiad yn Nhŷ'r Cyffredin, dywedodd Ieuan Wyn Jones AS:

'The willingness of the health authority to axe community hospital
services because of financial pressure and its reluctance to give
priority to community service development led many to believe
that those with a preference for the further growth of Ysbyty
Gwynedd wielded real power at the expense of the outlying
communities. In my opinion, the authority's current management
structure contributes to the concentration of resources at Ysbyty
Gwynedd [Hansard 23/iii/1989].'

Doedd o ddim yn rhoi unrhyw bleser imi glywed Deloittes
yn beirniadu'r Awdurdod, ond o leiaf roedd yn fodd i bobl
ddeall bod fy meirniadaethau'n rhai â sail gwirioneddol!

Roedd ffydd Awdurdod Iechyd Powys yn fy ngallu yn
rhywbeth ro'n i'n ei werthfawrogi yn fawr wrth imi ymadael
â Gwynedd. Cafodd f'emosiynau eu rhwygo i bob cyfeiriad
yn y misoedd cynt, a braf, bellach, oedd cael 'trefn' a fyddai'n
gefn imi. Mae geiriau'r diweddar Dr Dani Bevan yn adleisio yn
fy nghlustiau hyd heddiw, 'Carl, mae gennych chi lechen lân
ar gyfer cynllunio gwasanaethau ym Mhowys a dw i am i chi
ddefnyddio eich gallu i ymateb i'r her'! Am newid awyrgylch!
Gydag 11 o ysbytai cymunedol, un ysbyty iechyd meddwl a
dim un Ysbyty Dosbarth Cyffredinol, efallai bod enw'r swydd
fwy neu lai yr un peth, ond roedd yr her yn mynd i fod yn dra
gwahanol. Yn fuan iawn, dysgais fod safon y meddygon teulu,
bron yn ddieithriad, yn dda iawn a lefel eu cymwysterau yn
uchel, fel yn wir oedd y sefyllfa yng Ngwynedd. Er hynny, y
duedd ym Mhowys, yn wahanol i Wynedd erbyn yr '80au, oedd
i ymarfer eu crefft ar lefel wahanol. Felly, gwnaed llawer mwy
o driniaethau yn yr ysbytai cymunedol gan gynnwys 40% o
enedigaethau, trin angina, sefydlogi cleifion â chlefyd siwgr,
ac yn y blaen.

Yr her yn wastad i'r Awdurdod Iechyd oedd sicrhau fod
yr adnoddau, boed yn rhai dynol neu'n offer, yn atebol i'r
gwaith dan sylw, ac mewn awdurdod mor denau ei boblogaeth
beth oedd yn fforddiadwy i'w wneud ar gymaint o wahanol
safleoedd. Roedd y cleifion yn hoffi'r drefn, felly hefyd y

meddygon teulu a oedd yn rhedeg yr ysbytai cymunedol, ond roedd y geiriau 'llywodraethiant clinigol' (*clinical governance*) yn codi ei ben byth a beunydd gan y Swyddfa Gymreig a'r Colegau Brenhinol, a oedd bob amser yn mynegi pryder am lithriadau posib yn y safonau mewn sefyllfa mor 'ynysig'. Hynny yw, a oedd y meddygon yn yr ysbytai cymunedol yn cael digon o hyfforddiant parhaol, digon o gleifion i gadw eu sgiliau ar y lefel angenrheidiol ar gyfer diogelwch, a sicrhau deilliannau o safon i'r cleifion? Mae'n deg dweud bod y drafodaeth yn dal i barhau heddiw ar hyd a lled Cymru, ond erbyn hyn yn ymwneud yn fwyfwy â'n hysbytai dosbarth llai a nid yr ysbytai cymunedol 'estynedig' fel oedd i'w cael ym Mhowys. Erbyn heddiw datblygwyd y syniad o Ofal Iechyd Doeth, sef yr angen i ddarparu gofal yn y llefydd iawn gan y bobl â'r sgiliau iawn a defnyddio triniaethau sydd wedi eu profi yn effeithiol gan dreialon cymwys. Mae'n anodd anghytuno â hynny, ond yng nghefn gwlad mae cyflawni hyn yn her aruthrol ar adegau heb ganoli gwasanaethau yn bell oddi wrth y bobl.

O dderbyn y swydd ym Mhowys, roedd yn anorfod y byddai canlyniadau i'r teulu. Roedd Dorothi yn gefnogol i'm penderfyniad, ac er gwaetha'r ffaith bod ein cartref ar Ynys Môn ers pum mlynedd a'r plant yn hapus yn yr ysgol, penderfynwyd rhoi Wigoedd ar werth a symud i Bowys, neu o leiaf gymryd cam i'r cyfeiriad hwnnw drwy ddod o hyd i lety 'hwylus' am y tro. Haws dweud na gwneud! Roedd Rhiannon ar fin cychwyn ei chwrs TGAU ac aeth hi ac Angharad i Ysgol Bro Ddyfi ym Machynlleth lle roedd ganddyn nhw ffrindiau eisoes. Gan fod pencadlys yr Awdurdod ym Mronllys ger Aberhonddu, chwilio am gyfaddawd oedd y nod. Ffeindion ni lety arbennig ym Montdolgadfan ar y ffordd o Lanbrynmair i Benffordd-las a'r de. Fferm Dolgadfan, cartref teulu Emyr a Gwenda Anwyl a'r plant Gerwyn a Brychan, oedd cartref y tri ohonom am dymor. Efallai, o edrych yn ôl, ein bod yn disgwyl gormod, ond ar ôl inni fethu gwerthu'r tŷ yn ystod y tymor cyntaf, a bod y genod ond yn fy ngweld pan oedd hi'n amser gwely (wedi imi deithio yn ôl o Fronllys), aeth eu hiraeth nhw am eu mam, eu brodyr

a'r gogledd yn ormod. Doedd dim dewis wedyn ond i symud
y genod yn ôl i Ysgol David Hughes, Porthaethwy ac ymuno
â Dafydd, eu brawd hynaf, oedd yn wynebu ei gwrs lefel A.
Arhosais i ym Mhowys a mynd adref bob penwythnos.

Nid yw byw a bod ar y lôn byth yn braf, ond o leiaf roedd
y gwaith yn ffrwythlon a'r tîm o'm cwmpas o'r un anian
broffesiynol. Roedd yn gyfle hefyd i ddod i adnabod cyd-
weithwyr difyr o gefndir cwbl wahanol imi – Dr Alan Spence,
a fyddai'n dianc yn rheolaidd am sesiwn saethu ger Tafarn
y Brigands ym Mallwyd, a phob gwanwyn yn mynd draw i'r
Iwerddon i agor 'lodge' y teulu i bysgota ar Lough Corrib, Swydd
Mayo; Dr Marion Hommers (Hall), Iddewes o'r Iseldiroedd o
ran tras a gafodd ei magu yng Nghwm Rhondda fel efaciwî
adeg y rhyfel, a Dr William Ritchie, dyn oedd yn mwynhau
ei foto-beic ac antur yn yr awyr agored. Pawb mor wahanol
i'w gilydd ac, eto, yn gweithio yn dda fel tîm. Roedd yn gyfle
hefyd i ddod i adnabod rhannau o Gymru oedd yn gymharol
ddieithr imi. Mae maint Powys yn her a hanner wrth i chi
geisio diwallu gofynion gofal iechyd pob cornel o'r sir, ond beth
sydd yn llai cyfarwydd efallai yw natur amrywiol ddiwylliant
y sir – o ardaloedd Cymreiciaf Cymru yn nyffrynnoedd Dyfi,
Banw a Thanat lle mae'r iaith Gymraeg yn frenin, i ardaloedd
bron yn gwbl Saesneg fel Trefyclo a'r Gelli Gandryll. Nodwedd
arall oedd yr amrywiaeth rhwng yr ardaloedd amaethyddol,
sef y rhan fwyaf o'r sir, a'r ardal lofaol, ôl-ddiwydiannol sydd
i'w chael ym mhen uchaf Cwm Tawe. Difyr hefyd oedd dod i
adnabod staff gweinyddol yr Awdurdod ym Mronllys, a oedd
bron yn ddieithriad yn ddi-Gymraeg, a chael eu hymateb i
ddiwylliant Gwynedd a'r Gymraeg!

Cyflawnwyd llawer yn y cyfnod roeddwn ym Mhowys
– adolygiad o wasanaethau'r henoed a'r rhai sâl eu meddwl
ar adeg pan oedd gwasanaethau ar gyfer cleifion felly yn
prysur symud i'r gymuned. Safodd Ysbyty Canolbarth Cymru
yn Nhalgarth fel tyst i'r hen ffordd o ofalu am gleifion sâl eu
meddwl – adeilad Fictorianaidd, coridorau maith, llwm eu
golwg gyda gerddi eang o'u cwmpas a rhai o'r 'cleifion' a oedd

wedi bod yno ers cyn cof yn crwydro strydoedd tre farchnad Talgarth gerllaw.

Roedd fy mherthynas â Dani Bevan yn dda a'r gwaith yn heriol ddifyr, ond yn dal i gnonni yn fy mhen, ar ôl fy nghyfnod hyfforddi yn y Swyddfa Gymreig, oedd y sesiynau gyda Dr Phillips-Miles, y gŵr oedd mor brofiadol mewn meddygaeth dramor. O'n i'n awyddus i ddilyn y trywydd hwnnw, nid i ymadael â Phowys, ond i ddilyn cwrs a fyddai'n fy ngalluogi i astudio'r ddisgyblaeth a'i deall yn well. Wedi imi holi, gwelais fod sawl opsiwn i wneud diploma, ond yr unig un oedd yn ymarferol o ran amser oedd honno oedd ar gael yng Ngholeg Brenhinol y Llawfeddygon yn Nulyn. Diddorol, gyda llaw, yw nodi'r gair 'brenhinol' yn nheitl y coleg gan mlynedd ar ôl i Iwerddon ddatgan ei hun yn Weriniaeth, o gofio mai prif adeilad y Coleg oedd Pencadlys Byddin Dinasyddion Iwerddon (the Irish Citizen Army) yn 1916!

Cwrs dwys chwe wythnos oedd y Diploma mewn Meddygaeth Drofannol (DTM), a chwarae teg i Dani cefais y cyfle i fod yn absennol o'm gwaith am y cyfnod hwnnw a mwynhau'n fawr. O'n i'n aros mewn fflat yn Rathmines a daeth y teulu ataf am hanner-tymor. Fel arall, dw i erioed wedi gweithio mor galed, dydd a nos, i gwblhau mewn ychydig o wythnosau yr hyn oedd yn gwrs chwe mis yn Lerpwl a naw mis yn Llundain!

Wedi imi gyflawni'r nod, es yn ôl i Bowys a pharhau gyda'r gwaith arferol. Mae'n debyg mai'r peth wnaeth roi'r pleser mwyaf imi yn ystod y cyfnod hwn oedd creu swydd Ymgynghorydd Cymunedol ar gyfer yr Henoed yn ardal canol a de Powys. Tan hynny, roedd gan bob ymgynghorydd welyau mewn Ysbyty Dosbarth Cyffredinol, ond gyda chynnydd yn nifer yr henoed a'r pwyslais cynyddol ar ofal yn y gymuned daeth cyfle i herio'r model confensiynol. Es i weld yr Athro John Pathy yng Nghaerdydd, cynrychiolydd y Coleg Brenhinol ar gyfer gofal yr henoed yng Nghymru, a'i berswadio fod model 'cymunedol' yn un hyfyw a phriodol ar gyfer sir mor wledig â Phowys. Tir newydd, felly, a phenodwyd Ymgynghorydd Cymunedol cyntaf y wlad ym Maesyfed a Brycheiniog.

Serch hynny, doedd fy sefyllfa ddim yn fêl i gyd. Roeddwn hefyd yn ei gweld hi'n anodd byw ymhell oddi wrth y teulu, a'r plant yn dal ar eu prifiant yn yr ysgol ym Môn. Ond, fel mae bywyd yn cymryd tro annisgwyl weithiau – ynteu ydy rhywun yn creu y cyfle tybed? – daeth posibilrwydd o waith ar benrhyn Llŷn wedi dwy flynedd o deithio yn ôl ac ymlaen. Hysbyseb ddigon di-nod yn y *Caernarfon and Denbigh Herald* oedd yr ysgogiad, yn chwilio am Swyddog Datblygu ar gyfer Dwyfor – swydd o dan ambarél Awdurdod Datblygu Cymru a Chyngor Dosbarth Dwyfor ar y cyd. Alla i ddim dweud bod y cyflog yn apelio; wedi'r cyfan, onid oedd yn draean o'r hyn oedd fy nghyflog fel ymgynghorydd meddygol ym Mhowys! Doedd y 'disgrifiad swydd', fel roedd wedi ei lywio, ddim yn atyniadol iawn chwaith. Pam hyd yn oed meddwl amdani felly? Yn syml, f'ymlyniad i benrhyn Llŷn a'r ddealltwriaeth ddofn oedd gen i o anghenion yr ardal. Roedd hefyd yn cynnig cyfle imi weithio o'n cartref ym Môn a byw gartref. Treuliais gryn amser yn meddwl cyn cymryd unrhyw gam. Wedi'r cyfan, byddai ymadael â'r swydd ddiogel ym Mhowys hefyd yn golygu gadael yr NHS, cam nid amhwysig o safbwynt pensiwn a buddiannau yn y dyfodol. Penderfynais drefnu cyfarfod efo Alun Daniel, un o gyfarwyddwyr yr Awdurdod Datblygu a oedd yn gyfrifol am faterion cefn gwlad, a gosod her ger ei fron. Pe bai modd cytuno bod y penodiad yn fwy na 'swyddog datblygu' arferol ac y byddai'n cymryd y cyfrifoldeb am 'strategaeth sosio-economaidd' yr ardal, byddai gen i ddiddordeb yn y gwaith. Mae'n anorfod bod fy nghefndir fel Cyfarwyddwr Cynllunio ar gyfer gwasanaethau iechyd yn ddylanwad arnaf ac yn fy ngwthio i'r cyfeiriad hwn. Aeth pythefnos heibio cyn imi gael sêl ar yr awgrym, ac fe'm penodwyd fel Ymgynghorydd Datblygu Gwledig hunangyflogedig – yn llawrydd ar gytundeb – gan ddechrau ym Medi 1987.

Yr Her Iechyd –
Llewyrch Yn Llŷn

ER NAD OEDD gen i swydd fel Ymgynghorydd o fewn y gwasanaeth iechyd mwyach, onid oedd hwn yn gyfle euraidd i wynebu rhai o'r ffactorau a oedd yn niweidio iechyd pobl y fro, a'r heriau a oedd wedi fy wynebu yn Llanaelhaearn ar ddechrau'r 1970au? Siawns bod modd dylanwadu ar rai o'r effeithiau mwyaf niweidiol megis y tai gwael, diffyg gwaith, incwm isel ac yn y blaen.

Roedd fy swyddfa yng Nghyngor Dwyfor ger y Cob ym Mhwllheli a neilltuwyd Ella Roberts, un o staff y Cyngor, yn ysgrifenyddes imi, perthynas a ddatblygodd yn un effeithiol gan ei bod hi'n adnabod 'pawb' ac yn gefn aruthrol wrth i'r gwaith fynd yn ei flaen. Ond, ble i ddechrau? Doedd 'na ddim templed addas fel y cyfryw, ac roedd angen cryn feddwl cyn bwrw ymlaen. Roedd rhaid diffinio'r dalgylch ar gyfer y gwaith, ac am mai'r nod oedd hyrwyddo'r ardaloedd gwledig cytunwyd ar y dechrau i hepgor tref Pwllheli o'r dalgylch er fy mod i wedi fy lleoli yno! Cytunwyd i gynnwys 14 o Gynghorau Cymuned yn y dalgylch:

Aberdaron	Llanaelhaearn	Nefyn
Botwnnog	Llanbedrog	Pistyll
Buan	Llanengan	Tudweiliog
Clynnog	Llannor	
Cricieth	Llanystumdwy	

Roedd yr ardal yn ymestyn dros 200 milltir sgwâr a

chanddi boblogaeth o 20,000 a leihaodd 7.3% rhwng 1961 ac 1981. Yn ôl Cyfrifiad 1981, dim ond pedwar o'r 17 plwyf yn Nwyfor ddangosodd unrhyw gynnydd yn eu poblogaeth o'u cymharu â ffigurau 1961. Dangosodd yr 13 plwyf arall leihad mewn poblogaeth, rhai yn sylweddol iawn (Llanaelhaearn 20%). Gyda'r ganran uchaf o dai anaddas (17%) o unrhyw ddosbarth yng Nghymru, diweithdra uchel iawn – dynion 22% a merched 18% – y ganran o bobl oed pensiwn yn uchel iawn (26%) ac incwm y pen ymysg yr isaf yng ngwledydd Prydain, roedd 'na her aruthrol o 'mlaen i os oeddwn am lwyddo. Yn cymhlethu'r cwbl, roedd mewnlifiad sylweddol, y rhan fwyaf yn ddi-Gymraeg, ac yn aml iawn yn ddi-waith. Roedd geiriau Gruffydd Parri mewn Seminar yn 1988 yn crynhoi'r her:

'Mae mwy o angen canllawiau ac arweiniad ar bobl wylaidd a dihyder wedi eu cyflyru gan ganrifoedd o waseidd-dra nag sydd ar bobl hyderus ac arglwyddiaethol sy'n meddwl mai nhw biau'r byd a'r hyn oll sydd ynddo. Yn anffodus perthyn i'r dosbarth cyntaf o ran eu stad a'u cyflwr y mae'r gymdeithas Gymraeg sy'n byw ym Mhenrhyn Llŷn heddiw. Dechreuodd y patrwm o erydu ein bodolaeth flynyddoedd a blynyddoedd yn ôl, ac o 1282 i 1536 hyd cau Ysgol Bryncroes yn 1971 mae'r cymunedau gwledig bychain wedi brwydro yn erbyn grym rheolaeth ganolog sydd am eu patrymu i drefn a'u rheoleiddio i ufudd-dod a distawrwydd.

'Mae'r broblem sydd yn brigo i'r wyneb o'r cyflwr hwn heddiw yn un syml ac uniongyrchol iawn ar un ystyr. Mae einioes ein cymunedau ni mewn perygl o dan fygythiad y mewnlifiad sy'n eu tanseilio a'u trawsnewid.

'Afraid a dianghenraid yw patrymu ystrydebau i danlinellu difrifoldeb y sefyllfa sy'n gwaethygu'n ddyddiol. Nid perygl yfory sy'n ein hwynebu ni ond argyfwng heddiw.'

Ymgynghori eang oedd prif sylfaen y gwaith, patrwm a gytunwyd ar y cychwyn gydag Elwyn Davies, Prif Weithredwr Cyngor Dosbarth Dwyfor, ac Alun Daniel o'r Awdurdod Datblygu. Roedd angen holiadur a'r arolwg wedi ei sylfaenu ar egwyddorion economaidd, diwylliannol, cymdeithasol ac amgylcheddol, ac roedd angen gwneud hynny ym mhob cymuned fel byddai unrhyw gynlluniau a ddeilliai o'r gwaith yn cael eu perchnogi ac yn denu cefnogaeth pob ardal yn ei thro.

Paratowyd holiadur 'gwyddonol' – 'Arolwg o Anghenion Economaidd a Chymdeithasol yn Llŷn a Rhannau o Eifionydd' – ac ar ôl cael gwybodaeth gyffredinol am y teulu cynigiwyd holiadur ar gyfer gwahanol garfanau yn y gymuned: disgyblion ysgol, myfyrwyr Prifysgol a Choleg, personau cyflogedig, yr hunangyflogedig, ffermwyr, pobl ddi-waith a phobl wedi ymddeol.

Cynhaliwyd cyfarfodydd â phob Cyngor Cymuned a phob un yn ddieithriad yn cytuno i'm cyfarfod i drafod anghenion eu hardaloedd, eu pryderon a'u dyheadau. Aeth rhai un cam ymhellach a threfnu cyfarfodydd cyhoeddus yn eu hardal, lle dangoswyd ffilm ar ddatblygu gwledig a baratowyd gan uned *Hel Straeon* ar ran y Comisiwn Cefn Gwlad. Cytunodd amryw o'r cynghorau i ddosbarthu'r holiadur yn lleol. Estynnwyd gwahoddiad drwy'r wasg yn lleol i bobl gyfrannu eu syniadau ar lefel bersonol. Yn ogystal, ymgynghorwyd â rhestr faith o grwpiau, mudiadau a'r sector trydyddol yn yr ardal: Cyfeillion Llŷn, Sefydliad y Merched, Antur Aelhaearn, Merched y Wawr, Undebau Amaethyddol, Ffermwyr Ifainc, Cymdeithasau Pysgota, Seindorf Arian Trefor, Clwb y Bont, Rotari, Mudiad Ysgolion Meithrin, Cyngor Henaduriaeth Llŷn ac Eifionydd, Urdd Gobaith Cymru, Cynhadledd Esgobaeth Llŷn, yr Ymddiriedolaeth Genedlaethol, y Ganolfan Iaith Genedlaethol a Chymdeithas Twristiaeth Llŷn. Roedd 'na gryn ymgynghori anffurfiol hefyd gyda thua 180 o fusnesau a gwestai'r ardal yn cael cyfle i ymateb. Ac, yn olaf, cynhaliwyd cyfweliadau ar lefel bersonol ag unigolion a oedd wedi mynegi diddordeb arbennig neu'r rheiny oedd yn arweinwyr naturiol yn eu cymunedau. Ni wn ym mha gategori oedd R S Thomas yn ffitio, ond cofiaf dreulio p'nawn difyr yn ei gwmni, ynghyd â Gruffydd Parri, yng nghartref y bardd, sef Sarn y Plas, y Rhiw. Roedd R S yn adnabyddus am ei farddoniaeth, wrth gwrs, a hefyd am fod yn enciliol. Felly, y p'nawn hwnnw roeddwn yn ei ystyried yn fraint i fod yn ei gwmni ac yn ddiolchgar i Gruffydd Parri am greu'r cyfle. Ro'n i'n ymwybodol bod hyn yn gyfle prin. Roedd R S yn ddyn pendant ei farn ac yn bytheirio sut oedd y mewnlifiad yn newid cymeriad yr ardal. Hyn wnaeth yr argraff fwyaf arna i. Roedd ei ymrwymiad angerddol dros y Gymraeg yn amlwg ym mhob elfen o'i gyfraniad, ac er gwaethaf atyniad yr olygfa ryfeddol o'i stydi i lawr am Borth Neigwl hoeliwyd fy sylw yn gyfan gwbl ar gadernid yr hyn oedd gan R S i'w ddweud.

Roedd yr ymateb i'r holiadur yn codi braw ar rywun; roedd fel petai pobl yn fodlon rhannu eu teimladau mwyaf personol efo fi, fel petaen nhw wedi bod yn disgwyl ers blynyddoedd i ryddhau'r cyfan o'r hyn oedd yn eu pryderu ac yn eu cyffroi am eu cymuned. O fynd drwy'r ymatebion, dyma sylweddoli yn fuan iawn faint o gyfrifoldeb oedd sicrhau atebion a gwneud cyfiawnder â'r gymdeithas ddiwylliedig hon. Y dasg yn bennaf oedd dehongli'r atebion, a gwnaed hynny ar ddwy lefel. Yn gyntaf, cadwyd cofnod o'r sylwadau a'r syniadau.

Mynegwyd pryderon am:

• mewnlifiad pobl ddi-Gymraeg i'r ardal
• erydiad yr iaith Gymraeg
• ynni niwclear a chladdu gwastraff niwclear. (Roedd sôn am godi atomfa yn ardal Edern ar y pryd.)
• diffyg gwaith yn lleol
• diffyg tai i bobl leol

Ar yr un pryd, roedd yn galondid i weld ymateb adeiladol a llawer iawn mwy o syniadau creadigol yn cael eu cynnig yn hytrach na phwyntiau negyddol.

Yn ail, roedd angen dadansoddi'r wybodaeth fel byddai bas data ar gael ar gyfer y dyfodol, a chafwyd cydweithrediad Adran Ddaearyddiaeth Coleg Prifysgol Aberystwyth.

Yr hyn ddaeth yn amlwg yn fuan iawn ar ôl i'r gwaith ddechrau oedd y diffyg hyder a'r digalondid a oedd yn nodweddu'r cymunedau – y rhai llai breintiedig yn arbennig – a gyda'r canlyniadau yn cael eu casglu roedd angen sefydlu cyfundrefn bwrpasol ar gyfer ymateb. Hyd yn hyn, bu'r gwaith yn gyfrifoldeb personol drwy ymgynghori â phobl fel Elwyn Davies ac Alun Daniel. Defnyddiwyd y pennawd 'Antur Llŷn' fel teitl gweithiol ar gyfer y prosiect, ond yn awr roedd angen ffurfioli'r cyfan. Sefydlwyd Pwyllgor Llywio'r Antur a'r aelodaeth yn cynrychioli mewnbwn a thalentau eang o'r ardal, gan gynnwys y canlynol:

- Idwal Lloyd Jones, cyn-Reolwr Hufenfa De Arfon (Cadeirydd)
- Lewis Roberts, Perchennog Cwmni Peirianneg Llŷn (Is-gadeirydd)
- Frank Hughes, Rheolwr Rhanbarthol Banc Midland (Trysorydd)
- Alwyn Elis, Cyfarwyddwr, Gwasg Gwynedd
- William A Evans, Cadeirydd, Antur Aelhaearn
- Bryn Jones, Ffermwr
- John L Jones, Ymgynghorydd Busnes
- Dr Neil Trefor Jones, Prifathro Ysgol Glan-y-Môr
- Edward Jones-Williams, Rheolwr Amaethwyr Eifionydd
- Gruffydd Parri, Cadeirydd Cyfeillion Llŷn
- Rhiannon Phillips, Cyfarwyddwr Busnes
- Calin Thomas, Perchennog Cwmni Llety Gwyliau
- Elwyn Davies, (Clarc) a Phrif Weithredwr Cyngor Dosbarth Dwyfor
- David Lewis, Rheolwr Rhanbarthol Awdurdod Datblygu Cymru, neu John Humphreys, Dadansoddwr Economaidd Awdurdod Datblygu Cymru (yn rhannu'r gynrychiolaeth ar y Pwyllgor bob yn ail)
- Dr E Lloyd Evans, Swyddog Datblygu Economaidd Cyngor Sir Gwynedd
- A finnau fel Ymgynghorydd Datblygu a Chynullydd Pwyllgor Antur Llŷn

Creu dyfodol llewyrchus i Lŷn oedd amcan Antur Llŷn, ac yn ganolog i hynny roedd pawb yn gytûn bod angen cadw a datblygu adnoddau dynol yr ardal. Ond, roedd angen mynd un cam ymhellach a diffinio sawl nod er mwyn gwireddu'r amcan.

Cytunwyd y dylid

- sicrhau fod yr ardal yn atyniadol i fusnes
- sicrhau fod yr ardal yn atyniadol i bobl
- creu hinsawdd datblygu addas
- adeiladu delwedd gadarnhaol i'r ardal, ac yn sgil hynny datblygu'r hunanhyder angenrheidiol ar gyfer ffyniant y fro

Sefydlwyd tri gweithgor i ystyried sut i symud pethau ymlaen – Twristiaeth, Amaethyddiaeth/Defnydd Tir a Diwylliannol/ Cymdeithasol – ac i adeiladu ar y gwaith rhagbaratoawl a oedd wedi diffinio'r gwendidau, y cryfderau, y bygythiadau a'r cyfleoedd oedd yn wynebu'r ardal. Roedd sawl maes wedi ei amlygu fel rhai addas ar gyfer datblygiad economaidd

- datblygu cynnyrch cynradd
- prosesu cynnyrch cynradd
- gwella gwasanaethau i'r boblogaeth leol
- gwasanaethau i boblogaeth ehangach

Yn ogystal, gwelwyd potensial ar gyfer datblygu cyffredinol:

- gwella'r amgylchedd ffisegol
- hyrwyddo'r amgylchedd ddiwylliannol
- hyrwyddo delwedd a hyder yr ardal
- hyrwyddo is-strwythur a chyfle ar gyfer hyfforddiant yn yr ardal

Daeth 'Llwyddo yn Llŷn' yn arwyddair yr Antur, a dros gyfnod o ddwy flynedd, gyda gweledigaeth ac ysbrydoliaeth o sawl cyfeiriad, llwyddwyd i greu strategaeth am y deng mlynedd dilynol, sef *Strategaeth Llŷn 1990–2000: Tuag at Gymuned Lewyrchus*. Er y teitl, roedd 'na sylweddoliad hefyd nad oedd modd gwyrdroi dirywiad yr ardal dros gyfnod byr a bod rhaid i unrhyw strategaeth ymestyn dros genhedlaeth neu ragor os am lwyddo i gyflawni potensial llawn y penrhyn. Roedd yr argymhellion yn gorfod bod yn hyblyg gyda'r gwahanol elfennau wedi eu plethu drwy ei gilydd yn y strategaeth. Pwysleisiwyd yr angen am arweiniad yn lleol, boed hynny gan unigolion, busnesau neu'r gymuned gyfan, ac oherwydd natur amddifad yr ardal ers cyhyd cyflwynwyd achos cryf dros fuddsoddiad cyhoeddus uwchben y cyfartaledd yn ystod blynyddoedd cynnar y strategaeth.

O ddarllen y strategaeth 25 mlynedd yn ddiweddarach, mae'n dal i ogleisio'r ddychymyg a'r rhan fwyaf ohoni – yn anffodus efallai – yn dal yn berthnasol. Yn ganolbwynt i'r argymhellion roedd sefydlu Canolfan Adnoddau Llŷn i sicrhau ffocws ar gyfer cynorthwyo unigolion, busnesau neu gymunedau'r ardal, a gwella is-adeiledd ar y penrhyn i fod yn lladmerydd ar gyfer polisïau datganoledig gan gyrff cyhoeddus. Swyddogaeth arall y ganolfan fyddai sicrhau anghenion hyfforddiant pobl ifanc y fro a bod y cyfan yn cael ei gydlynu yn effeithiol gyda phwyslais arbennig ar anghenion merched a oedd, i raddau helaeth, wedi eu hanwybyddu yn y gorffennol.

Ni fyddai wedi bod yn bosibl creu strategaeth gymwys ar gyfer heriau'r ardal heb ystyried yr argyfwng oedd yn wynebu'r Gymraeg. Pwysleisiodd y ddogfen felly fod angen sefydlu'r Gymraeg yn gadarn fel nad oedd ei dyfodol yn bryder i bobl. Canlyniad sefyllfa o'r fath fyddai rhyddhau egni unigolion, a oedd yn ymladd brwydr yr iaith yn feunyddiol yn eu gwahanol ffyrdd, mewn modd adeiladol ar gyfer anghenion economaidd, cymdeithasol a diwylliannol eu bro. O weithio polisi o'r fath yn effeithiol, golygai cryn wariant, ond fel y dywedodd Jan Morris mewn erthygl yn *The Independent* ym Medi 1988:

'If a Turner or for that matter a Rembrandt is lost to Britain, the papers are full of angry letters to the Editor; but who writes now when a language is being lost to these islands – a treasure of Europe indeed, with its own wonderful structure of literature, tradition, myth and loyalty, but also a lively, flexible, everyday working tongue?

It needs positive discrimination in favour of the indigenous

Welsh, backed by law. It needs large sums of money for Welsh-language education, encouragement and publicity – the £100m Mrs Thatcher is reportedly prepared to pay for the Thyssen collection would do admirably.'

Roedd ymgyrch i hyrwyddo hyder yr ardal yn ganolog yn y strategaeth a'r slogan 'Llwyddo yn Llŷn' i'w defnyddio yn eang ar fathodynnau, crysau, sticeri, ac yn y blaen. Nid oes modd ailadrodd yn fanwl yma holl argymhellion y ddogfen, ond dyma rai o'r prif bethau:

- deddfwriaeth ar gyfer gwarchod cymunedau rhag gormod o fewnlifo fel a welwyd yn Ynys Manaw, Jersey a Guernsey
- addysgu ymwelwyr am nodweddion yr ardal
- gwella dysgu Cymraeg i fewnfudwyr di-Gymraeg
- cadw rhestr o sgiliau pobl ifanc o'r ardal a oedd â diddordeb symud yn ôl i'r fro

Aeth y ddogfen ymlaen i sôn am feysydd penodol i'w datblygu.

Dan y teitl 'Amaethyddiaeth', pwysleisiwyd yr angen am fwy o ffermydd ar rent, yr angen i greu Banc Tir neu Fanc Gwledig gyda llog isel ar gyfer pobl sy'n awyddus i brynu eu fferm, garej neu siop, ac ati.

Yn ystod yr ymchwil, cafwyd gwybod mai'r ardaloedd ar gyrion Llŷn ac Eifionydd oedd y gorau yng ngwledydd Prydain o ran garddwriaeth, ac argymhellwyd comisiynu astudiaeth i bosibiliadau masnachol y diwydiant – gallai llysiau megis brocoli, courgettes, merllys (asparagus) a marchysgall (artichokes) gynnig cyfleon arbennig i'r ardal. Mewn lleoliad wedi ei amgylchynu gan y môr, teimlai'r Antur fod potensial i ddatblygu'r diwydiant pysgota'n sylweddol, a bod angen sicrhau gwell adnoddau ar gyfer pysgotwyr os oedden nhw am lwyddo. O hyrwyddo garddwriaeth a physgota yn yr ardal, byddai'r drws yn agor i brosesu rhai o'r bwydydd hyn ac felly ychwanegu gwerth at y cynnyrch sylfaenol.

Dan 'Twristiaeth', un o ddiwydiannau pwysicaf y penrhyn,

a hynny yn un o'r ardaloedd mwyaf prydferth, rhoddwyd cryn sylw i'r ffordd y dylid ei ddatblygu. Cynigiwyd fod arian grant ar gyfer datblygu twristiaeth yn amodol ar ddefnyddio llafur a sgiliau, a hyd yn oed cyfalaf lleol i'r graddau mwyaf posibl er mwyn ennyn cefnogaeth i'r diwydiant yn lleol, a hepgor yr ymdeimlad mai diwydiant ar gyfer 'pobl ddwad' gan 'bobl ddwad' oedd hi i bob pwrpas. Pwysleisiwyd yr angen am well hyfforddiant ar gyfer y maes twristiaeth a sut i ddatblygu rhai elfennau yn gydweithredol, megis cyfres o hafotai unnos ar hyd llwybr yr arfordir. A oedd rhai adeiladau gwag ar ffermydd y penrhyn yn addas ar gyfer eu datblygu fel *gites* megis y rhai a welir yn Llydaw? Rhoddwyd cefnogaeth ddigamsyniol i'r syniad o greu Gŵyl Ieithoedd Llai eu Defnydd Ewrop yn Llŷn yn 1991, a chroesawyd y ffaith y byddai datblygiad harbwr Pwllheli yn aros yn nwylo lleol ond bod angen sicrhau cydbwysedd rhwng y diwydiant pysgota a'r cychod pleser.

Yn 'Diwylliannol', cynigiodd y ddogfen enghreifftiau niferus o atebion i heriau'r ardal, a dim un yn bwysicach na sicrhau fod Nant Gwrtheyrn yn datblygu i'w llawn botensial ac yn rhoi hwb i 'economi a chyflogaeth' yn yr ardal. Ychwanegwyd yr angen am Theatr yn Llŷn a'r angen i ddatblygu Plas Glyn-y-Weddw fel Canolfan Gelfyddydol o bwys yn genedlaethol.

O dan y cynigion ar gyfer ynni, ac o gofio bod yr argymhellion yn seiliedig ar ymateb y cyhoedd, mae'n ddiddorol nodi'r gefnogaeth fawr a gafwyd yn lleol i greu ffynhonnell ynni adnewyddol. Tynnwyd sylw at y ffaith bod 14% o gyflenwad Denmarc ar y pryd yn dod o ynni gwynt, a phwysleisiwyd y byddai modd creu ynni adnewyddol ac arbed ynni ar yr un pryd drwy sefydlu uned insiwleiddio bwrpasol i helpu pobl i leihau eu defnydd.

O ymateb i'r diffyg hyder yn yr ardal, cydiodd y nod o sefydlu Coleg Menter ar stad Tŷ Canol yn Nant Gwrtheyrn yn nychymyg pobl fel modd o greu arweinwyr gyda'r sgiliau angenrheidiol ar gyfer y dyfodol. Cafwyd llythyr cefnogol gan David Waterstone, Prif Weithredwr Awdurdod Datblygu Cymru:

'Mae'r syniad o sefydlu busnes cynadledda ac addysg Cymraeg yn y Nant yn hynod o ddiddorol. Hoffwn gefnogi'r fenter hon ac edrychaf ymlaen i glywed wrthych pan fyddwch wedi datblygu'ch cynlluniau yn fwy manwl.'

Cynigiodd y strategaeth arweiniad ar:

- y broblem dai; perchnogaeth ar-y-cyd
- cludiant i fewn ac allan o'r ardal gan gynnwys y gwasanaeth trên o Bwllheli
- maes awyr yng Nghaernarfon
- adnewyddu tir diffaith, yn arbennig o gwmpas chwareli'r ardal
- telathrebu
- y gwasanaeth iechyd a'r angen am ysbyty cymunedol newydd yn Nwyfor/Gogledd Meirionnydd

Aethom ati wedyn i edrych ar ardaloedd unigol gan amlinellu blaenoriaethau ar gyfer pob Cyngor Cymuned a amlygwyd yn y gwaith. Er enghraifft, yn Aberdaron 'gwelliannau i Neuadd y Rhiw' ac ystyriaeth ar 'sut orau i ddatblygu safle'r Hen Felin'. Ym Motwnnog wedyn, 'sefydlu ysbyty dydd ar gyfer yr henoed', 'datblygu'r fferm yn Ysgol Botwnnog' a 'gwelliant i dderbyniad teledu yn ardal y Sarn'. Amrywiaeth eang felly o brosiectau gan nodi pwy oedd yn gyfrifol am weithredu – boed hynny yn Gyngor, pwyllgor lleol, ymddiriedolwyr capel neu amgueddfa, Ymddiriedolaeth Nant Gwrtheyrn, Bwrdd Croeso, ac yn y blaen.

Gorffennodd y strategaeth drwy gynnig Rhaglen Weithredol ar gyfer y gwaith gydag amserlen, yr oblygiadau cyfalaf a chostau gweithredol am bob elfen. Cyfanswm y gost dros y deng mlynedd cyntaf oedd £14m, ond gyda'r angen mor daer a'r gefnogaeth mor gryf o fewn y gymuned ro'n i'n weddol ffyddiog ein bod ni ar y trywydd iawn ac y byddai'r arian ar gael. Yn nodweddiadol o'r gefnogaeth o'r tu allan oedd sylwadau' yr Arglwydd Gwilym Prys-Davies: 'Rhaid eich llongyfarch ar lunio dogfen sy'n ystyried dyfodol y gymdeithas gyfan ac nid agwedd yn unig ar ei bywyd'. Roedd sylwadau yr Athro Rudolf Klein o'r Ganolfan Dadansoddi Polisi Cymdeithasol, Prifysgol Caerfaddon yn adlewyrchu yr un farn:

'A very interesting document: very impressive in the precision with which it lays out its proposals. I suspect that "health" is very much a by-product of other policies designed to improve the economic and social well-being of communities... I am always suspicious of attempts, like the Black Report (Sir Douglas Black), of using "health" as an argument for policies which ought to be justified in their own right and I was delighted to see that your report doesn't fall into this trap.'

Daeth nodyn o werthfawrogiad o gyfeiriad Emrys Evans, Cadeirydd Menter a Busnes a wnaeth 'longyfarch Antur Llŷn ar y gwaith gwerthfawr sydd wedi ei wneud wrth ddatblygu'r Strategaeth', a dywedodd Dr G O Williams, Cyn-Archesgob Cymru, 'Mae'r ddogfen yn wych yn fy marn i, yn ei chynllun, ei dull a'i threfn'.

Mae'n braf cael crynhoi fy nghyfnod gydag Antur Llŷn a chynhyrchiad y strategaeth mewn modd mor gadarnhaol, ond ni fyddai'r stori'n gyflawn heb gyfeirio at yr ymyrraeth a fu yn ystod y gwaith, ymyrraeth a ymylodd ar benderfyniad i roi'r gorau iddi ar fy rhan ar fwy nag un achlysur. Dw i ddim yn awyddus i fynd ar ôl unigolion penodol dros 25 mlynedd yn ddiweddarach, ond nid oedd yn hawdd gweithio o dan hualau'r Awdurdod Datblygu ar y pryd. Roedd eu hymyrraeth, ynghyd â'u diffyg dealltwriaeth o sut i ddatblygu strategaeth a oedd ym mherchnogaeth y bobl, yn fy nghorddi. Treuliais y ddeufis cyntaf yn prysur ddatblygu holiadur a cherdded y meysydd a'r lonydd i gael barn a syniadau'r ardal tra oedd yr Awdurdod yn gweiddi am atebion parod. Daeth yr ail 'ymyrraeth' wedi inni gwblhau'r strategaeth. Penderfynodd Antur Llŷn ychwanegu at aelodaeth y Bwrdd Rheoli gan gynnig sawl enw. Sioc, felly, un noson oedd mynd i gyfarfod y Bwrdd a gweld dau aelod newydd a oedd wedi eu gwahodd gan Gadeirydd yr Awdurdod Datblygu, Gwyn 'Prosperity' Jones, heb unrhyw sêl gan yr Antur. Doedd y ffaith bod un ohonynt yn ddi-Gymraeg ddim yn helpu gan y cynhaliwyd cyfarfodydd yr Antur yng Nghymraeg, ac onid oedd meithrin hyder yn y gymuned Gymraeg yn rhan annatod o'n her ni?

Wrth imi fynd ymlaen â'm gwaith, amlygwyd diffyg hyder pobl yn y Gymraeg yn fynych a theimlais yn fwy angerddol nag erioed bod rhaid 'gorfodi' yr agenda i wella statws y Gymraeg. Pan gollais fy nghyswllt ffôn am beidio â thalu'r bil gartref fel protest yn erbyn diffygion ieithyddol BT, prin bod erthygl tudalen blaen y *Western Mail* wrth fodd yr Awdurdod o gofio'r pennawd, 'WDA Chief loses phone in language protest'! Ar adeg Eisteddfod Casnewydd 1988 cefais wahoddiad i ymuno â 12 o gyfeillion eraill tu allan i'r Swyddfa Gymreig ym Mharc Cathays mewn rali a drefnwyd gan Gymdeithas yr Iaith i fynnu deddfwriaeth gryfach dros y Gymraeg. Amrywiol oedd ein cefndir ond roedd pawb o'r un anian: John Ogwen, Maureen Rhys, Robat Gruffudd, Manon Rhys, Gwilym Tudur, Dyfan Roberts, Cen Llwyd, Enfys Llwyd, John Rowlands, Angharad Tomos, Helen Prosser, Dyfrig Thomas a finnau. Roedd 'na weithred ynghlwm wrth y brotest! Ar ryw bwynt penodol yn ystod y rali, byddai pawb yn rhedeg ymlaen at y wal a phaentio llythyren arni gan adael y slogan 'Deddf Iaith Newydd'. Roedd gan bob un ohonom ein llythrennau ein hunain, ond bron i ffrwyth y brotest fod yn 'ddyslecsig' wrth i ni wthio drwy'r dorf a'r heddlu ac i'n llwybrau groesi ar y ffordd at y wal! Cafodd y 13 ohonom ein harestio a'n cyhuddo o ddifrod troseddol gwerth £180 i'r wal cyn cael ein cadw yn y ddalfa ym Mharc Cathays am weddill y prynhawn. Difyr oedd rhannu cell gyda chymeriadau mor ffraeth a gwreiddiol eu personoliaethau, ond prin bod y weithred wedi gwneud lles i mi o ran fy mherthynas â'r Awdurdod Datblygu. Roedd pennawd yn y *Daily Post*, 'WDA man's arrest brings suspension' a hynny'n gyfochrog â'r geiriau yn yr *Herald*, 'Ffwlbri oedd gwaharddiad Dr Carl Clowes' yn hoelio sylw'r Awdurdod yng Nghaerdydd, a chefais fy atal o fy ngwaith am fis ar gyflog llawn nes i'r achos fod gerbron y llys. Cafodd pawb eu rhyddhau heb unrhyw gosb a chaniatawyd imi fynd yn ôl i fy ngwaith – gyda rhybudd!

Goresgynnwyd y cyfnod hwnnw a llwyddwyd i greu nid yn unig strategaeth werthfawr ond sawl cam ymarferol o bwys – yn eu mysg estyniad i Ganolfan Antur Aelhaearn. O dan gynllun Ffyniant Cefn Gwlad yr Awdurdod Datblygu, rhoddodd Antur Llŷn gynnig i ddyblu maint y Ganolfan, ac ar 7 Mawrth 1989 agorwyd y Ganolfan ar ei newydd wedd, uned o tua 4,000 tr.sg. fel gweithdy hyfforddiant a reolwyd gan y Cyngor Sir mewn cydweithrediad â'r Asiantaeth Hyfforddi. Bellach, roedd y Ganolfan yn cynnig hyfforddiant dwy flynedd mewn sgiliau cefn gwlad ar gyfer pobl ifanc Dwyfor, pethau megis gwaith gof – gatiau, trwsio offer, a gwaith coed – ffensys, byrddau, arwyddion, ac yn y blaen.

Cymaint oedd David Waterstone, Prif Weithredwr yr Awdurdod, yn gwerthfawrogi'r strategaeth fel y daeth yn unswydd o Gaerdydd i Blas Glyn-y-Weddw ar gyfer y lansiad. Teg dweud, fel sy'n wir i unrhyw strategaeth, y symudwyd ymlaen i weithredu rhai elfennau, fel yr uchod, tra cefnwyd ar rai eraill.

Y siomedigaeth fwyaf oedd gwrthodiad yr Awdurdod Datblygu i gefnogi'r syniad o greu Canolfan Adnoddau Gwledig Llŷn. Dewiswyd Llanaelhaearn ar gyfer y Ganolfan oherwydd ei lleoliad wrth gyffordd y ffyrdd oedd yn arwain i dde a gogledd y penrhyn – nid oherwydd f'ymlyniad i'r ardal! Roedd rhaid i bob cerbyd basio drwyddo, ac felly pa le gwell? Ond yr hyn oedd yn gwneud y prosiect yn un arbennig oedd ei adeiladwaith. Wrth imi fynd o gwmpas Dwyfor a hel gwybodaeth, ffeindiais fod modd adeiladu rhan helaeth o'r Ganolfan, ar ffurf tŷ, o ddeunyddiau'r ardal. Er enghraifft, wrth gydweithio â stad Glasfryn gerllaw roedd y pensaer David Lea, Llanfrothen, wedi sicrhau coed aeddfed a pharod i'w defnyddio ar gyfer ffrâm bren y tŷ, a hynny ar adeg pan nad oedd tai o'r fath yn gyffredin; gyda chwarel Trefor yn gwneud briciau o wastraff chwarel ar y pryd, roedd y ffynhonnell friciau yn sicr, y cerrig ar gyfer wyneb yr adeilad o'r 'gwaith mawr' yn Nhrefor, ffenestri a drysau o Hendre Bach yn y Ffôr, llenni a rygiau o frethyn Bryncir, crochenwaith o Lanbedrog, ac yn y blaen nes bod gennych dŷ oedd yn medru bod yn dŷ arddangos ar gyfer marchnata cynnyrch yr ardal yn ogystal â bod yn ganolfan ag iddi bwrpas! Yn anffodus, ni weithiodd felly.

Wrth drafod gydag Alun Daniel, Cyfarwyddwr Cefn Gwlad yr Awdurdod Datblygu, daeth yn amlwg fod 'na ragfarn yn erbyn y syniad. Roedd ei ymateb 'does neb eisio tŷ pren' yn dweud cyfrolau am allu'r Awdurdod i feddwl tu allan i'r bocs confensiynol o weithredu, a gyda'r math 'na o ddiffyg gweledigaeth roedd rhaid cefnu ar y syniad. I roi halen ar y briw, yn yr Eisteddfod Genedlaethol y flwyddyn ddilynol beth oedd natur stondin yr Awdurdod Datblygu ond tŷ wedi ei adeiladu o ddeunyddiau Cymreig ac wedi ei ddodrefnu â chynnyrch o Gymru! Rhyfedd o fyd, a cholled mawr i Ddwyfor a rhywbeth nad yw, hyd y gwn i, wedi ei efelychu yn ymarferol mewn unrhyw fan hyd heddiw. Mae sawl elfen o'r gwaith oedd i fod yn rhan o'r tŷ arddangos a chanolfan adnoddau yn Llanaelhaearn wedi diflannu erbyn hyn. Beth fyddai ffawd y gwaith tybed pe bai 'na wyneb amlwg i'r byd ar gyfer y cynnyrch lleol fel y bwriadwyd? Yn eironig ddigon, o fewn blwyddyn neu ddwy sefydlodd yr Awdurdod Datblygu uned yn dwyn yr enw Canolfan Adnoddau Gwledig ar stad ddiwydiannol ym Mhorthmadog, ond nid gyda'r un nod o ddefnyddio deunyddiau lleol, marchnata cynnyrch y fro nac o fod yn ffenest siop i'r byd. Collwyd gyfle!

Gyda'r strategaeth yn ei lle, a'r pwyllgor llywio wedi ei sefydlu, daeth yn amser i benodi rheolwr i ddatblygu hyn yn barhaol, ac ym mis Awst 1990 penodwyd Glenda Murray yn Gyfarwyddwraig Antur Llŷn. Am ddwy flynedd cyn hynny bu Glenda yn athrawes ddaearyddiaeth yn Ysgol Botwnnog a daeth at yr Antur ar adeg dyngedfennol yn ei datblygiad. O gofio mai pwyslais Antur Llŷn oedd sicrhau dyfodol i'r ardaloedd gwledig yn bennaf – a Phwllheli wedi ei eithrio o'r dalgylch ar y dechrau – gwelwyd cryn drafodaeth am le i leoli swyddfa'r Antur. Cynigiwyd Tŷ Gwyn, Botwnnog, sef safle gwreiddiol Ysgol Botwnnog yn 1616, a oedd yn wag a'i ddyfodol yn y fantol. Ymateb digon llugoer a gafwyd, a phenderfynwyd lleoli'r swyddfa yn hen adeilad yr adran Nawdd Cymdeithasol ar Stryd Penlan yng nghanol Pwllheli. Daeth beirniadaeth yn sgil y penderfyniad gan y byddai hynny, yn ôl amryw, yn groes i fwriad gwreiddiol yr Antur i warchod cymunedau Llŷn rhag y duedd i organoli yn y dref. Ond, gyda'r nawdd ar gyfer y swyddfa yn dod o'r Awdurdod Datblygu, ei lleoli ym Mhwllheli a orfu.

Sefydlwyd Antur Llŷn fel Cwmni Cyfyngedig drwy warant, ac wrth agor y swyddfa pwysleisiodd y Cadeirydd, Mr Idwal Jones, mai 'sicrhau dyfodol i bob cymuned yn Llŷn oedd y nod a pha mor bwysig oedd hi bod y Cynghorau Cymuned yn dod yn ddylanwad ar gyfeiriad yr Antur yn y dyfodol'. Parhaodd y gwaith da o ddatblygu cymunedol am rai blynyddoedd, ac o edrych ar adroddiad yn dilyn llwyddiannau'r tair blynedd cyntaf gellid gweld natur amrywiol y gweithgarwch mewn partneriaethau amrywiol, cyhoeddus a phreifat, gyda'r enghreifftiau isod yn rhoi blas o'r cyfan:

- Hyrwyddo garddwriaeth yn Llŷn, yn benodol 'Tatws Llŷn' gyda mewnbwn arbenigwr; y ffermwyr yn gweld eu cnwd yn cynyddu yn sylweddol iawn
- Hybu Glyn-y-Weddw fel Canolfan Gelfyddydol
- Sefydlu meysydd chwarae mewn sawl pentref e.e. Aberdaron, Botwnnog, Trefor, Llanbedrog, Pontllyfni
- Neuadd y Dref, Pwllheli – cymhorthdal i weddnewid y neuadd
- Gwella edrychiad y promenâd
- Sicrhau cyfarpar cyfieithu at ddefnydd yr ardal
- Hyfforddiant amrywiol – busnes, dwyieithrwydd mewn twristiaeth
- Hybu busnesau'n lleol a chreu Cyfeiriadur Busnes manwl iawn
- Siop grefftau Antur Llŷn, Cricieth i hyrwyddo cynnyrch yr ardal
- Datblygiad fferm Ysgol Botwnnog mewn cydweithrediad â Thîm Anabledd Dysgu Dwyfor
- Arddangosfeydd o waith yr Antur yn yr ardal i godi brwdfrydedd a rhannu gwybodaeth

Blas yw'r uchod, felly, sydd yn adlewyrchu'r amrywiaeth ymhlith y 53 o lwyddiannau a nodwyd yn yr adroddiad – llwyddiannau oedd yn cyfrannu tuag at lewyrch yr ardal mewn modd cynhwysol a chymunedol. Parhaodd Glenda gyda'r gwaith am saith mlynedd, ond nid heb newid yn y pwyslais. Yn raddol, gwelwyd cynnydd yn y pwysau o du'r Awdurdod Datblygu i helpu busnesau'r ardal gyda llai o bwyslais ar hybu datblygu cymunedol. O ganlyniad, gorfu i natur yr Antur newid yn raddol, ac i gysoni pethau – defnydd adnoddau ariannol a nod y gwaith ar ei newydd-wedd – yn 1995 unwyd Antur Llŷn ac Antur Dwyryd, yr asiantaeth menter â'i swyddfa ym Mhenrhyndeudraeth a sefydlwyd yn Ebrill 1988. Antur Dwyryd-Llŷn oedd enw'r endid newydd, ond gan na sefydlwyd Antur Llŷn fel asiantaeth menter arferol roedd hyn yn gam i'r cyfeiriad anghywir yn fy marn i. Gyda cholli hunaniaeth Antur Llŷn, collwyd hefyd y ffocws ar ddatblygu amgen a chynhwysfawr (holistaidd) cymunedau penrhyn Llŷn. Yn 1997, ar ôl saith mlynedd o fod ar flaen y gad, gadawodd Glenda ei swydd a dychwelyd i fod yn athrawes yn Ysgol Eifionydd. Peidiodd Antur Dwyryd-Llŷn â bod yn hydref 2004 wedi i'r asiantaeth fynd i ddwylo'r derbynwyr.

Pe bai Antur Llŷn wedi parhau fel y'i sefydlwyd, mi fyddai'r deilliant wedi bod yn llawer mwy hirhoedlog a bendithiol i benrhyn Llŷn.

Mae geiriau David Waterstone wrth iddo ymadael fel Prif Weithredwr yr Awdurdod Datblygu yn 1990 yn atseinio yn fy mhen wrthi imi adrodd hanes Antur Llŷn rŵan. Mewn llythyr ataf ar 24 Medi yn y flwyddyn honno, dywed, 'I was very grateful to you for all the work you did on Antur Llŷn. I'm sure that you laid a very sound foundation for a great future.'

Y tristwch yw na chadwyd at y weledigaeth wreiddiol gan ei dîm, ac er y cyflawnwyd cryn dipyn yn enw Antur Llŷn byddai wedi bod yn bosibl cyflawni llawer iawn mwy pe na bai'r Awdurdod wedi ceisio arbed arian a symud at fodel mwy confensiynol a dealladwy iddyn nhw.

Roedd y sylw a gafodd strategaeth Antur Llŷn yn eang, ac yn

amlwg o ddiddordeb i rai y tu allan i Gymru. Mewn llythyr gan Katalin Kolosy ar ran y Gyfnewidfa Wybodaeth Ewropeaidd ar Ddatblygiad a Chreu Gwaith, mae hi'n canmol y gwaith, 'your development strategy for the rural parts of Llŷn is of high interest and very well done' a soniodd am fwriad y Rhwydwaith i gyhoeddi erthygl am waith Antur Llŷn.

Dw i'n argyhoeddedig mai arweiniad oddi fewn ein cymunedau fydd eu hachubiaeth. Gwelwyd dros y blynyddoedd gyfres o fentrau neu anturiaethau cydweithredol eu natur gan bobl â'r nod o helpu eu hunain – mae'r rhestr o 'mlaen i yn faith: ar ôl Antur Aelhaearn daeth Antur Teifi, Tafarn y Fic, Siop y Groes, Arianrhod, Antur Padarn, Cywaith Uwchaled, Cwmni Cymdeithas Llandwrog, Antur Efyrnwy, Antur Tanat, Menter Glaslyn, Cwmni Tŷ Newydd, Antur Dyfi Economi Gwyrdd (ADEG) ac Antur Stiniog. Mi wn fod 'na lawer iawn mwy, rhai wedi llwyddo a rhai heb oroesi, ond dyw hynny ddim yn negyddu mewn unrhyw ffordd eu hymdrechion a'r awydd i sicrhau dyfodol cymuned – gwell ymdrechu a methu na pheidio â gwneud o gwbl!

Yr allwedd o 'mhrofiad i ydi hyn: cael yr arweiniad oddi fewn i'r gymuned, a chael cefnogaeth ariannol ac arbenigol o'r sector cyhoeddus neu breifat. Trwy weithredu fel'na, mae'r berchnogaeth a'r atebolrwydd yn aros yn lleol. O brofiad Antur Llŷn, mae'n rhaid sicrhau nad yw'r noddwr yn 'ymyrryd' yn ddiangenraid. Mae 'na falans i'w sicrhau rhwng cymorth ac ymyrraeth, ac ni ddylid newid strwythurau 'er mwyn gwneud' gan fod 'sefydlogrwydd' cyngor a chymorth yn bwysig.

Daeth fy nghyfnod o ddwy flynedd fel Ymgynghorydd Datblygu Penrhyn Llŷn i ben yn swyddogol yn ystod haf 1989, ond cytunwyd i ymestyn fy nghytundeb hyd at ddiwedd Awst 1990 ar sail gwaith rhan-amser yn ôl yr angen. Rhoddodd hynny gyfle imi ymgeisio am swydd feddygol ran-amser gyda'r nod o gael swydd barhaol ymhellach ymlaen. Yn ffodus, o fewn y mis, llwyddais i gael locwm Ymgynghorydd Iechyd Cyhoeddus yng Nghlwyd a arweiniodd at un o gyfnodau mwyaf cyffrous fy mywyd.

Y Daith Ddifyr
o Lŷn i Bowys

DECHREUAIS AR Y gwaith ar 13 Mehefin 1989. Cyrhaeddais Preswylfa, yr Wyddgrug a Phencadlys yr Awdurdod, ychydig ar ôl cinio a chael sgwrs efo Dr Lyn Williams, Prif Swyddog Meddygol yr Awdurdod. Roedd gan Lyn ddiddordeb gweithredol yn y BMA, ac yn dilyn ychydig gyflwyniad imi am yr adran aeth Lyn i Gyfarfod Blynyddol y BMA yn Llundain. Gyda'r bwriad o fod yno am dridiau, a'r geiriau anfarwol 'mae pethe'n ddistaw, a gyda dy brofiad di bydd popeth yn iawn, dw i'n siŵr', i ffwrdd ag o i ddal y trên.

Tua phedwar o'r gloch y prynhawn hwnnw, aeth fy ffôn a'r pen arall roedd rhywun yn adrodd bod ganddyn nhw achos o fotwliaeth (*botulism*), math prin iawn o wenwyn bwyd, rhywbeth o'n i'n ymwybodol ohono o fy nyddiau yn yr ysgol feddygol – wedi'r cyfan, onid oedd 'na sôn am achosion yn Loch Maree yn yr Alban yn 1930au? – ond doeddwn i erioed wedi gweld achos na chlywed amdano wedyn.

Sôn am feddwl ar eich traed, ac ar yr un pryd am fod y peth mor anghyffredin croesodd fy meddwl bod rhywun yn gwneud hwyl am fy mhen! Tra 'mod i'n hel meddyliau am beth i'w wneud nesaf, dyma'r ffôn yn mynd eto a'r tro hwn HTV oedd yno, o'r stiwdio gerllaw yn yr Wyddgrug, a'r gohebydd yn awyddus i ddod i 'ngweld i drafod oblygiadau'r aflwydd i'r cyhoedd. Rhaid imi gyfaddef, mi es yn syth at fy llyfrau er mwyn cael arweiniad. Aeth pethau'n iawn a chafodd y cyfweliad ei ddangos ar newyddion Cymru am 6 o'r gloch y noson honno. Ro'n i'n meddwl mai hynny oedd diwedd y sylw nes i Lyn, wrth wylio *News at Ten* yn llofft ei westy yn Llundain y noson honno – a finnau weld darllediad pellach o'r un cyfweliad. Ni allaf ond dychmygu ei ymateb cegrwth – ychydig o oriau wedi iddo fy ngadael a dim i'w adrodd, dyma ei diriogaeth yng nghanol newyddion pwysica'r dydd! Daeth y stori i'w fwcl o fewn dyddiau. Tarddiad y gwenwyn oedd iogwrt cnau cyll wedi i hufenfa yng ngogledd-orllewin Lloegr ddefnyddio piwrî cnau o swydd Caint mewn can oedd heb ei selio'n iawn. Rhoddodd hynny gyfle i'r organeb dyfu, ac wrth i'r iogwrt gael ei gymysgu â'r piwrî heintiodd y cyfan. Cofiaf ffonio adref ar y pryd gyda rhybudd i'r teulu gan fod iogwrt cnau cyll yn dipyn o ffefryn yn ein tŷ ni, 'mond i gael neges yn ôl o'r ysgol i ddweud bod 'dad wedi bwyta'r un olaf – gan gwmni gwahanol – y penwythnos cynt!'. Hwn oedd y tro cyntaf imi werthfawrogi sgileffeithiau posibl cynhyrchu ar raddfa amlsafle, fel sydd mor gyffredin y dyddiau hyn.

O fewn dyddiau, yng nghanol Gorffennaf, cafwyd hanes am achosion eraill o wenwyn bwyd, y tro hwn mewn gwersyll gwyliau ger Prestatyn. Y mae dod o hyd i darddiad unrhyw achos o'r fath wastad yn golygu gwaith ymchwil sydd, ar adegau, yn boenus o araf a chymleth. Salmonella (Typhimurium) oedd y broblem y tro hwn, a ddeilliodd o siop cigydd yn yr ardal lle roedd 'na gymysgu cigoedd amrwd a chigoedd wedi eu coginio ar yr un peiriant torri cig. Roedd y cig, wedi ei goginio, yn cael ei selio wedyn mewn *vacuum pack* cyn cael ei ddosbarthu i sawl marchnad yn yr ardal gan gynnwys cyfanwerthwyr y rhanbarth. Yr her wedyn oedd cael gwybod i bwy a pha mor eang roedden nhw wedi ei ddosbarthu. Tra oedd y gwaith yma yn mynd yn ei flaen, cynyddu yn ddyddiol wnaeth nifer yr achosion nes bod 'na dros 600 a'r cyfryngau Prydeinig unwaith eto'n ymddiddori yn yr ardal. Cofiaf gynnal cynhadledd i'r wasg yn ddyddiol am tua phythefnos a Laurie Wood, Gweinyddwr yr Awdurdod, o dan bwysau sylweddol i gynnig atebion. Fel gyda'r achosion o fotwliaeth, codwyd cwestiynau yn San Steffan am yr heintiau. Bu farw pedwar o bobl yn ystod y digwyddiad, nid o reidrwydd yn uniongyrchol o'r Salmonella ond oherwydd cymhlethdodau a achoswyd gan yr haint mewn cleifion â chyflyrau eraill oedd yn bodoli eisoes.

Deallaf mai hwn oedd y digwyddiad mwyaf o Salmonellosis yn Ewrop yn ystod y ganrif ddiwethaf, a thanlinellwyd yn well nag erioed yr angen am safonau iechyd amgylcheddol da bob amser. Er fy mod yn eithaf canolog yn yr achosion o fotwliaeth a Salmonella, nid felly efo digwyddiad arall yn yr un cyfnod, y tro hwn anthracs mewn moch ar ffermgyda 4,750 o anifeiliaid yn Llai, ger Wrecsam. Fy nghyd-weithwraig Dr Ruth Hall oedd yn bennaf gyfrifol y tro hwn. Bu farw un mochyn yn Ebrill 1989, ond erbyn Gorffennaf roedd 17 o anifeiliaid wedi eu heintio â'r posibilrwydd real o'r haint yn cael ei drosglwyddo i'r ffermwr, ei deulu a gweithwyr yn y lladd-dy. Rhoddwyd gwaharddiad ar symud y moch o'r fferm a chynigiwyd brechiad i bawb oedd yn ymwneud â'r moch. Felly, mewn cyfnod byr o dri mis bu tri achos o afiechyd gwirioneddol beryglus i fywyd – a'r tebygrwydd o hynny'n digwydd fel arfer? Annhebygol iawn!

Ym mis Medi cefais gytundeb chwe mis fel locwm gan Awdurdod Iechyd Clwyd, y tro hwn yn gyfrifol fel Ymgynghorydd gyda dyletswyddau ar gyfer Gwasanaethau Cymdeithasol (gan gynnwys Anghenion Arbennig), ynghyd ag Iechyd Plant. Yn ddiweddarach ychwanegwyd at y cyfnod nes i fi fod yng Nghlwyd tan ddiwedd Mehefin 1990 cyn imi gael ychydig o seibiant gartref. Roedd hyn i gyd yn gymorth yn fy nhasg o ddod o hyd i swydd barhaol o fewn y gwasanaeth iechyd, ond roedd y dasg ar fin troi'n fater o raid wedi i Dorothi a finnau benderfynu morgeisio ein cartref a rhoi'r cyfan i'r Nant. Yn amlwg, roedd yr angen am incwm cyson yn hollbwysig er mwyn ad-dalu'r £150,000 a hynny yn weddol sydyn, ond sut ac i ble?

I'r Alban es i, ac i Fwrdd Iechyd Ayrshire ac Arran a oedd angen locwm fel Ymgynghorydd â chyfrifoldeb am Glefydau Heintus ac Iechyd yr Amgylchedd, yn dechrau diwedd Mai 1991. Nid oeddwn yn gyfarwydd â'r drefn ym maes iechyd yn yr Alban, ac felly roedd gan y swydd apêl ychwanegol. Yn anffodus, unwaith eto, roedd hyn yn golygu bod oddi cartref am ran helaeth o bob wythnos gan gychwyn o Roscefnhir am 6 o'r gloch bore Llun ac wedi newid yn Crewe a Glasgow byddwn yn cyrraedd Irvine a phencadlys y Bwrdd tua 1.30 y p'nawn. Ardal ddiddorol ac amrywiol oedd tiriogaeth y Bwrdd gyda hen feysydd glo ôl-ddiwydiannol gogledd Ayrshire yn ffinio ag ardaloedd braf a bras deheudir y fro. Beth oedd yn hollol annisgwyl imi oedd iaith yr ardal, sef Lallans, iaith Robbie Burns sydd, bellach, yn cael ei chydnabod gan Siarter Ewrop. Cofiaf yn iawn y prynhawn cyntaf hwnnw gael ymholiad ar y ffôn am achos E. coli. Prin oedd fy nealltwriaeth o'r sawl y pen arall, gan nad oedd fy nghlust wedi ei thiwnio i'r acen a bod rhai o'r geiriau'n hollol dieithr. Bu'n rhaid imi felly esgusodi fy hun am fy niffyg dealltwriaeth a gofyn am ail-ddweud y cyfan sawl tro.

Hyd yn oed ar y noson gyntaf, wedi i mi drefnu lle i aros yn yr ysbyty, penderfynais chwilio am fwyd – ond glaniais ar ward mamolaeth ar ddamwain wedi i mi gamddeall y cyfarwyddiadau ar sut i gyrraedd y ffreutur! Ond, o fewn amser, ac wedi aml i sesiwn gymorth gan ysgrifenyddion yr adran, deuais i ddygymod a mwynhau dysgu mwy am iaith a diwylliant yr ardal. Roedd ynys Arran yn cynnig amgylchedd wahanol iawn i Swydd Ayr, lle mynyddig heb ei ddifwyno i bob golwg. Treuliodd Dorothi amser efo fi ar yr ynys yn seiclo ar hyd yr arfordir gogleddol a chafwyd cyfle i fwynhau'r lonydd braf gyda'r môr a'r mynydd mor agos at ei gilydd. Er gwaethaf teitl y swydd, am fy mod yn locwm roedd gofyn i mi ymgymryd â gwaith amrywiol iawn gan gynnwys 'Adolygiad ac Argymhellion ar gyfer Gwasanaethau Mamolaeth a Phlant Newydd-anedig' y rhanbarth a llunio polisïau ar gyfer HIV/ AIDS, ond y peth mwyaf annisgwyl – yn fy ngyrfa o bosib – oedd llunio 'A Response to Radiation Incidents: Ayrshire and Arran Health Board'. Golygai hyn fynd ar ymweliad ag atomfa niwclear Hunterston B, siarad efo rhai o'r rheolwyr yno, a mynd i Faslane a lleoliad y llongau tanfor a Trident. Er bod y safle yn Argyll, pe bai 'na ddamwain o bwys roedd yno oblygiadau ar gyfer poblogaeth Swydd Ayr. Cofiaf yr awyrgylch yn fwy na dim byd arall, y camerâu diogelwch wrth y giât a'r brif fynedfa cyn cael mynediad. Wedyn, y sesiwn drafod â rhai o'r penaethiaid o gwmpas y bwrdd yn yr ystafell reoli. Roedd yr olygfa i lawr at Gare Loch oddi tanom yn swreal – braf a brawychus ar yr un pryd! Natur yn ei gogoniant a gwallgofrwydd dyn wrth ei hymyl ar ffurf dwy o longau tanfor Trident wedi eu hangori ac yn barod i ddistrywio dynoliaeth.

Ni allaf ymadael â 'mhrofiad yn yr Alban heb gyfeirio at un o'm cyd-weithwyr meddygol. Maida oedd ei henw, ac os caiff hi'r cyfle i ddarllen a deall hwn rhywbryd gobeithio y caf faddeuant. Roedd ei thad yn seiciatrydd. O'r rhai dw i wedi eu hadnabod, pobl ddisglair a deallus ydy seiciatryddion, ond gyda'r cyfenw 'Smellie' sydd, yn yr Alban, yn cael ei ynganu yn 'Smilie' – ond nid i'r byd tu allan – pwy, yn ei iawn bwyll, fyddai'n galw ei blentyn yn Maida? Mae hyn yn yr un categori â chwaer Ed Balls – Ophelia!

Chwe mis dreuliais yn yr Alban, yn mwynhau'n fawr fel rhan o dîm clòs a chyfeillgar gan ddod i adnabod ardal gwbl ddieithr imi. Daeth y cytundeb i ben, ond gyda'r morgais 'estynedig' i'w dalu doedd dim modd ymlacio ac fe aeth y cam nesaf â fi i Swydd Gaerlŷr yn Lloegr a swydd locwm arall fel Ymgynghorydd gydag Awdurdod Iechyd Caerlŷr. Prif ffocws fy ngwaith yn y chwe mis nesaf oedd adolygu holl bolisïau clefydau heintus y sir gan gyhoeddi'r rheiny yn y gyfrol *The Control of Communicable Disease and other Related Conditions*. Cyfarwyddwr Iechyd Cyhoeddus y sir ar y pryd oedd Dr Gillian Morgan, meddyg o Lwynypia yn wreiddiol. Cofiaf Gill fel merch ddeinamig a deallus ac roedd yn bleser gweithio'n agos â hi yn ystod fy nghyfnod yno. Penodwyd Gill yn fuan wedyn yn Brif Weithredwr ar Awdurdod Iechyd Dyfnaint cyn mynd ymlaen i fod yn Brif Weithredwr ar Gonffederasiwn y Gwasanaeth Iechyd Gwladol yn 2002. Ar ôl fy nghyfnod yng Nghaerlŷr ni wnaeth ein llwybrau groesi tan 2008 pan y'i penodwyd yn Ysgrifennydd Parhaol, sef prif was sifil Llywodraeth Cymru nes iddi ymddeol o'r swydd honno yn 2012.

Roedd ffawd o 'mhlaid wrth i'r swydd yng Nghaerlŷr ddod

i ben gan yr hysbysebwyd am swydd Ymgynghorydd ym Mhowys unwaith eto. Yr un swydd oedd hon i bob pwrpas ag o'n i wedi ei gwneud yn ystod yr '80au. Bellach roedd fy nghyfaill Dr Alan Spence, a ymunodd â Phowys yr un amser â fi yn 1985, yn Brif Swyddog Meddygol yr Awdurdod, ac yn dilyn y cyfweliad arferol cychwynnais ar 6 Ebrill 1992. Prin o'n i wedi ymgartrefu yn y swydd newydd pan hysbysebwyd am Gyfarwyddwr Meddygol yr Awdurdod ar ddiwedd y flwyddyn gyntaf. Llwyddais gyda 'nghais a chael cyfle am y tro cyntaf i fod yn aelod o Fwrdd Awdurdod Iechyd. Dw i wedi sôn eisoes am natur gymhleth y sir a chefndir disglair eu meddygon ac o'n i'n gwybod y byddai swydd o'r fath yn her a hanner. Am yr wyth mlynedd nesaf profodd yr her yn un gyffrous, ond hefyd un a ymylodd ar fod yn frwydr barhaol. Roedd tyndra amlwg rhwng gofynion y gymuned am wasanaethau lleol â chefnogaeth y meddygon teulu yn amlach na pheidio, yn erbyn gofynion y colegau brenhinol a phryderon y Swyddfa Gymreig am lywodraethiant clinigol – hynny yw, yr angen i gadw safonau a sicrhau fod y gwasanaeth yn ddiogel. Y gamp i unrhyw un mewn swydd o'r fath yw cadw'r achos oddi ar dudalen flaen y *Western Mail*. Llwyddais i wneud hynny yn bennaf wrth sicrhau prosesau ac atebolrwydd i ymgynghorwyr mewn ysbytai y tu allan i'r sir ar gyfer y gwaith 'ychwanegol' yr oedd y meddygon teulu yn ei wneud mewn meysydd fel obstetreg a chardioleg. Yn ystod y cyfnod hwn, penodwyd ail ymgynghorydd cymunedol ar gyfer yr henoed, y tro hwn ar gyfer de-orllewin Powys. Ail-luniwyd gwasanaethau iechyd meddwl y sir a chrëwyd gwasanaeth llawer mwy integredig a chymunedol ei naws wedi inni gau'r hen ysbyty iechyd meddwl yn Nhalgarth. Cyfeiriwyd gan Goleg Brenhinol y Seiciatryddion at y gwasanaeth ar ei newydd wedd fel gwasanaeth oedd 'heb ei ail'. Yr un oedd hanes y ddarpariaeth ar gyfer pobl ag 'anabledd dysgu' yn y sir wedi inni gau Llys Maldwyn, Caersws ac uned debyg yn Ysbyty Bronllys, ger Aberhonddu.

Cynigiodd ardal de-orllewin Powys her arbennig i'r

Awdurdod Iechyd. Yn gyn-ardal lofaol ond bellach i raddau helaeth yn ôl-ddiwydiannol, roedd 'na lefel uchel o afiechyd ochr-yn-ochr â darpariaeth ddigon diffygiol gan yr Awdurdod. Yr unig ysbyty yn yr ardal oedd Craig y Nos, sef hen gartref y gantores Adelina Patti ar ben uchaf Cwm Tawe, a oedd wedi ei addasu rai blynyddoedd ynghynt fel ysbyty ar gyfer cleifion â phroblemau'r frest. Roedd Dr Dani Bevan, y Prif Weithredwr ar y pryd, (ac un oedd yn hanu o'r ardal), o blaid cael ysbyty newydd yn Ystradgynlais, y dref fwyaf yn y sir, a chau ysbyty Craig y Nos. Er y sôn am gau, nid oedd yr ysbyty heb ei nodweddion er nad yn y maes iechyd, efallai! Fel y tystiais, bob blwyddyn am rai blynyddoedd daeth cais gan gwmni opera amatur o Gastell Nedd i ddefnyddio hen theatr Adelina Patti, a oedd yn rhan o'r ysbyty, ar gyfer eu Gŵyl Haf. Hawdd deall pam gan fod y gantores enwog ei hun wedi creu rhywbeth anghyffredin a safonol ar gyfer yr ardal.

Gweithiais yn glòs gyda Dani Bevan, a daeth Ysbyty Cymunedol Ystradgynlais i fodolaeth ond nid heb sawl brwydr. Hwn oedd yr ysbyty cymunedol newydd cyntaf yng Nghymru ar y pryd, wedi ei adeiladu'n bwrpasol fel adnodd i wasanaethu'r gymuned. Bwriwyd cryn amheuaeth ar barodrwydd yr arbenigwyr o Abertawe i gynnal clinigau ar gyfer cleifion allanol yno, ond o ddangos yr adnodd iddyn nhw fesul un fe gytunon nhw – gan ddechrau â dau – i ddarparu gofal orthopedeg ac ophthalmoleg. Wedyn cafwyd chwe chlinig, nes ymhen blwyddyn ar ôl i'r ysbyty agor roedd 'na ddeuddeg, ac yn y pen draw cynhaliwyd un ar hugain o glinigau cleifion allanol yn rheolaidd yn yr ysbyty newydd. Roedd yr ymgynghorwyr yn hapus iawn efo'r adnodd newydd a'r cleifion yn hapusach fyth gan nad oedd angen iddynt fynd draw i Ysbyty Treforys neu Singleton.

Fel aelod o Fwrdd yr Awdurdod, ro'n i'n dod i ddeall a pharchu cyd-gyfrifoldeb am y tro cyntaf. Roedd yn anorfod bod rhai penderfyniadau'n anodd, weithiau am resymau clinigol, y tro arall am resymau ariannol, ac felly yn aml 'mond ar ôl cryn drafodaeth oedd modd dod at benderfyniad gwrthrychol, cytbwys a theg. O wneud hynny, ac o leisio eich barn yn groch weithiau, roedd yn ofynnol i barchu penderfyniad y Bwrdd er efallai fy mod yn anghytuno ag o. Y person a gynrychiolai 'degwch' o fewn yr Awdurdod yn anad neb oedd y Cadeirydd ar y pryd, y diweddar Anrhydeddus Lindy Price, merch gynnes ei phersonoliaeth a oedd wastad yn fodlon gwrando a pharchu barn pawb. Roedd yn braf cael bod yn ei chwmni am fod ganddi'r ddawn i wneud i chi deimlo bod eich barn yn cyfri'! Roedd ei lletygarwch hi, ynghyd â'i gŵr Leo, yn ddiarhebol a bob blwyddyn roedd y teulu'n croesawu staff yr Awdurdod i'w cartref. Gadawodd Lindy ei swydd fel Cadeirydd ym Mhowys yn 1996 a bu farw yn drychinebus o ifanc yn 60 oed rhyw dair blynedd wedyn. Roedd ei thad, Barwn Aberhonddu, yn Weinidog Gwladol â chyfrifoldeb dros Gymru adeg yr oedd Harold Macmillan yn Brif Weinidog a Lindy wedi ei thrwytho yn yr un blaid. O ddod i'w hadnabod, gwers bwysig imi felly oedd i edrych y tu hwnt i'r arwyneb bob amser, beth bynnag yw'r label!

Ro'n i'n ffodus o gael tîm da iawn o'm cwmpas yn y pencadlys. O dan arweiniad Chris Gittoes, Pennaeth yr Adran Hybu Iechyd, crëwyd rhaglen ymysg y gorau yng Nghymru i ymrafael ag ysmygu, ac onid oedd y rhaglen 'Ymarfer ar Bresgripsiwn' y cyntaf yng Nghymru, os nad yng ngwledydd Prydain, i ymateb i rai problemau iechyd meddwl? Fel aeth fy ngwaith fel Cyfarwyddwr rhagddo, cynyddu wnaeth y pwysau nes bod gwir angen cymorth arnaf. Soniais eisoes fod creu cyfleoedd weithiau'n bwysig os am symud ymlaen. Mae hi hefyd, nid wyf yn amau, yn sgìl, ac un diwrnod wrth imi gerdded gydag un o'r meddygon a oedd yn gweithio fel cynorthwy-ydd i'r geriatregydd teimlais fod ganddi hi fwy i gynnig i'r achos nag oedd hi'n ei gyflawni ar y pryd. Oedd, roedd ganddi ddiddordeb, meddai, ond heb unrhyw gymhwyster uwch roedd yn amau a fyddai dyrchafiad yn bosibl. I dorri stori'n fyr, darbwyllais y Prif Weithredwr am yr angen am Ddirprwy Gyfarwyddwr Meddygol, ac wedi dilyn y drefn hysbysebu arferol penodwyd Dr Anne Evans i'r swydd.

Datblygodd Anne yn y gwaith, a phan es i o'r sir ymhen rhai blynyddoedd hi oedd f'olynydd fel Cyfarwyddwr, ac yn fuan wedi hynny daeth yn Gyfarwyddwr Meddygol yn y Rhondda. Dysgais dros y blynyddoedd am y pwysigrwydd o sicrhau olyniaeth drwy annog diddordeb a meithrin talent, a heb os mae Anne yn un o'r enghreifftiau gorau.

Mae'r byd meddygol, fel unrhyw broffesiwn arall, yn cydnabod ardderchogrwydd drwy system anrhydeddau, ond fel rhywun nad oedd wedi cydymffurfio â'r drefn na dilyn llwybr gyrfa arferol bob amser, daeth yn dipyn o sioc yn 1994 pan gefais fy nghydnabod yn Gymrawd gan Gyfadran Iechyd Cyhoeddus Coleg Brenhinol y Ffisigwyr. Mae pawb yn hoffi cael ei gydnabod am ei gyfraniad, ac oedd, mi oedd yn deimlad braf!

Y King's Fund yw un o'r cyrff mwyaf awdurdodol yn y maes iechyd. Mae'n rhoi ei farn ar y gwasanaeth iechyd yn ddiduedd a gwrthrychol, yn dilyn gwaith ymchwil yn ôl yr angen, ac yn arbenigo ar 'addysgu trefniadaethol' a 'datblygu arweinwyr' ar gyfer y dyfodol. Roeddwn yn ei ystyried yn fraint felly yn 1975 i gael fy newis i fynd ar raglen chwe wythnos ar gyfer rheolwyr uwch (TMP) yng Ngholeg y King's Fund yn Llundain. Roedd tua thri dwsin ohonom ni o bob cwr o wledydd Prydain o bob disgyblaeth ar y rhaglen, dau ohonom o Gymru, Derrick Jones o Awdurdod Iechyd Gwynedd, a finnau. Nod pennaf y cwrs oedd 'datblygiad personol' gyda'r bwriad o greu gwell arweiniad o fewn y gwasanaeth iechyd yn y dyfodol. Fe'n rhannwyd yn setiau a byddai'r rheiny'n ymuno â'r grŵp llawn bob yn ail – heb agenda yn aml – a sôn am rwystredigaeth. Cyfres o sesiynau digyfeiriad a gafwyd gyda sawl unigolyn yn ymylu ar ddagrau wedi iddyn nhw gael beirniadaeth am y pethau mwyaf dibwys. Roedd yn amlwg bod rhai ar y dibyn cyn dod ar y cwrs, ond ar yr un pryd daeth pob math o broblemau rhyfeddol i'r wyneb – hiliaeth yn eu mysg – nes bod tyndra yn nodweddu'r sesiynau yn amlach na pheidio. Gwelwyd tuedd y grŵp i symud i gyfeiriad annerbyniol, ac o ganlyniad bu un Cyfarwyddwr Iechyd Cyhoeddus yn crio yn agored yng nghanol sesiwn. A wnaeth y cwrs ddysgu rhywbeth imi? Efallai; sut i wynebu rhai sefyllfaoedd mewn ffordd ychydig yn fwy sensitif. Heb swnio'n drahaus, credaf fod fy mhrofiad fel meddyg teulu yng nghefn gwlad, fy ngwaith yn y trydydd sector a 'mhrofiad gwleidyddol wedi fy mharatoi mewn ffordd lawer mwy ymarferol a phositif. A oedd y cwrs yn werth y £10,500 a dalwyd i mi ei fynychu gan yr Awdurdod Iechyd? Na, yn bendant, 'blaw am enw'r King's Fund ar fy CV at y dyfodol! Gyda'r noson olaf i ffarwelio â phawb yng nghlwb Ronnie Scott, doedd y daith drên adref drannoeth ddim heb ei chwestiynau! Sut, o ddifri, oedd y gwasanaeth iechyd yn mynd i oroesi?

Wrth edrych yn ôl ar f'amser ym Mhowys, llwyddais i gyflawni mwy na chadw'r Awdurdod oddi ar dudalen blaen y *Western Mail*! Un o'r heriau mwyaf diddorol oedd cydweithio efo corff cymharol newydd, Fforwm Cynllunio Iechyd Cymru. Roedd 'na dîm disglair wrth y llyw – yr Athro Morton Warner fel Cyfarwyddwr, Marcus Longley, Chris Riley a Jeremy Felvus – a dewiswyd Powys fel un rhanbarth ar gyfer modelu patrymau gofal iechyd y dyfodol. Pa effaith, er enghraifft, fyddai telathrebu a thelefeddygaeth yn ei chael, a gyda llawfeddygaeth arferol yn prysur newid yn waith 'twll clo', sut effaith fyddai hynny'n ei chael ar gleifion a'u gofal yn y dyfodol? Faint oedd y ffin rhwng 'iechyd' a 'gofal cymdeithasol' yn mynd i newid? Mae'r cyfan wedi cael cryn ddylanwad erbyn hyn, wrth gwrs, ond ugain mlynedd yn ôl roedd angen darogan faint. Cyhoeddwyd y canlyniadau yn y gyfrol *Health and Social Care 2010; Ymateb Powys*. Un elfen yng ngwaith y Fforwm oedd edrych tuag at y dyfodol. Agwedd arall oedd cynnig canllawiau ar gyfer sut y dylid pennu blaenoriaethau ar gyfer y gwasanaeth, ac yn y ddogfen *Strategic Intent and Direction* gyda'r *mantra* y dylai'r gwasanaeth gynnig 'enillion iechyd, bod â'i ffocws ar bobl, ac yn effeithlon o ran eu defnydd o adnoddau', neu yn yr iaith ar y pryd 'Health Gain, People Centred and Resource Effective', enillodd y Fforwm gryn fri yn rhyngwladol am ei waith. Dw i'n hollol grediniol mai'r un yw'r canllawiau ar gyfer unrhyw wasanaeth heddiw, ond chwalwyd y Fforwm pan ddaeth John Redwood i fod yn Ysgrifennydd Gwladol dros Gymru. Cam aruthrol yn ôl, yn fy marn i.

O Siberia i Mizoram
via Cambodia

ROEDD POWYS WASTAD yn her ac at ei gilydd mwynheais y gwaith. Er hynny, erbyn canol y '90au tyfodd yr alwad i brofi rhagor o'r sgiliau gefais yn ystod f'amser yn Llundain ddiwedd y '70au. Ysgrifennais at yr elusen MERLIN (Medical Emergency Relief International) gan gynnig fy CV a chais am unrhyw gyfleon ar gyfer rhywun fel fi am gyfnod cymharol fyr. Doedd 'na ddim ateb parod, ond wedi cyfweliad yn Llundain – a 18 mis yn ddiweddarach – daeth yr alwad yn 1997 i fynd i Tomsk yn Siberia i weithio ar brosiect i wella triniaeth diciáu yn y rhanbarth. Golygodd hyn dri mis o waith i adolygu'r gwasanaeth gyda'r nod o gyflwyno canllawiau Sefydliad Iechyd y Byd (WHO). Roedd lefelau'r afiechyd, ac yn arbennig yn y carchardai, ymysg yr uchaf yn y byd datblygedig. Doeddwn i ddim wedi bod yn Rwsia o'r blaen, a gan fod prin wyth mlynedd ers i bolisi Perestroika agor y cyn-Undeb Sofietaidd i'r byd, roedd delweddau'r gorffennol yn dal yn gryf ym meddyliau'r rhan fwyaf o bobl yn y wlad hon gan fy nghynnwys i.

Teithiais o Heathrow i Fosgo gyda'r opsiwn annisgwyl gan British Airways o gael sedd 'ysmygu' neu ddim. Consesiwn i'r teithwyr o Rwsia, medden nhw, ac felly roedd yn fwy o sioc byth i weld nad oedd Aeroflot yn caniatáu unrhyw ysmygu ar y ffleit nesaf o Fosgo i Tomsk! Glaniom ym mhrif faes awyr Mosgo, Domodedovo, lle 'blinedig' a di-drefn wrth i mi chwilio am y ffurflen briodol i ddatgan beth oedd gen i wrth fynd i fewn i'r wlad. Tomen o ffurflenni amrywiol yng nghanol bwrdd, a diolch byth bod Slav o MERLIN wedi dod i fy nghyfarfod i'm tywys i faes awyr Sheremetyevo ar gyfer fy ffleit mewnol rhyngwladol [*sic*] nesaf. Rhoddodd Slav fi ar ben y ffordd gyda'r gwaith papur ac i ffwrdd â ni. Domodedovo oedd y tro olaf imi weld unrhyw Saesneg yn gyhoeddus am dri mis.

Roedd cyrraedd Sheremetyevo yn brofiad na fyddaf byth yn ei anghofio – os oedd Domodedovo yn flinedig, roedd Sheremetyevo ar ei wely angau – yn llwm ddifrifol, digroeso, di-baent a'r ddelwedd lwyd ar ben llwyd heb unrhyw liw i ysgafnhau pethau. Profiad newydd imi ar y pryd – er ei fod yn fwy ffasiynol mewn sawl maes awyr erbyn hyn – oedd gweld siwtces pawb yn mynd i ffwrdd i gael ei lapio mewn papur llwyd a thâp, i atal dwyn mae'n debyg, er bod siwtces pawb yn edrych bron yr un peth wedyn ac yn bosib ei wahaniaethu dim ond gan felt ag enw arni gan rai. Roedd Slav yn dal wrth f'ochr yn cynnig cysur yng nghanol y llymder ac ar amrantiad, fel trois i wynebu'r ffordd arall, newidiodd pethau. Yn sefyll tu ôl imi daeth merch dal, hardd, flond mewn gwisg felen lachar a ffasiynol. Cymaint oedd y gwrthgyferbyniad i bopeth arall o'm cwmpas roedd yr argraff a roddodd hi'n fwy! Fel y datgelwyd ar y sgwrs awyren wrth iddi eistedd wrth f'ochr, Miss Siberia oedd hon, ar ei ffordd adref o gystadleuaeth yn America! Parhaodd y ffleit i Tomsk am bedair awr, a gan fod pedair awr o wahaniaeth amser rhwng Tomsk a Moscow, roedd hi'n gynnar y bore wedyn cyn inni lanio, ond nid cyn i mi awgrymu wrth fy nghydymaith ei bod yn siŵr o fod yn falch o fod adref. 'Dim felly' oedd yr ateb annisgwyl, 'Does dim byd yma, a byddaf yn falch o gael mynd yn ôl i America mor fuan â phosib'!

Cefais groeso cynnes iawn yn y maes awyr gan Dr Fraser Wares, cynrychiolydd MERLIN yn y rhanbarth. Roedd Fraser yn un o'r bobl brin hynny sydd yn rhoi eu bywyd i weithio yn y sector 'cymorth' yn symud o fan i fan yn ôl yr angen. Fo oedd arweinydd y tîm o 14 o weithwyr yn Tomsk, gan gynnwys un meddyg lleol, gyrwyr, gweinyddwyr, *logistics*, ac yn hollbwysig imi dau gyfieithydd – Alyona ar gyfer y gwaith llafar ac Andreas ar gyfer y gwaith ysgrifenedig. Roedd swyddfa'r tîm, ynghyd â llety ar gyfer tri ohonom, yn un o'r *apartments* drysau dur dwbl mewn bloc uchel Stalinaidd ar gyrion y ddinas.

Un o Wigan yng ngogledd Lloegr oedd Fraser lle roedd ganddo dŷ teras a oedd yn cynnig man i ddianc iddo bob hyn a hyn. Yn ddiarwybod imi cyn imi gyrraedd, roedd Fraser ar fin dianc y noson honno am ddeng niwrnod o wyliau. Er nad fy lle i oedd gwarafun ychydig o seibiant haeddiannol iddo, prin roeddwn yn gwybod beth i'w wneud a beth i'w ddisgwyl fel y profodd pethe dros y dyddiau nesaf. 'Bydd cyfaill arall yn ymuno â chdi – Bart Jacobs (Jaco), economegydd iechyd o Wlad Belg – buaswn yn ddiolchgar pe tai chdi'n edrych ar ei ôl', ac i ffwrdd â Fraser!

Roedd Jaco yn ei ugeiniau hwyr mae'n debyg, a phrofodd yn her a hanner. Y noson ganlynol gyrhaeddodd o, ac roedd prin wedi dadbacio ei ddillad cyn penderfynu mynd allan am beint. Roedd Tomsk yn gwbl ddieithr iddo fel yr oedd i minnau. Gyda Fraser i ffwrdd, dim ond Jaco a finnau oedd i fod yn yr *apartment* y noson honno. Wrth i Jaco fynd, a sŵn y ddau ddrws dur yn cau'n glep fel drysau carchar, sylweddolais mor unig oedd fy sefyllfa. Meddyliais am baned o goffi i gysuro fy hun. Doedd y gegin ddim yn fawr ond roedd Fraser wedi dangos imi lle roedd yn cadw'r bwyd. Yr hyn nad oedd wedi dangos i mi oedd y degau o gocrotsys brown-goch a redodd i bob cyfeiriad wrth imi agor drws y cwpwrdd! Deallais wedyn mai Bwdydd ydoedd, a'i fod yn gwrthsefyll eu lladd! Creodd hynny benbleth i mi am y tri mis ro'n i yno!

Gyda chryn wahaniaeth oedran a'r consérn 'tadol', heb sôn am 'orchymyn' Fraser i edrych ar ôl Jaco, arhosais ar fy nhraed i'w ddisgwyl adref. Ond daeth hanner nos, dim Jaco! Hanner awr wedi hanner, dal dim Jaco, a gan ei fod newydd gyrraedd a dim modd cysylltu â fo, roeddwn yn teimlo'n gwbl ddiymadferth. Y cwbl allwn ei wneud oedd eistedd yno yn effro yn methu mynd i 'ngwely. Tuag un o'r gloch aeth y ffôn a chynigiodd hynny eiliad o ryddhad, ond eiliad yn unig. Jaco oedd yno, a dywedodd ei fod wedi siarad efo'i wraig a'i bod hi'n anhapus â'u sefyllfa nhw! F'ymateb cyntaf oedd ei ddarbwyllo i ddod yn ôl i ni gael sgwrs. 'Fedra i ddim,' meddai, 'dw i ddim yn gwybod ble mae'r swyddfa'. Wedyn sylweddolais nad o'n i mewn sefyllfa i'w helpu efo cyfeiriad y swyddfa chwaith gan na roddwyd hwnnw imi, 'mond fy nhywys y diwrnod cynt i'r *high-rise* anhysbys, oedd yn edrych yn debyg i gant a mil o flociau eraill i newydd-ddyfodiaid fel ni.

Siaradais yn hir â Jaco gan geisio ei gysuro o bell. Roedd yn oriau mân y bore, yn dywyll a daeth diwedd ar y sgwrs heb unrhyw ateb boddhaol. Prin bod hanner awr wedi pasio pan aeth ffôn y swyddfa yn yr ystafell nesaf eto – y tro hwn neges ffacs, yn amlwg yn ôl yr iaith, y neges yn Iseldireg i Jaco. Am resymau amlwg, ni chymerais lawer o sylw ohoni nes ffoniodd Jaco ymhen ychydig a gofyn a oedd 'na neges, ac os felly a fyddwn yn ei darllen iddo. 'Gwna dy orau,' meddai, a dyma fi'n rhoi cynnig arni – un gair ar y tro, Jaco yn torri ar draws sawl gair yn gofyn imi ei ynganu eto. Doedd dim rhaid imi barhau yn hir iawn cyn i Jaco feichio crio a gweiddi ar fy nhraws, 'Carl, mae hi am fy ngadael i!!' a rhoddodd y ffôn i lawr. Roedd y pellter rhyngddom yn ei gwneud yn amhosibl i'w gysuro, a phan ffoniodd eto ymhen hanner awr i ddweud ei fod yn methu dioddef dim mwy a'i fod am neidio oddi ar yr adeilad lle roedd o, mi aeth fy mhryder yn argyfwng gwirioneddol. Siarad, siarad, siarad – doedd dim modd imi wneud mwy, ac felly y bu am awr neu mwy nes ei bod yn olau dydd. Do, fe ddaeth Jaco o hyd inni yng ngolau dydd, a do, fe weithiodd ein partneriaeth yn arbennig o dda wedi hynny, ond am fedydd! Ni wellodd pethau rhyngddo a'i wraig a chafodd ysgariad ymhen blwyddyn neu ddwy wedyn, ond mae 'na ddiwedd hapus i'r stori yn y man.

Gyda'r nod o gyflwyno polisi WHO ar ddiciáu yn rhanbarth Tomsk, sef DOTS (Directly Observed Treatment, Short-Course Chemotherapy), fy nhasg gyntaf oedd ymgyfarwyddo â'r ffeithiau. Talaith tua'r un maint â Ffrainc yw Tomsk gyda phoblogaeth o 1.5 miliwn ac mae gan ddinas Tomsk boblogaeth o hanner miliwn. Adeg yr Undeb Sofietaidd roedd gan ranbarth Tomsk is-adeiledd rhyfeddol gydag arbenigwyr diciáu ar gyfer bron pob rhan o'r corff – ysgyfaint, esgyrn, llygad, ac yn y blaen – ac er fy mod i wedi cael profiad o weithio yn Ysbyty Llangwyfan a gweld llawer o achosion o'r diciáu, nid oeddwn erioed wedi gweld arbenigo o'r fath. Tai gwael, tlodi a diffyg maeth oedd yn bennaf gyfrifol er nad oedd yr awdurdodau'n barod iawn i gydnabod hynny. Eu hymateb yn y gorffennol oedd darparu gwelyau niferus iawn mewn ysbytai a chadw pobl yno am fisoedd ar y tro ar gyfer eu triniaeth. Hyd yn oed ar gyfer y rhai ifancach, yr un oedd y polisi ac ni welodd llawer o'r plant eu rhieni am fisoedd – peth cwbl annerbyniol i rywun o'm cefndir i. Nid fel'na ydoedd pethau cyn Perestroika, oherwydd byddai'r rhwydwaith o awyrennau yn cynnig cyfle i rieni weld eu plant yn yr ysbyty yn rheolaidd. Bellach, nid oedd modd fforddio hynny ac roedd llawer iawn o'r awyrennau wedi eu hatal oherwydd methiant y llywodraeth i'w cynnal. Yn y carchardai clywais am rai o'r arferion mwyaf aflednais. Doedd amgylchiadau byw y carcharor cyffredin ddim yn braf iawn fel y tystiais, ond i'r rhai hynny oedd yn dioddef o'r diciáu cynigiwyd bwyd ac amodau gwell. Os ydych yn darllen hwn dros baned, awgrymaf eich bod yn ei roi i lawr rŵan, oherwydd i'r carcharorion oedd am 'wella' eu sefyllfa roedd 'na farchnad mewn fflems, sef prynu a chymryd cegaid o boer person heintus cyn ei gynnig yn ôl fel eu sampl eu hunain pan ddeuai cyfle i'w brofi yn bositif!

Bwriad DOTS oedd cyflwyno cyffuriau i gleifion yn yr ysbyty am amser cymharol fyr, pythefnos fel rheol, cyn eu dychwelyd i'r gymuned am eu triniaeth. Yno, drwy'r nyrs yn lleol, roedd yn ofynnol sicrhau fod y cleifion yn dal at y therapi drwy'r misoedd canlynol fel nad oedd y gwrthfiotegau'n colli eu heffaith. Roedd yn bwysig felly inni fonitro'r effaith ar hyd a lled y rhanbarth. Golygodd hynny hel adroddiadau o'r gwahanol ysbytai a theithio cryn dipyn o fewn y rhanbarth.

Ymunodd Dorothi â fi am wythnos yn ystod f'amser yn Tomsk, ond gan nad oedd unrhyw ddiwydiant twristiaeth yno yn 1987 ac nad oedd 'na unlle yn marchnata ei hun fel gwesty – a finnau'n awyddus i symud allan o fy 'nghell' am yr wythnos – ble allen ni fynd? Yr unig opsiwn, yn ôl y sôn, oedd hen bencadlys y 'blaid gomiwnyddol', lle roedd aelodau'r blaid honno'n aros pan oeddynt yn ymweld â'r ardal, ac felly dyma fynd i'r gwesty ar ôl i Dorothi 'gyflwyno' ei hun i'r heddlu lleol. Dau arall oedd yn aros yno y noson honno – un o Ganada ac un o America, ill dau'n gweithio yn y diwydiant olew.

Doedd 'na ddim arwydd o dywydd ansefydlog wrth inni gyrraedd y gwesty, ond o fewn chwarter awr wedi inni fynd i'n hystafell, yn hollol ddirybudd daeth y sŵn mwyaf byddarol o'r tu allan. Wrth inni edrych drwy ffenestr y llawr cyntaf, gwelsom fod y coed dros y ffordd wedi plygu yn orweddol, ac wrth inni gamu drwy'r drws i'r lobi chwalwyd y chwarel wydr fawr ar un pen cyn chwalu'r chwarel ar y pen arall, fel y chwythodd y gwynt yn syth i lawr y coridor. Ni pharhaodd y storm fwy na hanner awr, ond nid anghofiaf byth y fath nerth mewn gwynt.

Cafodd Dorothi ei chroesawu gan feddygon yr ysbyty mewn cinio ar ei noson gyntaf, ond yr hyn oedd yn ddieithr oedd natur y croeso. Roedd fodca'n rhan bwysig o'r croeso hwnnw – llwnc destun fod Dorothi wedi cyrraedd yn ddiogel; ymhen pum munud, cafwyd llwnc destun arall ein bod ni'n cael hwyl efo nhw; pum munud arall a'r llwnc destun oedd bod y gwaith yn mynd i fod yn fuddiol... tan yr olaf ar ôl dwsin o gynigion i ddymuno siwrnai ddiogel adref i Dorothi ar ddiwedd yr wythnos. I'r rhai nad ydyn nhw'n adnabod Dorothi, ychydig iawn mae hi'n yfed, ac yn sicr doedd hi ddim yn yfed fodca, ond llwyddodd rywsut i guddio ei hembaras yn weddol – gyda chymorth y planhigyn gerllaw!

Roedd un daith i hel gwybodaeth yn golygu mynd ar y gwasanaeth *hydrofoil* i fyny afon Tom rhyw 200 cilomedr cyn troi am afon Ob a'r ysbyty yn Kolpashevo. Yn ystod y gaeaf roedd afonydd yr ardal yn rhewi yn gorn, ond ym misoedd Mai i Awst o'n i yno, a gwelwyd cryn ddefnydd o'r afon. Y peth cyntaf wnaeth ein taro wrth fynd allan o Tomsk ar hyd yr afon oedd y ffens weiren-rasel ar hyd y lan ddwyreiniol a hynny o leiaf am ddeng cilomedr cyntaf y daith. Eglurodd fy nghyfieithydd mai amgylchynu tref gaeëdig a gwaharddedig

Seversk oedd y weiren, tref â thros 110,000 o bobl ac a oedd yn canolbwyntio ar ymchwil ar gyfer arfau niwclear, yn gartref ar gyfer *pennau ffrwydrol* niwclear, yn cynhyrchu pliwtoniwm ac yn gartref i sawl adweithydd niwclear. Yn y dref hon roedd fy nghyfieithydd, Alyona Lasovskaya, yn byw ac yn gorfod mynd drwy un o chwech *checkpoint* gyda'i phas penodol bob bore a nos i ddod i'w gwaith yn ninas Tomsk. Cofiaf fynd at y ffin rhyw noson i weld y *checkpoint* a sylweddoli mor real oedd ei sefyllfa arswydus hi. Roedd natur gyfrinachol y dref yn cael effaith arnom ni hefyd gan nad oedd modd inni ymweld â'r ysbyty yn Seversk; yn hytrach, danfonwyd canlyniadau'r cleifion atom ni. Roedd tad Alyona, a oedd wedi ymddeol, yn arfer gweithio yn y diwydiant niwclear, ac ni châi fynd dramor ar wyliau efo'i ferch i Dwrci. Roedd Seversk (neu Tomsk-7 fel y'i gelwid tan 1992), yn ôl cylchgrawn *TIME* yn lleoliad un o'r deg damwain waethaf yn y diwydiant niwclear pan ffrwydrodd tanc yn cynnwys hylif ymbelydrol yno yn 1993. Rhaid imi gyfaddef nad oeddwn yn gwybod hynny pan es i Tomsk! Er bod America a Rwsia wedi cydweithio ers hynny i gau y ddwy uned gynhyrchu pliwtoniwm yn Seversk, mae'r dref yn dal yn 'gaeëdig' i'r byd mawr hyd heddiw!

Fe gyrhaeddom Kolpashevo ymhen rhyw bum awr. Ar y daith, gwelsom y brodorion yn defnyddio'r *hydrofoil* fel bws, yn mynd a dod â'u cynnyrch, siopa, codi eu plant o'r ysgol ac yn anwybyddu'r hyn oedd yn codi braw arnom ni – y tyllau ar lannau uchel yr afon lle golchwyd y pridd i ffwrdd gan adael sgerbydau'r meirw yn y golwg. Yn y fan hyn y sefydlodd Stalin Gulag, y gwersyll ar gyfer y rhai nad oeddynt yn dderbyniol i'r drefn a'r rhai nad oeddynt yn ufuddhau, ac a gafodd eu llofruddio a'u claddu.

Tref â chanddi boblogaeth o 25,000 yw Kolpashevo, ac yno i'n cyfarfod yn y 'porth' roedd meddyg yn ei 30au. Ymlaen wedyn yn ei gar at gyrion y dref ar draws tir diffaith i ardal anial, heibio tomenni o sbwriel ac i fewn i iard nes gweld o'n blaenau yr hyn oedd yn edrych fel sied go fawr. 'Dyma ni,' meddai, 'Ysbyty Kolpashevo'. I rywun o Orllewin Ewrop, roedd yn anodd coelio mai ysbyty ydoedd a ninnau yn un o'r gwledydd mwyaf grymus yn y byd. Ond allan â ni gyda gofal wrth inni droedio ar fyrddau rhydd ar draws tir gwlyb at y drws; oddi yno, yn syth i fewn i'r ward yn llawn cleifion, efallai rhyw 50 i gyd. Ystafell dywyll oedd y ward, ei llawr yn fyrddau pren, yr offer a'r gwelyau o'r oes o'r blaen ond y croeso gan y meddyg ifanc yn gynnes iawn. Dangosodd y labordy inni. Yno roedd teils y llawr yn codi bob sut ac yn mynnu bod rhywun yn camu'n ofalus. Yn y cornel roedd y cwpwrdd gwyntyllu mwg, ei ddrws yn methu cau a dim fent arferol, sincs budron rhyfeddol a'r cyfan yn creu awyrgylch cwbl ddigalon. Doedd gan y staff ddim byd i'w ddweud, dim ond edrych ar y dieithriaid mewn ffordd amheus. Nid oedd ein diffyg Rwseg yn gymorth, wrth gwrs. Ymweliad a sgwrs sydyn oedd hon cyn inni fynd ymlaen i'n llety a'n *suite* am y noson yn yr unig lety yn y dref. Roedd yn annisgwyl felly pan aeth y meddyg â ni i gaffi am fwyd cyn mynd draw i'n llety gan 'nad oes dim swper i'w gael yn y gwesty'. Lle i bobl ifanc ymgynnull oedd y caffi, ond llwyddwyd i gael 'brechdan' wedi ei ffrio ac afal neu ddau gan y meddyg i lenwi twll am y noson. Wrth ymadael, dyma'r unig dro imi weld defnydd o abacus wrth imi dalu'r ferch! Ymlaen i'r gwesty a sylweddoli nad oedd 'na frecwast ar gael y bore wedyn chwaith, a gan nad oedd y cyfryw gaffi ar agor tan y p'nawn cawsom wahoddiad i 'fynd heibio'r ysbyty yn y bore' a 'chewch goffi a bisged efo ni'!

Mi oedd *Fawlty Towers* yn dod i'r meddwl wrth fynd o gwmpas y *suite*. Pe bai criw ffilmio wedi ymddangos, byddai wedi gwneud set dda ar gyfer ffilm o'r 1950au, gyda'r dodrefn brown tywyll, y llun ar y teledu yn rolio fel o'n yn ei gofio o'm plentyndod, oergell â dwy weiren rydd mewn soced, un plât ar gist ac agorwr tun/potel a gwydr ar ei ganol, bath heb ddŵr poeth a dim plwg. Roedd y diffygion yn ddiddiwedd, a hwn oedd y gorau oedd ar gael yn y dref! Doedd 'na ddim i'w wneud ond bod yn rhan o'r set ffilm am y noson a mwynhau'r profiad!

O safbwynt ein cenhadaeth, cafodd gwaith DOTS ei groesawu mewn egwyddor, ond nid felly ydoedd mewn rhai sefyllfaoedd yn Tomsk. Soniais eisoes am yr arbenigwyr di-ri ac roedd gan ambell gyfweliad ei broblemau, gan gynnwys yr un gyda phennaeth yr ysbyty. Roedd yr Athro Strelis yn ddyn balch ei natur ac wedi rheoli ei sefyllfa glinigol ers cyn cof. Pwy oedd y gŵr dieithr, felly, i herio ei ffordd o weithio? Cofiaf ei eiriau '... dyw eich bacteria diciáu chi ddim yr un peth â'n rhai ni...'! Doedd 'na ddim diben dadlau'r pwynt ond dangos drwy esiampl bod y model arall oedd gan y WHO, a oedd yn cael ei gyflwyno gennym, yn gweithio, ac felly ymlaen â'r gwaith.

Fel y soniais, nid oedd diwydiant twristiaeth yn Tomsk fel y cyfryw a phrin felly oedd yr atyniadau ar gyfer ymwelwyr. Er hynny, ar ôl chwe wythnos yn y ddinas o'n i'n gyfarwydd â rhai pethau o ddiddordeb gan gynnwys cofgolofn Lenin yn y prif sgwâr. Mae tai pren Tomsk, yn dyddio o'r 18fed ganrif, wedi eu cerfio fel les ac yn cynnig cymaint o wrthgyferbyniad i flociau *high-rise* Stalin gerllaw. Roedd ymweliad â stôr fwyaf y ddinas yn rhan o'r profiad gyda silff ar ôl silff yn wag neu'n brin o nwyddau. Mor wahanol oedd hi cyn y newid mawr yn Rwsia. Yr adeg hynny, medden nhw, roedd 'na ddigon o nwyddau i'w prynu ond dim arian. Rŵan, roedd y sefyllfa yn hollol groes. Roedd hoel yr hen drefn yn dal yn amlwg yn 1997. Rhygnu ymlaen oedd system gwresogi canolog y dref a'i dyllau peryg bywyd yng nghanol y stryd yn tasgu stêm i'r awyr. Methodd y system yn gyfan gwbl am y mis olaf o'n i yno a minnau'n gorfod berwi tecell bob tro o'n i'n ymolchi neu siafio.

Saif Tomsk yng nghanol y taiga, band o goedwig fythwyrdd sy'n amgylchynu'r byd. Mae'n ymestyn o gwmpas Tomsk am filltiroedd i bob cyfeiriad yng nghanol gwlad eithaf gwastad ac anniddorol. Fel rhan o'm gwaith, roedd rhaid mynd i ysbyty'r brifysgol yn Novosibirsk, rhyw dair awr i'r de o Tomsk a theithio drwy'r gwastadeddau. Pan welsom ni arwydd ffordd 'Irkutsk 1430 cilomedr' sylweddolais mor fawr yw'r wlad! Tref fawr yw Novosibirsk erbyn hyn a thref sydd wedi tyfu fel canolfan weinyddol dros y blynyddoedd diwethaf ar draul Tomsk am ei fod yn fan pwysig ar y rheilffordd Traws-Siberia. O'n i'n disgwyl rhywfaint o ddylanwad y gorllewin ar y dref, ond fel fy mhrofiad yn Tomsk ni welais yr un gair o Saesneg. Yn wir, yn fy nhri mis yn Tomsk ni welais yr un papur newydd na chylchgrawn Saesneg, dim teledu Saesneg (dim Sky na CNN hyd yn oed!) a dim cynnyrch cyfarwydd yn y siopau. Nid oedd yr un o'r bobl broffesiynol yn nhîm MERLIN ('blaw fy nhgyfieithwyr) yn siarad Saesneg, na'r meddygon yn yr ysbytai, ac ar ddiwedd fy mhrofiad roedd rhywun yn sylweddoli mor ynysig oedd y rhan hon o Rwsia oddi wrth ein byd gorllewinol ni ac, wrth gwrs, ninnau o'u byd hwythau.

Roedd fy ngwaith gyda Jaco yn ffrwythlon iawn a mi weithiom ni fel tîm clòs iawn ar ôl trawma y dyddiau cynnar. Er fy mod i wedi cael cymhwyster mewn economeg iechyd, doeddwn i erioed wedi cael y profiad o gydweithio efo economegydd o'r fath tan rŵan, a'r hyn a lwyddom i'w wneud oedd ailgyflunio'r gwasanaeth diciáu. Roedd hynny'n anorfod wrth inni argymell bod cleifion yn cael eu trin gartref am y rhan fwyaf o'u triniaeth gyda'r canlyniad bod angen tocio'n sylweddol iawn ar nifer y gwelyau oedd ar gael. Cafwyd enghraifft o hyn yn yr ysbyty ar gyfer plant a oedd yn dioddef o'r diciáu. Roedd yno 150 o welyau gyda 60 yn ychwanegol ar gyfer plant â diciáu yn yr Ysbyty Rheilffordd yn Tomsk, nifer rhyfeddol o gofio nad oedd poblogaeth y rhanbarth ddim ond yn 1.5m. Yn ogystal, roedd gan yr ysbyty ysgol gyda 15 o athrawon ar y safle. Ein cred ni oedd, pe bai'r plant yn cael eu trin yn eu cartrefi, y byddai cyn lleied â 12–15 o welyau yn ddigonol a byddai hynny'n caniatáu buddsoddiad sylweddol yn y gefnogaeth gymunedol wrth i gostau'r ysbyty leihau.

Yr un oedd hanes y gwasanaeth ar gyfer oedolion, ond roedd rhaid darbwyllo'r awdurdodau llywodraethol – ac nid y clinigwyr yn unig – o werth ein model ni. Felly, rhaid oedd mentro i'r Duma, sef y llywodraeth yn y rhanbarth, ac eistedd o flaen rhes o swyddogion etholedig yn ein herio. Ni chafwyd ateb ar y pryd, ond cadarnhaol oedd yr adwaith yn y pen draw.

Wrth i ni agosáu at ddiwedd ein hamser yn Tomsk, un maes nad oedd wedi ei gyffwrdd gennym oedd yr ysbyty iechyd meddwl, lle roedd lefel y diciáu yn debygol o fod yn uchel oherwydd natur eu hamgylchiadau. Wedi cyrraedd yr ysbyty ar gyrion y dref, o ran ei bensaerniaeth roedd yn atgoffa rhywun o ysbyty 'meddwl' yn ein gwlad ni ar ddiwedd y 19eg ganrif. Roedd mynediad i ward y rhai sâl eu meddwl, ac yn dioddef o'r diciáu, ar un ochr yr iard lawn chwyn a oedd yn ein cyfarch wrth inni gyrraedd. Mynediad ar wahân i'r prif fynediad ydoedd, ac er fy mod i wedi dod yn gyfarwydd â chymaint o fywyd Rwsia erbyn hyn, doeddwn i ddim wedi ymbaratoi ar gyfer yr olygfa oedd yn fy wynebu. Daeth meddyg tal a hardd ei golwg i'r drws i'n cyfarch a'n tywys i fewn i ward 80 o welyau. Bron imi droi ar fy sodlau gan yr arogl, ond yr hyn oedd yn weladwy wnaeth yr argraff fwyaf wrth inni sleifio heibio'r cleifion wnaeth ein cyfarch, yn gymysgedd o bobl ag anabledd dysgu a rhai sâl eu meddwl. Prin oedd y 'preswylwyr' yn gweld wynebau dieithr fel ni, ac yn sicr doeddwn i ddim wedi gweld golygfa debyg o'r blaen. Yn ein hamgylchynu oedd degau o gleifion, pob un yn gwisgo cobenni gwynion i lawr at eu traed ac yn sifflo o gwmpas y llawr. Yn y pen pellaf roedd 'na gleifion mewn gwelyau – y cyfan yn edrych fel golygfa o gyfnod Dickens. Ond sut i ymateb? Gyda'r swn a'r arogl yn llethu dyn, cawsom ein hebrwng i swyddfa'r meddyg a oedd yn gyfrifol am yr uned. Roedd yn hollol amlwg yn ystod y sgwrs bod y rhan fwyaf o'r bobl yn y ward yno am oes a'r unig ffordd allan i'r rhan fwyaf oedd i'r fynwent.

Roedd yr hyn o'n i wedi ei weld yn codi chwilfrydedd am weddill yr ysbyty, ac o'n i'n awyddus i ofyn cwestiynau am y gwasanaeth i'r sawl oedd yn gyfrifol amdani. Gofynnais am gael gweld y 'pennaeth'. 'Fi ydy'r pennaeth,' meddai'r meddyg, ond wedi pwyllo am eiliad neu ddau mentrais, 'Na, pennaeth yr ysbyty oll.' Yn amlwg, nid oedden nhw'n barod am gais o'r fath ac aeth hi i ffwrdd a'n gadael am hydoedd yn ei swyddfa. Ymhen rhyw dri-chwarter awr daeth hi yn ei hôl gyda chaniatâd wedi ei roi inni fynd ar draws yr iard at y bloc gyferbyn. Daeth meddyg ifanc efo ni i ddangos y ffordd. I fyny'r grisiau at y llawr cyntaf, a'r ward cyntaf i'w weld yn llawn o ddynion ifanc iach eu golwg yn eistedd o gwmpas eu gwelyau. 'Beth sy'n bod ar y rhain?' gofynnais yn naïf. 'O, dim llawer,' atebodd, 'dim ond consgripts sydd wedi gwrthod ymuno â'r fyddin'! Ymlaen â ni ar hyd sawl coridor nes dod at res o gadeiriau o flaen drws wedi ei orchuddio mewn trwch o ledr du. Cefais fy nghymell i eistedd a disgwyl, ond rhaid imi gyfaddef, ar ôl eistedd yno am ddeng munud neu fwy, o'n i'n dechrau amau doethineb fy nghais. O'r diwedd, daeth y foment ac i fewn â fi. Yno o 'mlaen, mewn cadair ddu anferth, oedd y dyn ei hun, tu ôl i ddesg sgleiniog ddu a chrôm. Roedd yr ystafell fawr yn edrych fel teyrnged i *Dallas* ac yn gwbl wrthun ar ôl gweld beth oedd sefyllfa'r trueiniaid ochr arall yr ysbyty ryw awr yn gynt. Doedd fawr o awydd sgwrsio arna i, rhag ofn fy mod yn rhoi fy nhroed ynddi; wedi'r cyfan, atgoffais fy hun, ro'n i'n westai yn Rwsia, gwlad â hanes arbennig o drin pobl feirniadol o'r drefn. Es i oddi yno y p'nawn hwnnw yn ddyn anfodlon iawn â'r hyn o'n i wedi ei weld.

Yn nesáu at f'amser ymadael â Tomsk, cynigiodd un o'r meddygon yn y tîm gyfle i rai ohonom fynd i'w ail gartref, neu 'dacha', am y penwythnos fel y byddem ni'n cael profiad Rwsiaidd traddodiadol. Mae'n debyg bod gan 80% o bobl Rwsia *dachas* yn y wlad, ac yn sicr mi oedd yn brofiad i'w fwynhau – coginio yn yr awyr agored, sŵn bleiddiaid yn udo wrth inni hwylio i gysgu, a'r cyfle yn y bore i fynd i'r *banya* (math o sawna), chwysu am chwarter awr, ac wedyn neidio i'r afon rewllyd oddi tanom.

Ond cyn inni ymadael roedd yn hollbwysig adrodd am oblygiadau gwaith y tîm ar gyfer y dyfodol. Roedd y gwasanaeth traddodiadol ar gyfer trin diciáu yn Tomsk wedi dirywio i'r pwynt nad oedd yn effeithiol nac yn effeithlon. Gan fod ein hadroddiad yn cynnig newid sylfaenol ar gyfer y dyfodol, sut oedd trosglwyddo'r neges i'r sawl oedd angen ei chlywed? Gofynnais i swyddfa MERLIN yn Rwsia drefnu cyfarfod gyda'r Weinyddiaeth Iechyd ym Moscow. Nid oedd pethau'n gweithio fel'na, medden nhw. Ond o'n i'n teimlo mor gryf fod gennym neges bwysig i'w throsglwyddo i'r gwasanaeth nes i fi ofyn i MERLIN yn Llundain ymyrryd, ac er mawr syndod i bawb yn Tomsk cytunodd y Weinyddiaeth. Gyda'r ffarwelio arferol a'r fodca'n llifo unwaith eto, yn ôl â ni felly i'r brifddinas. Dw i'n siŵr i'r darllenydd craff nodi'n gynharach bod y ffleit o Moscow yn cymryd yr un faint o amser â'r gwahaniaeth amser; canlyniad hynny ar y ffordd yn ôl oedd i ni gychwyn am 9 o'r gloch y bore a chyrraedd Moscow yr un amser!

O gyrraedd y brifddinas ddeuddydd cyn i fy nghytundeb orffen, es i draw i'r Kremlin – gyda Fraser oedd ar ei ffordd adref eto – a gweld y dirprwy Weinidog Iechyd. Roeddwn yn medru adrodd ein casgliadau a'n hargymhellion iddo yn Saesneg. Cafwyd ymateb deallus a chynnes iawn.

Arhosodd Fraser a finnau yn y pentref Olympaidd a adeiladwyd ar gyfer cystadleuwyr y gêmau yn Rwsia yn 1982. Bloc anferth ugain llawr oedd ein gwesty 'rhad' ar gyrion y ddinas y noson honno. Wrth gyrraedd, roedd y dderbynfa'n cynnig o leiaf 15 o ddesgiau ar hyd wal bella'r cyntedd; roedd y cyfan ar raddfa fwy nag unrhyw beth o'n i erioed wedi ei weld o'r blaen mewn gwesty, ac un peth yn unig oedd ar fy meddwl ar ôl y daith flinedig o Tomsk, sef gorffwys. Roedd 'na nifer helaeth o lifftiau, ac ar ôl llofnodi'r llyfr aeth Fraser a finnau i'r lifft agosaf ac i fyny am y deunawfed llawr. Wrth gamu i'r lobi a mynd am ein hystafell yr ochr draw, dyma ddwy ferch yn dod allan o'r lifft wrth ein hochr a cherdded tu ôl inni am yr un drws. Rwseg oedd eu hunig iaith, ond rhyngddom deallom beth oedd eu cenadwri! Doeddwn i ddim yn siŵr sut i ymateb i'r frawddeg, 'Dim ond pum munud fyddwn ni'! I'ch sicrhau, wnaethom ni ddim manteisio ar eu cynnig! Yn amlwg, roedd 'na ryw ddealltwriaeth rhwng y genod ar y dderbynfa a'r merched hyn!

Roedd ymweliad â'r deintydd yn uchel iawn ar fy rhestr o bethau i'w gwneud tra oeddwn ym Moscow. Hanner ffordd drwy fy amser yn Tomsk o'n i wedi colli *crown*, ac er fy ymdrechion gyda Super Glue (o'n i'n gwrthod rhoi fy hun yn nwylo deintydd yn Tomsk), doedd dim byd yn tycio. Cofiaf un noson i'r *crown* lanio yn y sinc wrth i mi frwsio fy nannedd. Bydd y rhai sydd wedi bod yn Rwsia yn gwybod nad oes plwg yn y rhan fwyaf o'r ystafelloedd molchi – dim ond twll – a ble aeth y *crown* ond yn syth am y twll. Wrth imi symud yn sydyn i drio ei ddal, dyma fi'n ei daro'n galed yn erbyn ochr y basn cyn iddo fynd rownd a rownd fel pêl *roulette*. Llwyddais i'w ddal jyst cyn iddo fynd i'r dibyn, diolch byth, a rŵan o'n i am ei gyflwyno i'r deintydd yn yr American Dental Clinic. Nid oedd gweld y giard arfog wrth y drws yn fy nghysuro ryw lawer, ond i fewn â fi a chael llwyddiant o'r diwedd.

A oedd yr ymweliad yn werth chweil? Yn dilyn cwymp Comiwnyddiaeth gwelodd Rwsia gynnydd o 42% yn nifer yr achosion o'r diciáu. Yn sicr, o safbwynt iechyd pobl Tomsk mi oedd, a phrawf o hynny oedd gweld sut cafodd y model roedd Jaco a finnau wedi ei ddyfeisio ei fabwysiadu, nid yn unig yn Tomsk ond mewn Oblastau eraill fel rhan o raglen y Weinyddiaeth Iechyd yn Rwsia. Adeg cau rhaglen MERLIN yn Tomsk yn 2005, gwelwyd lleihad o 6% mewn diciáu yn Tomsk o'i gymharu â chynnydd o ryw 10% yn Rwsia. Llwyddiant felly. O ran y profiad o fod yn y wlad am dri mis, gadawodd ddwy argraff ddofn arnaf – yn gyntaf, yr awydd gan bob un ond un o'r staff yn swyddfa MERLIN yn Tomsk i fyw yn America (yr arch elyn?), ac o weld y fath dlodi a diffyg trefniadaeth mewn cymaint o agweddau yn y wlad, a fu'r Undeb Sofietaidd yn fygythiad go iawn i'r Gorllewin hyd at ddiwedd y rhyfel oer? Roedd yn eithaf amlwg mai tanseilio economi'r Undeb Sofietaidd oedd y 'rhyfel oer' – rhywbeth i ddargyfeirio eu hadnoddau i feysydd rhyfelgar yn lle buddsoddi yn eu pobl, a mi lwyddodd!

Cyrhaeddais adref i faes awyr Heathrow gyda Dorothi yno i'm cyfarfod. Roedd hi'n gwybod i mi fod at y deintydd a chan ofni'r gwaethaf, dychrynodd y greadures o weld band aur ar draws fy nannedd wrth imi ddod allan heb sylweddoli am funud bod papur lapio aur ar far siocled yr awyren yn gyfrifol am y twyll – cam yn well na'r dihiryn Jaws yn ffilmiau James Bond!

Ond o ganol Siberia yn ôl i 'mhriod waith ym Mhowys. Soniais eisoes am yr her wrth i unrhyw Awdurdod ddarparu

Tîm Olympaidd Lesotho yn y Wigoedd wrth iddyn nhw baratoi ym Mhrifysgol Glyndŵr ar gyfer y gêmau yn Llundain.

Pedwarawd o bobl ifanc leol yn ein difyrru yn ystod Te Mefus blynyddol Dolen Cymru yn y Wigoedd.

Ei Hardderchogrwydd Felleng M Makeka, Uchel Gomisiynydd Lesotho (cefn, ar y chwith), ynghyd â'i staff a'r Gweinidog Rhywedd, Ieuenctid a Chwaraeon, Thesele Maseribane (blaen, ar y chwith), o flaen y Wigoedd – Is-genhadaeth Lesotho yng Nghymru.

Plant Lesotho – yr wynebau'n dweud y cyfan. Heb ddim ac, eto, yn cynnig gwên bob amser.

Tîm iechyd Dolen Cymru yn Lesotho o dan arweiniad Dr Paul Myres, Cadeirydd y Pwyllgor (cefn, ar y dde). Yn eistedd wrth fy ochr mae'r Tywysog Seeiso, Llywydd y Senedd.

Hugh Jones, meddyg ym Mlaenau Ffestiniog, yn chwarae un o offerynnau 'cartref' y Basotho yn ystod ymweliad 'diwylliannol' Dolen Cymru â'r wlad i ddathlu pen-blwydd y mudiad yn 21 oed yn 2006.

Y Frenhines 'Masenate Seeiso ar ymweliad â Nant Gwrtheyrn adeg cyfarfod blynyddol Dolen Cymru yn y Nant yn 2010.

Pwyllgor cenedlaethol Dolen Cymru gyda'r Arglwydd Mike German, y Llywydd, yn 2015.

Prif Weinidog Cymru yn arwyddo Memorandwm o Ddealltwriaeth rhwng y ddwy wlad gyda Gweinidog Tramor Lesotho, Mohlabi Tsekoa, yn y Senedd yn 2014.

Ymgyrch etholiadol ym Maldwyn 1979 gyda Desley Moore, Trefnydd yr Etholaeth (blaen, ar y chwith), a Hefina Thomas (cefn, ar y chwith), gwraig fy nghynrychiolydd, y Parchedig Arthur Thomas.

Ar ddiwedd fy ngyrfa wleidyddol ym Maldwyn gyda rhai o hoelion wyth yr etholaeth. Yng nghwmni Dafydd Elis-Thomas mae Enid Jones a Baldwyn Thomas.

Efo ffermwyr Bro Ddyfi: 'I be mae hwn beth bynnag?'!

Ymweliad Plaid Cymru â Libya yn 1976. Yn y llun mae Mabrouk Dredi o'r Undeb Sosialaidd Arabaidd a Brian Morgan Edwards.

O flaen y Weinyddiaeth Amddiffyn yn Llundain gyda Dafydd Wigley AS ar y ffordd i leisio barn am effeithiau hedfan isel yn y canolbarth wrth Weinidog y Llu Awyr.

Yng ngorsaf Fukushima gyda Malcolm Carroll Greenpeace, Selwyn Jones Cymdeithas yr Iaith, Brian Jones CND a finnau yn cynrychioli PAWB (Pobl Atal Wylfa B).

Ymweliad Naoto Kan (ar y dde i Dorothi), cyn Brif Weinidog Siapan, a'i dîm yn y Wigoedd wrth iddyn nhw ymweld ag Ynys Môn yn 2015 i rybuddio am beryglon ynni niwclear yn dilyn eu profiad yn Fukushima.

Stryd yn Tomioka, talaith Fukushima. Mae'r rhwystr ar draws y ffordd yn nodweddu'r ardal gyfan hyd heddiw. Arweiniodd y lefelau ymbelydredd (yn dilyn ffrwydriadau mewn tri adweithydd niwclear) at greu 160,000 o efaciwîs.

Siaradwr yn Conamara, Iwerddon mewn cynhadledd am ofal i'r henoed yn eu hiaith frodorol, gyda'r Arlywydd Mary Robinson yn bresennol.

Yn Swyddfa'r SNP yn Irvine, swydd Ayr mae Dorothi (canol), gyda Joan, mam Nicola Sturgeon (ar y chwith), yn ymgyrchu yn y refferendwm am annibyniaeth i'r Alban.

Taid (Hugh Thomas) a Nain (Ani Thomas) gyda fy mam, Mary Gwyneth (ar y chwith), a'm modryb Eluned.

Parêd yr hetiau! Fy hen fodryb Jane Ellen gyda'i chyfnither, Jane Ellen Fron Goch, a Maggie Tŷ Capel Parc, Sir Fôn yn eistedd.

Dosbarth y plant lleiaf yn Ysgol Dolbadarn, Llanberis gyda Mam ar y chwith eithaf.

gwasanaeth iechyd mewn sir mor wasgaredig – y tyndra rhwng y dymuniad i gael y gwasanaethau'n lleol a'r angen i gynnig y gwasanaeth gorau posibl. Er mwyn 'datrys' hyn unwaith ac am byth (!), arweiniais ymgynghoriad ar yr ysbytai cymunedol ym Mhowys. Sefydlwyd paneli aml-ddisgyblaethol ac aml-sector ym mhob rhan o'r sir a chafwyd tystiolaeth gan bobl broffesiynol a lleygwyr fel ei gilydd. Ymarfer difyr iawn oedd hwn, ac oherwydd natur y broses enynnwyd perchnogaeth, neu o leiaf gonsenswe, ar ran y canlyniadau. Daeth y cyfan at ei gilydd mewn cyfarfod cabinet, gyda staff clinigol, aelodau o'r Bwrdd a chynrychiolwyr o bob cwr o'r sir yn adrodd eu darganfyddiadau a hwylusydd yn rheoli'r sefyllfa. Lluniwyd patrwm derbyniol ar gyfer pob ardal ym Mhowys yn y ddogfen *Review of Community Hospitals and Related Services in Powys*. Llwyddwyd i sicrhau 50 o 'gynghreiriau iechyd' yn ystod y broses ymgynghorol. Maint ein llwyddiant ar y pryd oedd gweld cyfeiriad at 'Model Powys' yn y wasg iechyd 'Brydeinig'. Yn *Health Care Today* yn Hydref 1994, er enghraifft, o dan y pennawd 'Powys Prowess' mae'r canlynol, 'With a highly dispersed population it is a Trust with no District General Hospital... it serves a population of 135,000 across 2,000 sq. miles of hills, valleys and mountains covering a large part of mid-Wales. It is **highly regarded and innovative**' [eu pwyslais nhw]. Ar yr un pryd, yn y cylchgrawn *At Home* o dan y pennawd 'Reinventing Health Care' gwelwyd y canlynol, 'Powys. There they have a strategy. There they have targets. There they have set up community hospitals according to a Plan... They are about to add homecare to the plan... Thank God for Powys'. Mae'n ddiddorol, er gwaetha'r holl waith a wnaed a'r consenswe a gafwyd, i weld heddiw faint o'r argymhellion sydd wedi eu gwireddu a faint o waith adolygu o'r newydd a fu yn ystod y pymtheg mlynedd diwethaf! Plus ça change!

Dewisais ymddeol o'r gwasanaeth iechyd yng ngwanwyn 2000. Fy mwriad oedd treulio mwy o amser yn hyrwyddo'r elusennau a fu'n gymaint rhan ohonof ers cyhyd. Yn 56 oed nid oedd yn hawdd troi cefn ar yrfa yn y gwasanaeth iechyd, ond wedi imi benderfynu gwneud hynny, a chael y cyfle i fyw gartref yn barhaol, doedd 'na ddim newid meddwl!

Er hynny, yn 2003 cefais alwad gan fy nghyfaill Jaco, yr economegydd iechyd, yn tynnu fy sylw at yr angen am fewnbwn ar-y-cyd â fo ac Enfants & Developpement yng Nghambodia/ Kampuchea. Yn wahanol i fy mhrofiad ohono yn Siberia, roedd Jaco bellach wedi aeddfedu ar ôl iddo briodi Sithan, merch o Gambodia, a chael plentyn, bachgen o'r enw JJ. Yr her y tro hwn oedd ailsefydlu'r gwasanaeth gofal cynradd yn Nhalaith Takeo, ar y ffin ag afon Mekong a Fietnam yn ne-ddwyrain y wlad. O gyrraedd y maes awyr yn Phnom Penh, roedd Jaco yno i'm cyfarfod cyn mynd â fi draw i'r gwesty am y noson. Ac am agoriad llygad i'r wlad! Y 'tacsi' cyntaf a gafwyd oedd *tuk tuk* digon cyntefig a'r ddau ohonom yn eistedd yn y pen blaen a'r gŵr oedd yn seiclo yn eistedd tu ôl. Ond yr hyn oedd yn fy nychryn oedd wynebu'r ceir yn dod amdanom fel roedd y tywysydd yn croesi o lôn i lôn. Dw i'n gweld o ble daeth y syniad am y moto-bangio neu *dodgems* gwreiddiol!

Cafodd y gwasanaeth iechyd ei chwalu yng Nghambodia yn gyfan gwbl gan y Khmer Rouge nes mai dim ond 45 o feddygon oedd ar ôl yn y wlad ar ddiwedd 1979 wedi i Pol Pot geisio gwaredu ei wlad o unrhyw un ag addysg. Aeth nifer yr ysbytai i lawr o 40 i 13 ac erbyn 2003 roedd 119 o bob 1,000 o blant dan 5 oed yn marw. Roedd gan Cambodia hanes trychinebus o ran gofal iechyd – roedd 437 o bob 100,000 o famau'r wlad yn marw ar enedigaeth y plentyn ac roedd oed byw oedolyn ar gyfartaledd yn 54.4 – a'r ystadegau hyn yn rhoi Cambodia yn rhif 174 allan o 191 o wledydd y byd. Yn ychwanegol i'r ffactorau arferol sydd yn achosi afiechyd mewn gwlad dlawd, amcangyfrifwyd fod gwaddol Pol Pot wedi golygu bod 4–6 miliwn o ffrwydron tir ar hyd y wlad, ac o ganlyniad mae ganddyn nhw'r ganran uchaf yn y byd o bobl sydd wedi colli rhan o'r corff – 1 ym mhob 236 o'r boblogaeth.

Roedd gen i ddiddordeb gwybod beth oedd yn cymell y Khmer Rouge i weithredu fel gwnaethon nhw. Fel mudiad Maoist y dechreuodd y Khmer Rouge, ac yn ôl rhai o'n i yn siarad â nhw, wrth i UDA ymladd rhyfel yn Fietnam drws nesaf aeth yr Americanwyr dros y ffin ar ôl y rheiny oedd yn cydymdeimlo â Chomiwnyddiaeth gan fomio ardaloedd eang o Gambodia a lladd degau o filoedd o Khmer diniwed. O ganlyniad, ffyrnigodd y Khmer Rouge yn ei agwedd. Ar ddiwedd y rhyfel, wedi i America adael Fietnam, closiodd at Gambodia gyda chymorth yr Undeb Sofietaidd. Wedi dymchwel y wladwriaeth Sofietaidd, doedd gan Fietnam ddim diddordeb yng Nghambodia, ac o ganlyniad y Cenhedloedd Unedig fu'n arwain y wlad am ddwy flynedd o 1991 ymlaen. Etholwyd llywodraeth ddemocrataidd yn 1993, pan sefydlodd y Weinyddiaeth Iechyd gynllun iechyd cyntaf Cambodia.

Roedd ein gwaith yn golygu edrych ar y patrwm gorau ar gyfer y dyfodol gan gymharu gwahanol ddulliau o reoli gofal iechyd yn y dalaith. Mewn un dalaith, sef Kirivong, roedd y gweithwyr i gyd yn cael eu cyflogi gan y llywodraeth. Yn y dalaith nesaf atom, sef Ang Roka, roedd y staff iechyd yn cael eu cyflogi gan Gymdeithas Meddygon Asia, a daeth yn amlwg fod y gwariant yn wahanol yn y ddau le – Kirivong US \$2.42 y pen yn flynyddol ac yn Ang Roka US \$4.3 y pen. Ac eto, o edrych ar wahanol *criteria*, er enghraifft: mynychu clinigau gofal cyn-eni, imiwneiddio ar gyfer plant 1–2 oed, genedigaethau gyda staff wedi eu hyfforddi, ac yn y blaen, nid oedd llawer o wahaniaeth yn y canlyniadau. Wedi i'r llywodraeth gymeradwyo talu ffi ar gyfer gwasanaethau yn 1997 aeth pethau ar chwâl a dechreuodd llawer o gleifion dalu'n breifat, ac o ganlyniad roedd Cambodia yn talu canran uwch o'i Chynnyrch Domestig Gros (GDP) ar iechyd na'r un wlad arall yn Asia er mai hon oedd y wlad dlotaf yn y rhanbarth. Er hynny, gwelwyd canlyniadau iechyd gwaeth yn aml gan fod llawer o'r 'meddygon' preifat heb unrhyw gymwysterau. I geisio atal y duedd hon, sefydlwyd cronfa ecwiti gan y pagoda[1] yn Kirivong, ac fel canlyniad i'n gwaith ni adeiladwyd ar hynny gan greu model â sail ar gyfer gofal cynaliadwy ac amcanion newydd o 2004 ymlaen.

---

[1] Canolfan a man addoli ar gyfer y Bwdhyddion

Yn eu mysg roedd lleihau rôl y sector preifat, cydraddoldeb o ran darpariaeth, mynediad rhwydd at bob gwasanaeth a phartneriaeth â'r gymuned. Cytunwyd ar sawl argymhelliad i gyrraedd yr amcanion, yn bennaf esblygiad o'r 'gronfa ecwiti' i fod yn Gynllun Yswiriant y Pagoda, a phob oedolyn yn gwneud taliad i gronfa fyddai'n talu am y rhan fwyaf o'r triniaethau oedd ar gael yn yr ysbyty neu'r ganolfan iechyd leol. Ymysg yr argymhellion eraill cafwyd y canlynol:

- hyfforddiant staff iechyd mewn sgiliau rheolaeth
- datganoli grym
- datblygiad y model cymunedol gan roi mwy o rym i'r penaethiaid yn y gymuned
- cydlyniad y gwaith rhwng gwahanol asiantaethau
- llywodraethiant clinigol, ac wrth gydnabod lleihad yn y mewnbwn gan y rhoddwyr, cynnydd yn y gwariant gan y llywodraeth gyda'r nod terfynol o sicrhau gwasanaeth iechyd cynaliadwy erbyn i'r cytundeb ddod i ben yn 2007

Difyr oedd y trafodaethau gyda'r Prif Fynach a'r mynachod eraill. Cynhaliwyd y cyfarfodydd gan amlaf yn y pagoda lle roedd pawb o bob oed yn gwisgo eu cobanau oren, yn amlach na pheidio yn cynnig gwên i'r dieithriaid yn eu mysg. Ffrwyth ein gwaith oedd defnyddio is-adeiledd y pagoda i greu model lles nad oedd yn annhebyg i'r un yng Nghymru.

Am y tri mis yng Nghambodia ro'n i'n byw ar gyrion pentref gyda theulu lleol ac yn ymuno â Jaco am goffi bob bore mewn caffi agored a ddefnyddid gan y bobl leol. Roedd y diwrnod yn dechrau am 6.00 y bore er mwyn osgoi gwres y dydd a'r mosgitos a oedd yn gymaint o bla. Malaria oedd un o'n pryderon mwyaf ni, ac arferwn gysgu o dan rwyd bob nos – os oeddwn yn mynd i'r tŷ bach yng nghanol nos, roedd yn her ychwanegol i'r arfer felly! Roedd y clefyd Dengue, sydd hefyd yn cael ei gludo gan y mosgito, yn weddol gyffredin yn y rhanbarth. Yng Nghambodia deallais am y tro cyntaf mor ddiawledig mae'r mosgito'n medru bod. Yn poenydio rhywun yn ddi-baid ac yn brathu pob rhan o'r corff os cyfyd y cyfle, daethon nhw yn eu miloedd, yn arbennig gyda'r nos, a 'blaw bod rhywun wedi gorchuddio'n llwyr a phlastro ei hun â Skin So Soft gan Avon (gwers gan filwyr o Fietnam!), mi fyddai bywyd yn gwbl annioddefol. Ar gyrion y pentref, wrth deithio ar ffyrdd cyntefig yr ardal, roedd 'na bentrefi gwasgaredig yng nghanol y goedwig, cymunedau traddodiadol yn byw bywyd syml iawn heb unrhyw gyfleusterau cyfoes. I'r cyfeiriad arall, roedd 'na wastadeddau oedd o dan ddŵr am ran helaeth o'r flwyddyn a lle tyfid reis yn y caeau. Braf oedd gweld y cnwd yn sail i gymaint o economi'r ardal, nes imi glywed am yr arfer o chwistrellu'r reis â DDT yn rheolaidd i ladd y plaoedd oedd yn ei heintio. Rhaid imi gyfaddef fy mod wedi chwilio am reis organig byth oddi ar y profiad hwnnw. Anghynnes hefyd oedd gweld y brodorion yn hela'r llygod mawr a'r nadroedd am fwyd fel oedd y tymhorau'n gweld lefelau'r dŵr yn mynd i lawr yn y llynnoedd oddi amgylch y pentref.

Roedd natur fy ngwaith yn golygu bod rhaid mynd i'r brifddinas, Phnom Penh, yn rheolaidd i sicrhau nad oedd ein trywydd yn anghyson â'r hyn oedd gan y Weinyddiaeth Iechyd ac Enfants & Developpment mewn golwg. Cymerai'r daith tua tair awr a hanner ac roedd fy ngyrrwr, Tei, yn mynd â fi draw yn ôl yr angen. Bu Tei ar ffo drwy gydol teyrnasiad y Khmer Rouge pryd y dysgodd sut i fyw ar gynnyrch gwyllt y wlad am wythnosau ar y tro. Wrth inni yrru am Phnom Penh, dangosodd imi sut a ble roedd yn cuddio am ddyddiau, ac wrth inni fynd am y ddinas ar yr ail achlysur roedd yn amlwg yn fwy cyfforddus efo fi. Rŵan, wrth gyrraedd y cyrion, soniodd ei fod yn awyddus i ddangos peth imi a oedd yn amlwg yn ei dryblu. Yng nghanol un o'r maestrefi, trodd i ffwrdd i lawr stryd gefn nes cyrraedd hen ysgol uwchradd. 'Yn fan hyn,' meddai, 'roedd Pol Pot yn hel y bobl i'w lladd, gan gynnwys rhai o'm teulu'. Tan hynny, doeddwn i ddim wedi llawn sylweddoli maint yr erchylldra y bu Pol Pot yn gyfrifol amdano. Yn ystod y tair blynedd, wyth mis ac ugain diwrnod y bu'n teyrnasu, lladdwyd dwy filiwn o bobl y wlad, naill ai drwy eu dienyddio, drwy newyn neu afiechyd oherwydd eu hamgylchiadau difrifol, ac yn fan hyn, o 'mlaen, y lladdwyd miloedd ar filoedd. Wrth fynd i fewn i iard yr ysgol, gwelwyd offeryn cyntaf y peiriant lladd – pwli oedd yn hongian pobl ben i lawr uwch ben dŵr cyn eu boddi. Wrth fynd i fewn i'r 'ysgol', cafwyd argraff o normalrwydd ar yr wyneb, fel petai rhywun yn mynd i fewn i hen ysgol yn y wlad hon, ond o gerdded y coridor roedd y naill ystafell ddosbarth ar ôl y llall yn destun i ddiawledigrwydd y drefn – y teclynnau arteithio a'r cadwyni'n amrywio o fan i fan – gan orffen gyda siambr cas gwydr yn llawn penglogau'r meirw. Achlysur emosiynol iawn i'r cyfaill a oedd yn gwmpeini i fi, a'r graith feddyliol yn dal yn fyw iawn iddo.

Ar nodyn ysgafnach, cofiaf iddo fynd â fi i Phnom Penh ryw dro arall a'r ddau ohonom yn sôn am ein cartrefi a'r cwestiwn arferol yn codi, 'O ble dach chi'n dod?' 'Wales,' meddwn, ac yn amlwg ni olygodd ddim iddo nes y daith nesaf, lle trodd y sgwrs at bêl-droed a'n hoff chwaraewyr. Ar adeg fel'na, mae rhywun yn deall cymaint o argraff mae cynghrair pêl-droed Lloegr yn cael ar weddill y byd. Roedd y cyfaill yn gyfarwydd ag enwau pêldroedwyr amlwg yn y cynghrair, a nid yn annisgwyl gofynnais a oedd wedi clywed am Ryan Giggs gan ei fod yn chware dros fy ngwlad i. 'Ah, Cymru,' atebodd yn Gymraeg, gan ei fod wedi sylwi ar y tab 'Cymru' ar war crysau'r tîm! Ro'n i'n gegrwth – dyn oedd heb glywed am 'Wales' ar y daith gynt ond yn gyfarwydd â 'Chymru' drwy ei gariad at bêl-droed!

Mae hanes tyndra rhwng Cambodia a gwlad Thai yn mynd yn ôl ganrif a mwy yn dilyn dadl am diroedd o gwmpas temlau yng ngogledd y wlad. Prin o'n i'n gwybod am hyn nes un noson yn Phnom Penh, pan glywyd seirenau a gweld bod rhan helaeth o'r olygfa o ffenest y gwesty yn fflamau yn tasgu i'r tywyllwch a mwg yn lledaenu ar draws y ddinas. Yn ôl y sôn, roedd actores o wlad Thai wedi ychwanegu at y ddadl am y tiroedd mewn araith yr wythnos honno, a daeth y bobl allan ar y stryd yn eu miloedd i brotestio. Cafodd chwilfrydedd Jaco y gorau ohono ac aeth i fusnesu er mawr pryder i mi. Y bore wedyn, a'r ddinas wedi ei chau i draffig, roedd trawma y noson gynt i'w weld

– llysgenhadaeth gwlad Thai wedi llosgi'n ulw a'r heddlu a milwyr yn gorfodi pobl yn ôl i'w cartrefi. Cymerodd rai oriau inni fynd yn ôl i Kirivong y diwrnod hwnnw gan fod cymaint o faricêds a rhwystrau ar y ffordd. Mae'r dadleuon am y tiroedd yn parhau, ac mae'r achosion llys yn erbyn rhai o arweinwyr y Khmer Rouge yn cael sylw hyd heddiw, 36 mlynedd ar ôl iddynt golli gafael, mor gyndyn yw'r wlad i wynebu ei gorffennol.

Doedd y profiad yng Nghambodia ddim heb gyfleon i weld ei gogoneddau, ac er bod Angkor Wat yn cael sylw gan dwristiaid bellach, nid oedd hynny'n wir yn y gorllewin 12 mlynedd yn ôl. Daeth Dorothi drosodd am wythnos i weld y gogoneddau ac arhosom ym mhentref Siem Reap, yn gyfleus ar gyfer ymweld ag atyniadau eraill y dalaith. Prin oedd f'adnabyddiaeth i o'r wlad heblaw y darllen arwynebol cyn cyrraedd. Teml yw Angkor Wat a gafodd ei hadeiladu yn wreiddiol fel prifddinas Hindu ar gyfer ymerodraeth y Khmer, ond erbyn diwedd y 12fed ganrif roedd wedi ei thrawsnewid yn deml ar gyfer Bwdïaeth. Hon yw un o'r henebion crefyddol mwyaf yn y byd. O gyrraedd yno am 5.30 o'r gloch y bore ar gyfer toriad y wawr mae'r olygfa mor drawiadol o gofiadwy, ac o gyrraedd ei phen uchaf, sydd yn golygu cryn ddringo nid amherygl, mae rhywun yn gwerthfawrogi'r 820,000 metr sgwâr ar ei orau. Amcangyfrifwyd fod wyth miliwn o flociau carreg tywod yn y deml, a phob un yn pwyso tuag 1.5 tunnell. Saif Angkor Wat yng nghanol 400 acer o dir Parc Angkor, wedi ei ddynodi yn Safle Treftadaeth y Byd gan y Cenhedloedd Unedig. Mae'r Safle'n cynnwys ugeiniau o demlau, ac wrth eu crwydro mae'n anodd peidio ag uniaethu ag Indiana Jones wrth iddo grwydro drwy hen balasau'r gorffennol â'r basgedi crog a'r plethau cymhleth ar y waliau o'ch cwmpas yn ychwanegu at yr awyrgylch! Roedd yr ymweliad ag Angkor Wat yn wythnos o wyliau yng nghanol fy nghyfnod yn y wlad. Roedd crwydro'r dref yn ddifyr yn y *tuk tuk*, trelar y tro hwn gyda moto-beic yn eich tynnu o'r tu blaen. Roedd hon yn ffordd hwylus i weld y wlad â'r hogia lleol yn eu hwyliau yn eich tywys i bob man. Ond doedd dim byd wedi ein paratoi ar gyfer pentref arnofio Chong Kneas yng nghanol Tonlé Sap, llyn sy'n newid ei faint a'i siâp yn flynyddol fel mae'r dŵr yn llifo i lawr o fynyddoedd yr Himalaya a'i nerth yn newid cyfeiriad llif y dŵr yn yr afon sydd yn ei fwydo. Mae'r llyn yn codi o 2,800 cilomedr sgwâr i 15,000 cilomedr sgwâr, a'i ddyfnder o un metr i wyth metr. Ar adegau y llyn hwn yw'r un mwyaf yn ne-ddwyrain Asia ac mae'n hanfodol ar gyfer bwyd y wlad, gyda chymaint â thair miliwn o bobl yn dibynnu ar ei bysgod. Mae ei drawsnewidiad blynyddol yn golygu bod rhaid i'r trigolion sy'n byw ar y llyn yn Chong Kneas symud eu 'cychod' yn rheolaidd – ac nid cychod cyffredin mo'r rhain. Roedd yno olygfeydd rhyfeddol i'w trysori; yn ogystal â'r tai yn arnofio, roedd 'na ysgol, felly hefyd amgueddfa'r bobl, lle bwyta, cewyll ar gyfer y fferm moch, hyd yn oed polyn lein yn ymestyn ar draws o dŷ i dŷ, a'r cyfan yng nghanol y llyn. Roedd y plant cyn lleied â phump oed yn mynd i'r ysgol mewn cwch bach digon bregus yr olwg, pedwar neu bump ohonyn nhw'n rhwyfo'n braf ar eu pennau eu hunain. Wedi iddyn nhw gyrraedd yr ysgol, byddent yn cerdded at y drws ar lwybr hyd wal y dosbarth a'i led ddim mwy na hyd braich, a'r dŵr ar y naill du yn berygl amlwg inni os nad iddyn nhw. Dyw Cambodia ddim yn wlad i boeni am 'iechyd a diogelwch'!

Felly hefyd ym mhrif farchnad y wlad. Doedd Cambodia ddim yn wlad ag enw da am edrych ar ôl eu gweithwyr ddechrau'r degawd diwethaf, ac wrth grwydro'r farchnad Rwseg yng nghanol Phnom Penh roedd yn hawdd deall pam. Yno ar y stondinau yn eu cannoedd roedd dillad Gucci, Boss a Dolce & Gabbana, rhai yn ddilys ond am ffracsiwn o'r gost gartref ac yn anghyfreithlon wedi iddyn nhw gael eu smyglo allan o'r ffatrïoedd, rhai eraill yn ffugio'r brand ac yn rhatach fyth. Gyda'r nos roedd y rhesi o stondinau wedi eu goleuo â lampau neu ganhwyllau, yn adlewyrchu cymeriad gwahanol y brifddinas gyda merched yn sefyllian ar bob cornel yn disgwyl y cwsmer nesaf a phlant bach yn begera gyda babanod yn eu côl. Trist o le, yn llawn tlodi, a hynny yn anffodus oedd ffawd cymaint o bobl mewn gwlad sydd wedi dioddef cymaint.

Cefais un cyfle arall i weithio mewn lle 'lliwgar'. Yn hollol annisgwyl yn 2006 daeth galwad gan fy nghyfaill Aneurin Owen yn gofyn imi ymuno â thîm wedi ei noddi gan Eglwys Bresbyteraidd Cymru i fynd i dalaith Mizoram yn India. Nod y gwaith oedd datblygu 'Ymateb Strategol ar gyfer HIV/AIDS' mewn talaith oedd â pherthynas glòs â Chymru ers 1891. Yn y flwyddyn honno aeth cenhadon o Gymru draw i Aizawl, prifddinas y dalaith, o dan arweiniad y Parchedig William Williams, ac yn sgil hynny mabwysiadwyd bryniau Lushai fel ffocws ar gyfer eu gwaith. Yn y blynyddoedd wedyn, o dan arweiniad y Parchedig David Evan-Jones, gwelwyd nid yn unig ddylanwad y Cymry ar grefydd yn y dalaith ond hefyd ar y system addysg a gofal iechyd, sydd yn amlwg hyd heddiw. Roedd 'na wyth aelod yn y tîm – Aneurin fel Cyfarwyddwr CAIS, yr asiantaeth alcohol a chyffuriau, Ann Owen, Athrawes Anghenion Arbennig, Goronwy Bennett Williams, Fferyllydd Iechyd Cyhoeddus, Jeanette Williams, Fferyllydd, Dr Richard Pates, Seicolegydd Clinigol Ymgynghorol, John Roberts, Gweinidog a Chynyrchydd gyda'r BBC, Dorothi, Therapydd Iaith a Lleferydd a finnau fel Ymgynghorydd Meddygol Iechyd Cyhoeddus. Saif Mizoram yng ngogledd-ddwyrain India yn ffinio â Myanmar yn y dwyrain a'r de a Bangladesh i'r gorllewin. Mae'n dalaith fynyddig iawn ac anodd ei chroesi, a chaiff teithiau eu mesur mewn oriau yn hytrach na milltiroedd – ac nid dylanwad y Cymry mo hynny!

Roedd cyrraedd talaith Mizoram yn golygu hedfan i Kolkata yn gyntaf. Yn ddiarwybod imi cyn cychwyn, roedd talaith Mizoram yn waharddedig i'r byd tu allan oni bai bod gennych drwydded arbennig. Roedd y sefyllfa yma'n bodoli ers y 1960au pan gydiodd mudiad annibyniaeth y dalaith yn yr awennau gyda chryn drais ac ymyrraeth gan y fyddin. Ond yno yn Kolkata i'n croesawu, ac i roi inni'r papurau trwydded angenrheidiol, roedd cynrychiolydd yr eglwys, ac i ffwrdd â ni ar yr unig ehediad dyddiol i faes awyr Lengpui ym Mizoram. Fel yr oeddem ni'n nesáu at Lengpui, cafwyd argraff gyntaf o ddiriogaeth a harddwch y wlad wrth inni ddilyn llwybr dyffryn cul a mynyddoedd ar y ddwy ochr. Daeth arwyddocâd hynny'n fwy amlwg ar y ffordd adref wedi i'r ffleit gael ei gohirio oherwydd niwl ar y mynyddoedd a'r diffyg offer electroneg yn y maes awyr i sicrhau ein diogelwch wrth hedfan!

Cyrhaeddom Aizawl ar hyd ffordd droellog a lynai at ochr sawl dyffryn serth wrth iddi ymlwybro am y brifddinas. Bob ochr i'r lôn roedd y jyngl, ac yma ac acw bambŵ yn ei fritho. Tynnwyd ein sylw at y blodau ar y bambŵ, ac er nad oedd yn flodeuyn arbennig iawn, yn ôl y sôn dim ond unwaith bob 48 blynedd mae'n blodeuo. Yr adeg hynny mae'r llygod mawr ar eu mwyaf ffrwythlon a niferus ac yn bwyta'r cnydau i gyd, a hynny oedd wedi arwain at ymgyrch annibyniaeth a chwyldro yn y dalaith yn y '60au wrth i'r bobl lwgu yn eu miloedd wedi iddyn nhw golli eu cnydau. Bellach, mae'r pla llygod mawr wedi ei ddatrys ac roedd Mizoram yng nghanol dathlu 20 mlynedd o heddwch ar y pryd. Ond yn gyntaf, cyn inni ddechrau ar ein gorchwyl, roedd rhaid inni nodi ein bwriad a chofrestru yn swyddfa'r heddlu. Cymerodd hyn gryn amser, ac wrth i'r heddwas fynd o'n golwg crwydrodd ein llygadau at ei lyfr yn nodi ymwelwyr o'r gorffennol. Diddorol nodi, o fewn y degawd cynt, mai prin 1,700 o estroniaid oedd wedi cael yr hawl i ymweld â'r dalaith – cymaint o fraint oedd hi i weld y rhan o'r byd efo cyn lleied o ymyrraeth o'r tu allan. Bellach, mae'r gwaharddiad ar ymwelwyr wedi ei ddiddymu.

Saif Aizawl tua 1,300 metr uwchlaw'r môr, tref gyda thua 300,000 o bobl â thrwch ei hadeiladau'n eistedd yn simsan ar ochr y gelltyd serth. Doedd o ddim yn anghyffredin i fynd i fewn i swyddfa neu siop ar y brif stryd, cerdded i gefn yr ystafell a sylweddoli eich bod yn sefyll ar blatfform wedi ei adeiladu ar byst a'r olygfa o'r ffenest yn dangos cwymp o rai cannoedd o droedfeddi i'r dyffryn oddi tanoch!

Mae pobl Mizo yn hanu o'r un tras â phobl Myanmar, ac er bod Saesneg yn gyffredin, yr iaith Mizo sy'n fynych ac mae dros 88% o'r boblogaeth yn llythrennog, yr ail uchaf yn India – ffactor pwysig i'r tîm wrth inni ddatblygu ein strategaeth. Bellach, mae trwch y boblogaeth yn Gristnogion gyda chanran uchel iawn o'r bobl yn mynychu eglwys, ac nid yn annisgwyl, felly, mae gan yr eglwys ddylanwad pwysig ar addysg a bywyd cymdeithasol y dalaith, ffactor allweddol wrth inni lunio ein hymateb.

Ymddangosodd yr achos cyntaf o HIV yn India yn 1986 gyda'r clwstwr cyntaf o'r feirws yn ymddangos ym Mizoram yn 1990. Erbyn inni gyrraedd, cofnodwyd 1,729 o achosion yn y dalaith a'r rhan fwyaf o'r rheini yn nosbarth Aizawl ei hun. Daeth yn amlwg yn weddol fuan mai dwy ffrwd o drosglwyddiad oedd yn gyfrifol am ledaenu'r feirws – trosglwyddiad rhywiol a chwistrellu cyffuriau. Er mai cyfartal rhwng y ddau ryw oedd y ganran ar gyfer trosglwyddiad rhywiol, pur wahanol oedd y sefyllfa drwy chwistrellu cyffuriau gyda thri dyn wedi ei heintio ar gyfer pob merch. Gan fod Mizoram ar y ffin â Myanmar, a'r cysylltiad amlwg â'r Triongl Euraidd lle tyfir gymaint o opiwm, nid annisgwyl felly mai heroin oedd un o brif ffynonellau'r broblem. Yn ogystal, gan nad yw'r farchnad gyffuriau yn India yn cael ei rheoli i'r un graddau ag yng Nghymru, roedd defnydd eang o dextropropoxyphene (Proxyvon), (Co-proxamol) wedi'u prynu dros y cownter. Gwelwyd enghreifftiau o bobl yn chwistrellu i'w coesau a hyd yn oed yng nghesail eu morddwyd gyda chanlyniadau trychinebus, megis casgliad mileinig a'r angen am impyn croen neu golli coes.

Ond ein gwaith ni oedd cynnig atebion. Dechreuwyd ar gyfnod o ymgynghori ar sawl lefel – o'r ysbyty lleol i'r weinyddiaeth iechyd, o'r coleg diwinyddol i'r rheoleiddiwr cyffuriau, y brifysgol a'r adran nawdd cymdeithasol. Gwnaethom ymdrech wirioneddol i gyrraedd pobl o bob oed a chafwyd sgyrsiau gwerthfawr gyda Chymdeithas Ieuenctid Mizo, Clwb Drama, y Cyngor lleol a chynrychiolwyr y cyfryngau. Yn anad dim, cynhaliwyd cyfarfod hollbwysig gyda thîm gweithredol y Synod a sawl un o'i bwyllgorau. Yn ogystal, trefnwyd ymweliadau â mannau arbenigol ar gyfer y gwasanaeth adfer ac atal, yn eu mysg Ysbyty Presbyteraidd Mizoram, Hosbis, Canolfan alw-i-mewn, Cartrefi Gofal Plant, llety hanner ffordd a hostel.

Roedd pawb ar bob lefel yn cytuno nad oedd 'na strategaeth ddigonol ar gyfer HIV/AIDS. Gwelwyd darpariaeth gan 80 eglwys, y gymuned, 28 NGO a Llywodraeth Mizoram drwy'r State AIDS Control Society a'r cyfan yn gweithio gyda'r National AIDS Control Organisation. Roedd gan bob un gyfraniad, ac er yn ymdrechu'n galed roeddent yn methu yn eu nod. Daeth yn amlwg yn fuan felly bod angen gwell cydlynu os am lwyddo. Roedd natur y gymdeithas glòs yn mynnu hefyd bod rhaid i'r eglwysi arwain ar sawl agwedd.

I grynhoi'r canlyniadau, adnabu'r tîm sawl gwendid roedd angen sylw arno:

- cyflenwad annigonol o gyffuriau (gwrth retro-feiral) i drin HIV/AIDS
- monitro annigonol oherwydd diffyg personél a gwasgaredd y boblogaeth
- diffyg ataliaeth eilradd a chyfleon adfer
- addysg rhyw annigonol yn yr ysgolion
- diffyg cwnsela
- cyfnewid nodwyddau'n brin
- systemau rheoli gwan
- argaeledd cyffuriau anghyfreithlon ac o safon isel

Yr uchod oedd sail i'n strategaeth a gyflwynwyd i'r Gweinidog Iechyd Pu Tlanghmingthanga ym mhresenoldeb cynrychiolwyr y Synod ac adrannau eraill, gan gynnwys ysbyty Aizawl. Roedd 'na sensitifrwydd gan yr eglwysi i'r hyn oedd yn cael ei argymell. Yn draddodiadol roedd yr eglwys wedi gwadu bodolaeth gwrwgydiaeth, ac felly roedd yr argymhellion am addysg rhyw yn anodd iddyn nhw. Fel arall, cafodd y strategaeth ymateb brwd ac fe'i derbyniwyd fel ffordd o weithredu ar gyfer y dyfodol. I danlinellu'r cyfan, roedd yr argymhelliad am weithredu ar-y-cyd yn taro deuddeg efo pawb.

Ni allaf ymadael â Mizoram heb gyfeirio at yr ymweliad â'r eglwys ar ein noson olaf. Os oedd 'na unrhyw amheuaeth am bwysigrwydd y Cymry yn y dalaith, fe'i dilëwyd y noson honno. O'r funud aethom drwy'r drws, roedd 'na groeso twymgalon fel yr hebryngwyd yr wyth ohonom drwy'r eglwys, heibio rhyw 600 yn y gynulleidfa, i seddau yn y pen blaen – a'r rheiny'n wynebu'r gynulleidfa! Roedd y cyfan o'r gwasanaeth yn yr iaith frodorol ac yn golygu dim inni nes soniodd y Gweinidog am 'Wales' ar fwy nag un achlysur, ond yr hyn wnaeth yr argraff fwyaf arnaf oedd yr emyn gyntaf, oherwydd yma, ryw 5,000 o filltiroedd o'n cartref ac yn gwbl annisgwyl, tarodd drymiwr nodau agoriadol fersiwn Mizo o 'Calon Lân' ac ymunodd pawb nerth eu pennau yn y datganiad. Achlysur emosiynol iddyn nhw, mae'n debyg ac, yn sicr, inni hefyd.

Ein Gefaill yn Affrica – Sefydlu Dolen Cymru

ER FY MOD wedi ymddiddori mewn iechyd tramor wrth gwblhau fy nghwrs Meistr yn Llundain diwedd y 1970au, roedd fy amser gyda Dr Phillips-Miles yn y Swyddfa Gymreig ar ddechrau'r 1980au yn gatalydd pellach i'm diddordeb. Yma, wrth imi ddarllen bwletinau rheolaidd Sefydliad Iechyd y Byd (WHO), cefais gyfle yn gyson i weld natur yr heriau iechyd oedd yn wynebu'r byd a sut oedd corff fel y Cenhedloedd Unedig yn ymateb iddyn nhw: y rhwystredigaethau, y llwyddiannau a'r methiannau. Does dim dwywaith na thaniodd hyn fy nychymyg – beth yn union oedd rôl Cymru neu, yn fwy priodol efallai, beth ddylai rôl Cymru fod?

Ym Medi 1982 ysgogodd y profiad fi i ysgrifennu erthygl ar gyfer *Y Faner* – 'Cymru a'r Tlotaf o'r Tlawd' – yn amlinellu pa ran fyddai Cymru'n medru ei chwarae wrth weithio tuag at y nod o sicrhau 'Iechyd i Bawb erbyn 2000', y nod uchelgeisiol a osodwyd gan WHO ar gyfer y 31 gwlad dlotaf yn y byd. Yn sgil hynny, braidd yn feiddgar, ysgrifennais at Dr Halfdan Mahler, Cyfarwyddwr Cyffredinol WHO yn Genefa, gan ofyn am ei ymateb i'r awgrym y dylai Cymru 'fabwysiadu' un o'r gwledydd tlotaf. O roi cig ar yr asgwrn, a'i weithredu yn ymarferol, awgrymais y byddai modd i drefi yng Nghymru (a sefydliadau o fewn ein trefi) fabwysiadu pentrefi yn ein gefaill-wlad er mwyn sicrhau dŵr glân neu systemau carthffosiaeth ar eu cyfer. Es i ymlaen i awgrymu, pe bai cenedl y Cymry yn dod i adnabod, uniaethu ac ymateb i broblemau un wlad yn y modd 'ma, y byddai'n bosib i 30 gwlad arall yn y byd 'datblygedig' ailadrodd yr un patrwm fel byddai pob un o'r 31 gwlad dlotaf yn medru cael mynediad i gymorth nid annhebyg. Wedi'r cyfan, onid oedd cael dŵr glân a system carthffosiaeth yn gwbl allweddol i'r gri am 'Iechyd i Bawb 2000'? Cefais lythyr digon cefnogol yn ôl o Genefa i ddweud, pe byddai unrhyw ddolen yn cydnabod y ddwy ochr yn y berthynas yn ddigonol, wedyn fe allai fod yn llwyddiannus.

Ond un peth oedd gwyntyllu syniad, peth arall oedd ei weithredu! Roedd ffawd yn mynd i fod o 'mhlaid pan gefais wahoddiad i gynhadledd 'Rôl Cymru yn y Byd' yn y Coleg Normal yn Nachwedd 1982. Yno roedd pobl o wahanol bleidiau fel Roger Roberts, Tom Ellis a Gwynfor Evans ynghyd â'r cyn-Archesgob Gwilym O Williams. Yno hefyd cefais fy nghyflwyno am y tro cyntaf i Paul Williams gan fy nghyfaill Dr Dafydd Alun Jones, seiciatrydd amlwg yn y gogledd. Paul, gweithiwr gydag Initiatives for Change, oedd wedi trefnu'r gynhadledd a fyddai'n allweddol wrth symud pethau ymlaen. Rhaid imi gyfaddef nad oedd gen i lawer i'w ddweud tan ddiwedd y prynhawn, wrth imi eistedd a gwrando ar y drafodaeth, ond trwy'r cyfan roedd erthygl Y Faner yn cnonni yn fy mhen. Roedd rhai yn y gynulleidfa'n tanlinellu'r ffaith ein bod yn rhan o'r DU ac nad oedd modd i Gymru weithredu dramor, dim ond fel rhan o ymateb mwy cyffredinol gan Lywodraeth San Steffan. Roedd eraill yn credu mai dim ond trwy weld Cymru fel gwlad annibynnol y byddai modd iddi wynebu ei chyfrifoldebau'n iawn yn y byd. Wedi gwrando ar y ddwy 'ochr', codais i atgoffa'r gynulleidfa bod llywodraethau yn mynd a dod ym mhob gwlad ond bod cymunedau yn sefydlog, a pham, felly, nad oedd modd sicrhau perthynas barhaol rhwng cymunedau ein gwlad ni ac un wlad arall? Nid oedd yn anodd darbwyllo'r gynulleidfa. Wedi'r cyfan, bu'r rhan fwyaf ohonom yn dyst i'r trychinebau mewn sawl gwlad trwy eu gweld ar y teledu – Bangladesh, Ethiopia a

Biafra yn Nigeria – a'r cyfan yn mynd yn angof o fewn ychydig fisoedd. Yn anodd i'w osgoi hefyd oedd y portread cyson o'r gwledydd hyn, neu'r Trydydd Byd fel y'u gelwid, fel 'problem' barhaol gan anghofio bod yno hefyd rinweddau gwerthfawr megis hanes, diwylliant ac iaith. Cafwyd unfrydedd i ddilyn yr awgrym, a chytunwyd i gynnal cyfarfod yn ystod wythnos yr Eisteddfod Genedlaethol yn Llangefni yn 1983 gyda Dr Dafydd Alun Jones yn cadeirio. Yn dilyn arferiad y Cymry, sefydlwyd pwyllgor llywio wedi inni ychwanegu atom Glyn O Phillips, Prifathro Athrofa Gogledd-ddwyrain Cymru, Dewi Lloyd Lewis, Ysgrifennydd Cymorth Cristnogol yn y Gogledd, a Beryl Jones, cyn-Brifathrawes. Ymunodd Geraint Thomas â ni, darlithydd hanes yn yr Athrofa a rhywun oedd wedi gweithio'n helaeth yn Affrica. Yn fuan wedyn, sefydlwyd yr egin Dolen Cymru gyda'r Esgob Gwilym yn Llywydd a finnau yn Gadeirydd, a daeth yn amser i ddiffinio rôl y mudiad arfaethedig. Yng nghyd-destun yr hyn sy'n digwydd ar gyfandir Affrica a'r Dwyrain Canol heddiw, mae'n ddiddorol nodi'r rhagair i'r daflen wreiddiol:

'Mae'r gagendor cynyddol rhwng gwledydd 'breintiedig' y 'Gogledd' a gwledydd llai datblygedig y 'De' yn cynnig mwy o ansefydlogrwydd potensial i'r byd na hyd yn oed hwnnw sy'n rhannu'r Dwyrain a'r Gorllewin.'

Cytunwyd:

- mai prif ddiben Dolen Cymru oedd sicrhau cydweithrediad effeithiol wrth ddatblygu unrhyw berthynas – i fod yn gatalydd, cynghorydd a chychwynnwr ar gyfer gwahanol gynlluniau yn ôl yr angen
- na ragwelir cymorth fel prif bwrpas y ddolen er efallai y daw cymorth materol fel canlyniad i'r berthynas yn y pen draw
- y penderfynir ar hyn gan y gwahanol grwpiau a sefydliadau o'r naill ochr i'r ddolen a ddaw mewn amser ynghlwm wrthi

Roedd cyfraniad Geraint yn helaeth wrth inni ffurfioli amcanion Dolen Cymru. Y gobaith oedd y byddai lles a ddeilliai o'r ddolen yn un bendithiol i'r ddwy wlad gan fod cyfoeth o brofiadau a diwylliannau gan y ddwy ochr i'w rhannu gyda'i gilydd. Roedd yna gred bod ein hanes a'n datblygiad yng Nghymru yn gwneud unrhyw berthynas yn fwy arwyddocaol, a bod ein cefndir yn ein galluogi i fod yn sensitif ac yn ddeallus i broblemau y byddai'r wlad arall yn eu hwynebu. Cytunwyd ar y pwyntiau canlynol:

1 Mae Dolen Cymru yn bodoli er mwyn pontio'r gagendor rhyngom ac un o'r 'Gwledydd Lleiaf Datblygedig', sef un o'r tri deg chwech [sic] o wledydd tlotaf yn y byd, fel y'u disgrifir gan Sefydliad Iechyd y Byd

2 Bydd y ddolen hon yn gyfrifol am ddod â dwy wlad o gefndir cwbl wahanol at ei gilydd mewn dealltwriaeth a chyfeillgarwch

3 Cryfheir y ddolen rhwng y ddwy wlad fel bydd y naill yn dysgu oddi wrth y llall am ei dyheadau, ei phobl, ei hanes, ei diwylliant, ei haddysg a'i heconomi

4 Rhagwelir y tyfir y berthynas o'r cysylltiadau cychwynnol i fod yn un rhwng pobl a mudiadau ar sawl lefel – meddyg a meddyg, ysgol ac ysgol, clwb a chlwb, eglwys ac eglwys, coleg a choleg, tref a thref, ac yn y blaen

Ymhen amser ychwanegwyd meini prawf eraill ar gyfer y ddolen-wlad arfaethedig:

• ei bod o faint cymharol fach o ran tiriogaeth a phoblogaeth
• bod Saesneg yn un o'r ieithoedd swyddogol
• ei bod o fewn pellter rhesymol i Gymru

gyda'r amod amlwg wrth gwrs, y byddai'r dewis yn y pen draw yn 'ddarostyngedig i awydd y wlad i feithrin y fath berthynas'!

A dyna oedd dechrau'r hwyl o ddod o hyd i bartner priodol. Doedd dim un wlad gennym mewn golwg, a'r cam rhesymol oedd gofyn i'r cyhoedd a oedd y syniad o ddolennu yn rhywbeth i'w goleddu, ac os ydoedd pa wlad fyddai'r un fwyaf addas?

Defnyddiwyd y cyfryngau yn helaeth i ledaenu'r syniad ac i geisio barn y bobl. Roedd yr ymateb yn eang, yn galonogol ac yn dra gwerthfawr i'n helpu i gymryd y cam nesaf. Yn ogystal ag anogaeth, cafwyd rhybuddion hefyd am ymarferoldeb y syniad: y duedd gan bobl i symud eu sylw wrth i ffocws newyddion y byd symud, yn ogystal â'r angen am ddyfalbarhad yn wyneb y problemau fyddai'n sicr o godi. Daeth llythyrau atom yn pledio dros wledydd fel Belize, Tibet, Sri Lanka a Jamaica yn ogystal â sawl un o wledydd Affrica Is-Sahara, llawer yn seiliedig ar brofiadau unigolion yn rhinwedd eu gwaith tramor. Er yr amrywiaeth, Lesotho ddaeth i'r brig o ran nifer yr atebion o'i phlaid. Yng nghanol yr ymateb hefyd tynnwyd ein sylw at y ffaith fod Lesotho wedi bod yn destun gweithgarwch UNICEF mewn cydweithrediad â Chanolfan Materion Rhyngwladol Cymru adeg Blwyddyn Ryngwladol y Plentyn yn 1979 a bod Sefydliad y Merched wedi bod yn allweddol yn hel arian i'r wlad yr adeg hynny.

Roedd 'na gryn bwysau arnom i ddewis yn iawn! Cynhyrchwyd matrics gyda'r nodweddion delfrydol ar gyfer ein perthynas ag un o'r gwledydd ar y rhestr o wledydd tlotaf. Yn ogystal â'r rhai a amlinellwyd uchod, ychwanegwyd y 'sefyllfa wleidyddol', 'y sefyllfa grefyddol', 'sefydlogrwydd y wlad' a 'rhwyddineb teithio yno' a 'theithio o fewn y wlad'.

Wedi inni ystyried y cyfan o'r gwledydd, tynnwyd restr fer o bedair, pob un o Is-Sahara – Botswana, Malawi, Tansania a Lesotho – a rhoddwyd ystyriaeth bellach i'w hymarferoldeb. Roedd cyfarfod nesaf Dolen Cymru yn dipyn o achlysur – yr awyrgylch yn ddisgwylgar a chyffrous tra trafodwyd proffiliau manwl y pedair gwlad.

Torrwyd y rhestr i ddwy – Malawi a Lesotho – cyn penderfynu ar Lesotho fel ein dewis cyntaf. Yn gydnaws â Chymru oherwydd ei maint, ei phoblogaeth, ei dwyieithrwydd, ei chanu corawl, gwaith yn y mwynfeydd, a hyd yn oed defnydd o'i hadnoddau dŵr, roedd 'na ddigon yn gyffredin nes oedd pawb yn gytûn! Ond roedd angen gwella ein dealltwriaeth am Lesotho, a pha ffordd well na gwahodd sawl un oedd â phrofiad uniongyrchol o weithio yn y wlad. Roedd yr Esgob Graham Chadwick, Esgob Cynorthwyol yn Llanelwy a oedd yn siarad Sesotho, yn uchel ar ein rhestr, felly hefyd Gwenallt Rees, Uwch Ddarlithydd yng Ngholeg y Drindod, Caerfyrddin, yr Athro Cedric Milner o'r Ganolfan Astudiaethau Tir Cras ym Mangor, a Meurig Parri, Oxfam oedd i gyd â phrofiad uniongyrchol o'r wlad. Rhoddodd y Cyngor Prydeinig a'r Ganolfan Gymreig Materion Rhyngwladol eu cefnogaeth 'moesol' i'r syniad o ddolennu.

Y cam nesaf, wrth gwrs, oedd y cam pwysicaf, sef sicrhau fod Lesotho yn fodlon derbyn y 'cynnig' beiddgar gan y Cymry! Yr unigolyn yn anad neb a wnaeth hwyluso'r ddolen ar y cychwyn oedd Owen Griffith, gŵr oedd wedi bod yn Uchel Gomisiynydd Prydain yn Lesotho ychydig o flynyddoedd yn gynt. Gŵr o Fangor yn wreiddiol, roedd bellach yn byw yn Swydd Buckingham ac yn awyddus i'n helpu. Croesawodd y dewis oherwydd iddo gredu bod y 'cyffelybiaethau â Chymru yn rhyfeddol' a chynigiodd ysgrifennu at O T Sefako, Uchel Gomisiynydd Lesotho yn Llundain, gŵr a fyddai'n ddylanwad sylweddol ar ddatblygiad y ddolen yn ystod y blynyddoed cynnar. Daeth ateb hirddisgwyliedig OT ym Medi 1984 a ni fyddai wedi gallu bod yn well. Cynigiodd ysgrifennu at ei Lywodraeth yn amlinellu'r 'nod' gyda'i gymeradwyaeth. Ac felly y bu, a gyda sêl bendith llywodraeth Lesotho yn ein cyrraedd yn llawen yn Ionawr 1985, penderfynwyd lansio Dolen Cymru yn swyddogol yn y Swyddfa Gymreig ar 12 Mawrth 1985 mewn seremoni dairieithog. Prin bod yna achlysur cyffelyb cynt nac wedyn, gyda'r garfan o'r Uchel Gomisiwn yn eu gwisg draddodiadol yn cael ei chroesawu gyda chân gan blant Ysgol y Wern, Caerdydd a geiriau o gyfarch yn Sesotho gan Esgob Chadwick. Cymaint oedd yr argraff a grewyd nes i lu o weision sifil gamu allan o'u swyddfeydd i wylio'r cyfan o'r balconi. Yn eu croesawu ar ran yr Ysgrifennydd Gwladol, Nicholas Edwards, roedd R H Jones, Dirprwy Ysgrifennydd yn gyfrifol am Addysg, a gyfeiriodd at gefnogaeth yr Ysgrifennydd Gwladol a'i 'werthfawrogiad o sbectrwm eang yr Is-lywyddion oedd yn cynrychioli pob plaid yng Nghymru – peth prin iawn oedd y fath unoliaeth,' meddai. Yno hefyd oedd Bill Davies o'r Ganolfan Materion Rhyngwladol, a Peter Skelton o'r Cyngor Prydeinig, ac yn cynrychioli'r byd iechyd Gareth Crompton, Prif Swyddog Meddygol Cymru, a John Wyn Owen, Rheolwr Cyffredinol y Gwasanaeth Iechyd yng Nghymru. Wrth ymateb i neges gan yr Ysgrifennydd Gwladol, dywedodd O T Sefako fod 'dolennu pobl a chymunedau yn y modd yma yn ffordd unigryw o sicrhau trefn newydd ar gyfer perthnasau rhyngwladol'. Soniodd am ei ymdeimlad o fod yn gartrefol ar dir Cymru. Yna, cafwyd peth sy'n gyfarwydd imi bellach ond a oedd yn newydd ar y pryd: yn gwbl ddigymell, clowyd yr achlysur gan y Basotho gyda sawl cân yn Sesotho a hynny i fonllef o gymeradwyaeth gan staff y Swyddfa Gymreig. Am achlysur! Gwnaeth hyd yn oed Edward Heath ein llongyfarch ar ein dewis o Lesotho fel perthynas oherwydd hoffter y wlad honno o gerddoriaeth. Roedd ei farn yn werthfawr, oherwydd fel cyn-Brif Weinidog roedd yn aelod o Gomisiwn Brandt a adroddodd ar y 'rhaniad' pryderus rhwng y 'Gogledd' a'r 'De' yn 1980.

Cafodd OT ei alw yn ôl i Lesotho ym Medi'r flwyddyn honno, ac yn fuan wedyn gwelwyd cyfnod anodd iawn yn hanes y wlad. Yn gwbl annisgwyl i rai dibrofiad fel ni, yn Ionawr 1986 disodlwyd y Prif Weinidog Chief Leabua Jonathan gan *coup* milwrol. Roedd Chief Jonathan wedi bod wrth y llyw ers i'r wlad gael annibyniaeth oddi wrth Brydain yn 1966, ac er bod anfodlonrwydd gyda'i natur unbenaethol roedd y *coup* yn dal yn syndod. Yr arwydd gweladwy cyntaf ohono oedd gweld OT, oedd bellach yn Ysgrifennydd Parhaol yn Swyddfa Dramor Lesotho, ar awyren i Pretoria am drafodaethau, a hynny ar raglen *News at Ten*! I rai, roedd tynged Dolen Cymru ar ben. Yr wythnos wedyn cofiaf godi'r ffôn ar OT yn ei gartref ym Maseru a'r tŷ wedi ei amgylchynu gan filwyr, ac yn ysbryd y berthynas holais ei ffawd. Parhaodd y sefyllfa honno am dros fis – amser pryderus iawn inni i gyd. Ond profodd y ddamcaniaeth wreiddiol bod 'cymunedau' yn sail i unrhyw berthynas barhaol yn wir, a pharhaodd y ddolen drwy'r cyfan wedi i'r Cyngor Gweinidogion gytuno y dylid ymddiried yn y trydydd sector i wireddu amcanion Dolen Cymru.

Yn wir, o'n safbwynt ni yng Nghymru, ni newidiodd y drefn

filwrol nemor ddim o weithgarwch y berthynas. Er bod yna ymweliad â Chymru gan rai arweinwyr o'r byd addysg yn 1985 ac ymweliad â Lesotho gan y Parchedig Noel Davies, Ysgrifennydd Cyffredinol Cyngor Eglwysi Cymru, yn 1986, aeth hi'n Chwefror 1987 cyn imi a Paul Williams, fel swyddogion Dolen Cymru, gael cyfle i ymweld â'r wlad a thrafod y ffordd ymlaen gyda'r egin bwyllgor yno. Nid oedd cyrraedd Lesotho heb ei gyffro. Roedd maes awyr Johannesburg yn ddigon cyntefig 'radeg hynny, ac wrth inni gael ein galw am yr awyren i Maseru roedd rhaid cerdded cryn bellter allan o'r brif derfynfa rownd cornel neu ddau cyn inni weld hen Dakota, ei thrwyn yn yr awyr, yn disgwyl amdanom. Gan mai rhywbeth o ffilmiau oedd y Dakota tan rŵan, wedi inni gyrraedd y maes awyr ym Maseru troais i dynnu ei llun. Daeth ymateb hollol annisgwyl wrth i law drom milwr lanio ar f'ysgwydd a llais cadarn ei wneud yn gwbl eglur 'dim tynnu lluniau yma'!

Roedd yr hualau oedd wedi eu gosod ar OT adeg y *coup* wedi eu codi erbyn inni gyrraedd, a gyda'i allu rhyfeddol i agor drysau ar bob lefel ac ym mhob man yn fuan iawn daeth Paul a finnau yn gyfarwydd â choridorau grym y wlad, a hyd yn oed gael ein cyfarch yn Gymraeg gyda 'bore da' gan y Gweinidog Iechyd, Dr Makenete, a dreuliodd ddwy flynedd o'i hyfforddiant yn Abertawe. Roedd yr ymateb gan bawb yn foneddigaidd, ond efallai ychydig yn wyliadwrus tan yr ail wythnos pan welwyd llawer mwy o frwdfrydedd am y berthynas. Erbyn hynny roeddem wedi cael sawl cyfle i egluro natur 'ddwyochrog' a chyfartal y berthynas arfaethedig, ac mewn gwlad yn llawn hunan-barch roedd hynny'n bwysig. Wedi'r cyfan, onid oedd Lesotho yn cael nawdd tramor y pen yn fwy na'r un wlad arall yn y byd oherwydd ei safle yn y frwydr yn erbyn apartheid? Arwydd arall o'r gefnogaeth honno oedd yr holl genadaethau yn Lesotho, o Ogledd Corea i Ciwba ac America i Rwsia. Roedd fel petai pob gwlad yn awyddus i uniaethu â Lesotho am fod ei llywodraeth yn cynnig lloches i'r ANC, ac felly roedd yr amheuaeth bod Paul a finnau yn cynrychioli mudiad oedd unwaith yn rhagor am gynnig nawdd – rhywbeth nad oedd balchder y Basotho yn gyfforddus ag o, a rhywbeth roeddem am ei osgoi er mwyn cadw cydraddoldeb yn y berthynas.

Arhosodd Paul a finnau am bythefnos fel gwesteion yng nghartref y Parchedig Daniel Senkhane, Cadeirydd Cyngor Cristnogol Lesotho. Roedd yn byw drws nesaf i Lysgenhadaeth Rwsia mewn ardal lawn o dai o'r cyfnod 'trefedigaethol'. Ni welwyd neb o'r bobl drws nesaf yn ystod ein harhosiad, ac o gofio bod hyn yn dal yn ystod y rhyfel oer ychwanegodd y tawelwch llethol at y reddf holgar! Roedd Daniel yn llawn ynni, a gweithiodd yn galed fel Cadeirydd cyntaf y ddolen yn Lesotho i sicrhau llwyddiant yr ymweliad. Ein profiad cyntaf o groeso Affricanaidd oedd brecwast yn y bore a Flora yn cerdded at y bwrdd bwyd, hambwrdd yn ei llaw, yn gân i gyd – rhywbeth i'w efelychu yn Abersoch yn yr haf efallai!

Yn ogystal â'r nifer lliaws o gyfarfodydd, roedd yn gyfle hefyd i gyflwyno neges gan yr Ysgrifennydd Gwladol, Nicholas Edwards, i'r Brenin Moshoeshoe II a Major General Justin Metsing Lekhanya:

'My colleague, the Secretary of State for Foreign and Commonwealth Affairs, joins me in hoping that this recently established link between Wales and Lesotho will continue to thrive. I trust that this visit will serve to strengthen and enlarge contacts between Wales and Lesotho, which I am sure can only be of benefit to both peoples.'

Ond y trafodaethau mwyaf perthnasol o safbwynt cadarnhau'r berthynas oedd y cyfarfodydd gyda phwyllgor Leqhama le Lesotho a'r cyfleon anffurfiol a ddaeth yn sgil y rheini. Gwelwyd cynrychiolwyr o'r byd addysg, yr eglwysi a mudiad y merched. Yn holl-bresennol oedd OT, ac wedi ei ryddhau o'i ddyletswyddau swyddogol sicrhaodd bod y trefniadau'n symud yn llyfn.

Yr un awyren Dakota oedd yn cael ei defnyddio ar y ffordd adref o Maseru. Tua hanner dwsin o bobl oedd ar ei bwrdd, ac yn ôl y drefn arferol daeth y stiward ar hyd y cabin i siecio fod popeth yn iawn cyn mynd i gynnig cau'r unig ddrws yn y cefn

– a thrio eto, ac eto, nes iddi sylweddoli nad oedd hyn yn mynd i weithio, a cherddodd yn ôl at y derfynfa. Rhyw bum munud wedyn daeth hi a merch arall allan gyda morthwyl yn ei llaw a rhoi cynnig arall arni – y stiward yn tynnu oddi fewn a'r llall yn taro'r drws o'r tu allan ar sawl achlysur cyn cael llwyddiant – y cyfan yn gwneud dim i ennyn hyder, ond cyrhaeddon ni Johannesburg yn ddiogel yn y diwedd! Wrth imi holi ymhen rhyw ddwy flynedd o weld awyren newydd ar y daith i Maseru, deallais fod yr hen Dakota wedi cael damwain a phedwar ar ei bwrdd wedi eu lladd.

Ar y ffordd adref, fel roedd Paul a finnau'n eistedd ym maes awyr Johannesburg am 11 awr i ddisgwyl yr awyren yn ôl i Heathrow – roedd llawer llai o siwrneiau yn y dyddiau hynny – cawsom gyfle i asesu gwerth yr ymweliad ac ystyried a oedd y 65 o gyfarfodydd/sesiynau ymgom yn y pythefnos cynt wedi dwyn ffrwyth? O ystyried mai hwn oedd y tro cyntaf ar gyfer ymweliad o'r fath, yn ein tyb ni mi oedd yn llwyddiant, a'r nod o gadarnhau'r berthynas wedi ei sicrhau!

Roedd y cyfan o waith Dolen Cymru ar y cychwyn yn dibynnu ar wirfoddolwyr, ond diolch i Gomisiwn Gwasanaethau'r Gweithlu (MSC), un o gynlluniau creu gwaith y llywodraeth, cafwyd nawdd i gyflogi Swyddog Datblygu. Ar yr un pryd, gyda chefnogaeth yr Athro Glyn O Phillips, agorwyd swyddfa yn yr Athrofa yn Wrecsam, ac o wneud hynny gwellwyd delwedd y Ddolen yn genedlaethol. Gan fy mod yn gweithio ym Mhowys rhwng 1985 ac 1987 roedd fy nghyfraniad i'n cael ei gywasgu i'r penwythnos pan o'n i adref yn y Wigoedd ac yn cael cyfle i gyfarfod Paul Williams. Ni allaf ganmol cyfraniad Paul yn ddigonol. O drafod a phenderfynu ar yr hyn roedd ei angen, mi o'n i'n gwybod fel Cadeirydd y byddai Paul wedi ymateb yn ddi-ffael i bob cynnig erbyn ein cyfarfod nesaf, ac fe wnaeth hyn gryn wahaniaeth i ddatblygiad cynnar y Ddolen.

Roedd canolbwynt y gweithgarwch yn y byd addysg yn y dyddiau cynnar ac nid oedd esiampl well na Choleg y Brifysgol, Bangor. Yno, am tua deng mlynedd o ganol yr wythdegau, gwelwyd myfyrwyr coedwigaeth ôl-radd, cymaint â deg ohonynt bob blwyddyn. Creodd eu presenoldeb gyfle inni gymdeithasu yn gyson a dod i adnabod y wlad a'i harferion yn well. Cofiaf yr achlysur pan wnaeth y myfyrwyr gynnig trefnu gwledd draddodiadol ar ein cyfer, a chyflwynwyd rhestr o wahanol fwydydd i Dorothi eu prynu. Yn ogystal â'r cyw iâr a'r cig arferol, roedd yn dipyn o sioc i'r cigydd weld cais am offal, stwmog a choluddion y fuwch. Cynigiwyd eglurhad i'r dyn, ond prin oedd o, mwy na ninnau, yn disgwyl y cais nesaf ychydig o ddyddiau cyn y parti, sef yr angen am gynffon ceffyl! Roedd y cigydd, er yn anghrediniol, wastad yn fodlon helpu, a dywedodd na fyddai hynny'n broblem gan fod ceffyl wedi marw ar ei fferm y penwythnos hwnnw. Daeth yr awr a'r dydd a'r criw o Basotho yn gweithio yn foreol iawn yn ein cegin gefn, yn glanhau'r cyfan, yn sgwrio'r coluddion cyn eu torri'n fân a'u coginio. Wedi i gyfeillion y Ddolen ymgynnull, doedd dim amdani ond blasu'r wledd, gan gynnwys y coluddion a oedd erbyn hyn yn edrych yn debyg i macaroni, a llyncwyd y cyfan efo papas heb wybod dim am eu tarddiad! Roedd dirgelwch y gynffon ceffyl i'w ddatgelu ymhellach ymlaen y noson honno wedi i'r myfyrwyr gynnig ychydig o adloniant inni – a dyna lle oedd blew y gynffon wedi eu plethu i wneud llinyn yn sownd ar ddrwm olew, ac yn cynnig sŵn cefndir addas i ganu hyfryd yr hogia! Mae'n braf edrych yn ôl ar y cyfnod hwn. Roedd ein plant yng nghanol y bwrlwm, a dw i'n siŵr iddynt elwa, fel pawb arall, o'r awyrgylch eangfrydig.

Y broblem gyda'r Ddolen ar y dechrau oedd ceisio ymateb i'r holl ofynion amrywiol. Yn y dyddiau cynnar cydlynwyd sawl ymgyrch, fel hel blancedi ar gyfer yr *herd boys* ym mynyddoedd Lesotho. Byddai'r WRVS, Merched y Wawr a'r WI yn cydlynu'r ymgyrch ar hyd a lled Cymru, tra roedd y Gymdeithas Feddygol ar y llaw arall yn hel offer meddygol o ysbytai a meddygfeydd cyn eu storio yn un o ffatrïoedd parod Awdurdod Datblygu Cymru yng Nghorwen cyn eu danfon. Ychydig yn annisgwyl efallai, trosglwyddwyd hen injan dân, wedi ei hadnewyddu, gan Wasanaeth Tân Clwyd i Lesotho a dyblu'r 'gwasanaeth' oedd ar gael yn y wlad honno! Rôl Dolen Cymru yn anad dim ar y pryd oedd gweithredu fel catalydd yn gwneud y cysylltiadau angenrheidiol rhwng pobl a mudiadau yn bosibl, a doedd 'na ddim gwell enghraifft na chyflwyno Merched y Wawr i'r Homemakers yn Lesotho a gweld y bartneriaeth yn datblygu gyda chyfnewid personél fel Ifanwy Williams a 'Mali' Mokokoane, a'r cymorth ymarferol a ddeilliodd o hynny. Yn wir, un o'r esiamplau gorau o 'gyfartalwch' y berthynas ar y pryd oedd y gwaith a wnaeth Merched y Wawr o dan arweiniad Mererid James wrth iddyn nhw gynhyrchu llyfr o chwedlau'r ddwy wlad, *Y Ddolen Air*, gyda chwedlau o Lesotho yn cael eu cyhoeddi yn y Gymraeg a detholiad o Gymru yn cael ei drosi i Sesotho.

Tua'r un cyfnod cynhyrchwyd casétiau o gerddoriaeth o'r ddwy wlad – un o ganu traddodiadol a'r llall o ganu emynau, ac mewn un digwyddiad unigryw ymunodd Leah Owen a Sankomota i ganu 'Coch yw'r Gwaed' neu 'Cân y Ddolen' fel y'i adnabyddwyd. Ar gyfer achlysuron 'swyddogol' Dolen Cymru lluniodd y Parchedig Ted Griffith, y Rhyl, weddi ddwyieithog yn pledio am gyfraniad ein dwy wlad i greu byd gwell. Yn 1988 llwyddwyd i ddenu nawdd ar gyfer y Maseru Teachers' Choir i deithio Cymru ac i gystadlu yn Llangollen. Yno daethon nhw'n drydydd yn y gystadleuaeth Canu Gwerin a swyno cynulleidfa o 4,000 gyda'u bywiogrwydd heintus – camp ryfeddol o ystyried nad oedd y côr erioed wedi bod y tu allan i Lesotho o'r blaen. Ond efallai mai un o'r atgofion mwyaf melys o'r daith honno oedd cyngerdd ffarwél y côr yn Theatr Seilo, Caernarfon. Wedi iddyn nhw gael eu hannog i ymuno â'r côr i ddawnsio ar y llwyfan, gwelwyd Cymry hen ac ifanc yn colli ambell ddeigryn wrth i'r noson ddod i ben, cymaint roedd pawb wedi mwynhau, a chafodd ysbryd y ddolen ei fynegi mewn modd mor fyw i bawb. Yn fuan wedyn cafodd Dolen Cymru wahoddiad i ddanfon côr i Lesotho, a Chantorion Coedpoeth wnaeth fanteisio ar y cyfle – taith lwyddiannus arall a'r cyfnewid yn enghraifft arbennig o gadw balans yn y berthynas.

Daeth cyfraniad allweddol OT Sefako i ben yn ddisymwth yn 1997 wedi iddo fethu gwella o lawdriniaeth am dyfiant ar yr ymennydd. Siaradais â fo ar y ward cyn iddo fynd i'r theatr mewn ysbyty ym Mloemfontein. Roedd yn eiddgar i fod yn ôl wrth ei waith gyda'r Ddolen, ond doedd hynny ddim i fod. Rhyw dri mis wedyn cefais gyfle i dalu teyrnged iddo ym mhresenoldeb ei deulu yn ei gartref ar gyrion Maseru. Prin o'n i wedi dechrau pan ddaeth storm o genllysg, a'i sŵn byddarol ar y to sinc uwch ein pennau yn fy ngorfodi i atal am funud neu ddau. Daeth yr achlysur i'w derfyn gyda'r teulu yn f'amgylchynu a phawb yn codi'r un cwestiwn – o'n i'n ymwybodol o ystyr y gair 'Sefako'? Doeddwn i ddim tan hynny – a'r ateb ysgytwol – 'cenllysg'!

Trwy gydol yr wythdegau a dechrau'r nawdegau parhaodd pwyslais ein dolenni ar y byd addysg gydag ysgolion o Fôn i Fynwy yn manteisio ar y cyfle i ddolennu. Yn y cyfnod hwn roedd 'na gryn rwystredigaeth gan aelodau pwyllgor cenedlaethol y Ddolen nad oedden ni'n cyflawni ein gwir botensial. Diffyg adnoddau dynol oedd yn bennaf gyfrifol am hynny, ac felly, pan ddaeth cyfle yn 1993 i benodi swyddog addysg gyda nawdd y Swyddfa Gymreig, golygodd hynny gam sylweddol ymlaen. Sioned Harries, o Abergwaun yn wreiddiol, oedd yn llwyddiannus. Gyda mewnbwn pobl fel Toni Schiavone a Robert Williams, cynhyrchwyd y pecyn addysgol 'Khotso!' ar gyfer plant Cymru a ddaeth yn rhan mor bwysig o ddeunydd y cwricwlwm.

Mae nawdd ar gyfer y sector trydyddol wastad yn bryder a rydym ni wedi gorfod meddwl am sawl ffordd wahanol i gael y maen i'r wal. Cofiaf gyfarfod â phennaeth Water Aid gyda John Elfed Jones pan oedd yn Gadeirydd Dŵr Cymru, ond cafodd ein cais ei wrthod – felly hefyd ymateb Oxfam. O fod yn weithredol yn Lesotho ar un adeg, cefnodd Achub y Plant y DU a Chymorth Cristnogol ar y wlad am 'fod mwy o ofyn mewn mannau eraill'. O ystyried mai rhif 162 oedd Lesotho allan o 187 gwlad ym Mynegai Datblygiad y Cenhedloedd Unedig, mae'n hawdd meddwl mai gwleidyddiaeth oedd yn gyfrifol am y diffyg diddordeb yn y wlad honno yn hytrach nag unrhyw ddiffyg angen! Yn 1997 lansiwyd Grant Rhyngwladol y Loteri Genedlaethol a llwyddwyd ar y cynnig cyntaf, gyda

£250,000 yn ein galluogi i agor swyddfa ym Maseru a phenodi Delyth Lloyd fel Rheolwr Prosiect gyda swyddfa ym Mangor am dair mlynedd. Ffocws y gwaith oedd addysg ac iechyd. Cynhyrchu deunydd sylabws 'cerdd' ac 'ymarfer corfforol' aeth â sylw yr elfen addysg yn Lesotho, ac 'iechyd meddwl' oedd ffocws yr elfen iechyd. Yr adeg hynny nid oedd unrhyw raglen yn caniatáu i staff iechyd yr NHS weithio dramor. Er hynny, sicrhawyd mewnbwn gan sawl aelod o staff Awdurdod Iechyd Powys i weithredu'r rhaglen iechyd meddwl. Fel Cyfarwyddwr Meddygol yr awdurdod, roedd rhaid bod yn ddyfeisgar ac fe wnes i sicrhau trefniant a gyfunodd amser gwyliau, absenoldeb astudio, amser i ffwrdd yn ddi-dâl ac amser yr awdurdod i ddiwallu anghenion y prosiect! Yn ogystal, caniataodd grant y Loteri inni benodi Lineo Pachaka yn 1998 fel Gweinyddwr/ Cyfarwyddwr y Ddolen yn Lesotho. Roedd Lineo, â'i chefndir gweithio efo plant ag anabledd dysgu, yn genhades effeithiol iawn a wnaeth gyfraniad arbennig am dros ddeng mlynedd. Roedd hi wedi ymweld â Chymru ar ddechrau'r '90au, pan gafodd flas ar bei *meringue* lemwn, peth oedd yn ddieithr yn ei gwlad hi! Yn fuan wedi iddi ddechrau gyda Dolen Cymru es i a Delyth i'w gweld â 'llenwad pei' yn anrheg yn fy mhoced pan gawsom ein hailgyfeirio i weld y Gweinidog Tramor. Gair o gyngor! Dyw hi ddim yn beth doeth mynd â bocs o bowdr gwyn drwy seciwriti a cheisio ei gyfiawnhau gydag eglurhad mor bathetig!

Yn ogystal â pharatoi deunyddiau sylabws roedd Delyth yn gyfrifol am gasglu llyfrau ar hyd a lled Cymru, ac ysgwyddodd 19 allan o'r 22 awdurdod y baich; aeth popeth yn hwylus iawn gyda mewnbwn sylweddol gan wirfoddolwyr nes i'r *container* yn dal 400 o focsys yn llawn llyfrau gyrraedd y storfa ym Maseru. Yno, un noson, cyn i'r un gael ei ddosbarthu, llosgwyd y cyfan! Y fath siom, ond chwarae teg, wedi i Delyth, Paul Williams a Dafydd Wigley adrodd natur yr ymdrech a'r stori drist wrth Clare Short AS, y Gweinidog oedd yn gyfrifol am ddatblygu tramor, digolledwyd ni i'r swm o £120,000 am y cyfan fel y gellid brynu yr un faint o lyfrau i'w dosbarthu eto!

Mae Cymru wedi bod yn ffodus iawn gyda'r gynrychiolaeth mae Lesotho wedi ei dewis fel llysgenhadon ar gyfer swydd Uchel Gomisiynydd yn Llundain. Mae pob un yn ddieithriad wedi bod yn gefnogol iawn i'r berthynas rhwng Cymru a Lesotho ac wedi bod yn bresennol bron ym mhob un Eisteddfod Genedlaethol ers cychwyn Dolen Cymru. Mae'n annheg enwi unigolion, ond un wnaeth argraff wirioneddol oedd Mohlabi (Ken) Tsekoa. Roeddem ni'n arfer mynd â fo, fel ei ragflaenwyr, i'r seremoni goroni neu gadeirio. Ar ôl ei drydedd ymweliad, gofynnodd Mohlabi am gael annerch y gynulleidfa. Ond meddwn i, 'Mae 'na reol Gymraeg'. 'Dim gwahaniaeth,' atebodd, 'dw i am wneud a dw i am i chi ffeindio athrawes Gymraeg imi yn ardal Hampstead fel y gallaf ymarfer.' Ac felly y bu. Paratodd Mohlabi ei araith yn Saesneg a ninnau'n ei throsi i'r Gymraeg, ac yn ystod y tri mis a arweiniodd at yr Eisteddfod cafodd hyfforddiant cyn annerch torf y pafiliwn i gymeradwyaeth werthfawrogol iawn – personoliaeth benderfynol a dewr!

Cofiaf achlysur arall pan oedd yn Ysgrifennydd Cabinet imi fynychu achlysur diplomyddol 'Ferrero Rocher-aidd' ym Maseru, pan afaelodd yn fy mraich ar ôl cael galwad ffôn. 'Dewch efo fi ar unwaith,' meddai, 'mae degau o garcharorion wedi dianc a mae'n bosib y byddant yn anelu am fan hyn.' Roedd y 'troseddwyr' wedi eu carcharu am gynllunio i danseilio'r Llywodraeth a chynnal terfysg ar y strydoedd. Aethom yn syth i'w gartref, lle treuliodd weddill y noson ar y ffôn yn ddi-baid yn trio sicrhau trefn. Profiad diddorol oedd eistedd yn ei stydi y noson honno a chael cip tu ôl i'r llenni, fel petai, ar ychydig o hanes y wlad. Ar achlysur arall bwrdwn ei neges oedd mor bwysig oedd sefydlogrwydd ar gyfer datblygiad Lesotho. Ni allaf ond meddwl am y gyffelybiaeth gyda'n gwlad ni neu, hyd yn oed, y teulu. O gael sefydlogrwydd, a chefnogaeth yn ei sgil, cymaint yn haws yw agenda gynhyrchiol. Dw i ddim yn gredwr mewn arwyr, ond pe bai raid hwn fyddai f'un i – dyn na chafodd ddiwrnod o addysg nes oedd yn 12 oed oherwydd ei fywyd fel *herd boy*, yn byw yn y mynyddoedd am wythnosau ar y tro, yn gwarchod anifeiliaid y teulu.

Ers cychwyn y Ddolen, gyda'r gefnogaeth a gafwyd gan Nicholas Edwards AS, Ysgrifennydd Gwladol, mae ei olynwyr wedi bod yn gefnogol, a gyda dyfodiad y Cynulliad Cenedlaethol a Llywodraeth Cymru mae'r gefnogaeth wedi bod yr un mor daer. Am nad oes gan Cymru, o dan ei setliad cyfansoddiadol, swyddogaeth dramor – gwaith DfID (Adran Datblygu Rhyngwladol Llywodraeth San Steffan) yw hynny – diddorol felly yw gweld sut mae'r gefnogaeth gan Lywodraeth Cymru wedi datblygu. Jane Davidson, pan oedd yn Weinidog Addysg, wnaeth arwain y ffordd. Mewn cyfarfod gyda Dyfan Jones, Cyfarwyddwr Dolen Cymru ar y pryd, gofynnodd i'r gweision sifil archwilio sut y byddai'n bosibl i Gymru sicrhau cyfnodau hirach i athrawon o Gymru yn Lesotho ac adeiladu ar lwyddiant lleoliadau tymor byr Dolen Cymru a ariannwyd gan y Cyngor Prydeinig. Daeth yr ateb ymhen y mis; o ddanfon athrawon i Lesotho, byddai hynny'n arwain at ddatblygiad personol ein hathrawon ac felly byddai o fudd i Gymru, a hynny yn hanfodol ar gyfer nawdd gan ein Llywodraeth. Roedd y manteison i Lesotho'n eglur, ond i'w gweithredu yn ymarferol yn 'gorfod' bod yn eilbeth mewn gwirionedd. Braf yw cael meddwl tu allan i'r bocs am atebion weithiau, oherwydd mae'r rhaglen lleoli athrawon yn Lesotho wedi bod yn hynod o lwyddiannus. Un o lwyddiannau mawr Dolen Cymru, fel y bwriadwyd yn wreiddiol, yw cyflwyno pobl o'r ddwy wlad i'w gilydd. Bellach, mae miloedd o blant a channoedd o oedolion o Lesotho a Chymru wedi cael y profiad hwnnw, yn bennaf yn y meysydd addysg ac iechyd. Ond nid pawb sydd wedi ymddiddori yn ein perthynas sydd wedi cael y cyfle, ac yn 2006 trefnais daith ddiwylliannol i ddathlu pen-blwydd y berthynas yn 21 oed, a rhoddwyd cyfle i'r rhai hynny nad oeddent wedi ymweld o'r blaen. Roedd *logistics* yr ymweliad yn heriol, ond yn brawf clir o botensial y wlad i ddatblygu ei diwydiant croeso.

Prin yw'r sylw mae Cymru yn ei gael dros y môr, ac yna, pan fydd yn digwydd mae'n rhoi gwefr. Un achlysur o'r fath oedd adeg priodas Brenin y wlad, Letsie III, digwyddiad a barhaodd am dridiau. Trefnodd Swyddfa Dramor Lesotho i Dorothi a finnau aros yn y Lesotho Sun ar y bryniau yn edrych i lawr ar y brifddinas, ond wedi inni gyrraedd nid oedd llety ar gael. O wybod bod y brifddinas yn llawn roedd angen crafu pen am hanner awr nes i achubiaeth ddod drwy gyfaill a oedd wedi arfer gweithio yn y Comisiwn yn Llundain a'n gwelodd yn y cyntedd. Ffoniodd Mohlabi Tsekoa, ac yng nghanol ei brysurdeb daeth i fyny i drio ein 'hachub' ni, ond yn ofer. Roedd yr ystafell oedd wedi ei chadw ar ein cyfer wedi ei bachu gan rai o gydnabod y Brenin! Cam nesaf Mohlabi oedd sicrhau lle inni yn y Maseru Sun yng nghanol y dref ac aethom i'n llofft ar yr ail lawr. O fewn eiliadau cafwyd galwad ffôn, ac wrth i Mohlabi ei ateb sylweddolodd fod 'na broblem arall. Gwarchodwr Prif Weinidog Botswana oedd yno yn egluro bod ei Brif Weinidog yn yr ystafell drws nesaf inni, ac roedd o'n gorfod bod yn yr ystafell agosaf at ei Feistr; galwad arall i'r dderbynfa gan Mohlabi a'r trydydd cynnig yn llwyddiannus – pawb yn hapus!

Y bore wedyn roedd y seremoni briodasol yn y 'stadiwm' cenedlaethol gyda chynrychiolwyr o wledydd ar draws Affrica a gweddill y byd yn bresennol. Cyn inni fynd draw roedd rhaid mynd i'r maes awyr a disgwyl yr awyren foreol o Johannesburg i 'gyfarfod' fy siwtces, ac yn bwysicach, fy siwt, oedd heb gyrraedd ar ein hawyren y noson gynt. Fe ddaeth, a chefais gyfle felly i wisgo'n bwrpasol yn nhoiled y maes awyr – a chyrraedd y seremoni mewn pryd! Roedd Nelson Mandela yn y briodas, ac oedd, roedd cerdded wrth ei ochr ar y ffordd allan yn brofiad i'w drysori.

Y noson honno roedd y wledd briodas yng ngwesty'r Maseru Sun, ac wrth i bawb hel yn y gerddi ar noson braf o haf cafwyd cyfle i sgwrsio efo Benjamin Masilo, Uchel Gomisiynydd Lesotho yn Llundain. Wrth inni drafod yn hamddenol, daeth yr alwad i fynd i fewn a chymryd ein lle wrth y bwrdd. Ar wahân i deulu'r Frenhines Mamohato ar y llwyfan, roedd angen i bobl eraill ddod o hyd i le eistedd eu hunain yn y neuadd. Lle i tua 150 oedd yno, ac erbyn inni fynd i fewn prin oedd y llefydd amlwg oedd i'w gweld. Aeth Ben i gefn y neuadd i chwilota, tra crwydrodd Dorothi i'r canol a finnau i'r pen blaen – cyn imi weld tair sedd efo'i gilydd.

Cyfres o fyrddau crwn yn dal tuag wyth o bobl yr un oedd yno, ac wrth imi esgusodi fy hun am dorri ar draws y cyfaill agosaf a welais, cafwyd ar ddeall bod y tri lle yn rhydd. Galwais ar Dorothi a Ben ac eisteddom i lawr o dan y llwyfan. Dim ond wedi imi godi fy mhen ac edrych i fyny y sylweddolais mai un Kenneth Kaunda, cyn Brif Weinidog Sambia, oedd yr ysgwydd oedd yn destun fy nghyffyrddiad a'm cais rhyw funud ynghynt! Ond wrth i ni gael ein gwynt atom dechreuodd rhyw aflonyddwch wrth y fynedfa gan fod 'na rai degau o bobl yn methu dod i fewn! Cododd Mohlabi Tsekoa ar ei draed ar y llwyfan ddwywaith a gofyn i bobl symud os nad oeddent i fod yno, ond heb unrhyw lwyddiant. Ar y trydydd achlysur, siaradodd Mohlabi yn Sesotho a gwelwyd symudiad. Yr hyn oedd yn gyfrifol am yr anhrefn oedd bod rhai o benaethiaid y tylwythau (*principal chiefs*) wedi gofyn i benaethiaid eraill (*chiefs*) ddod i'r achlysur hefyd – yn ddiarwybod i'r 'teulu'! Fesul un, yn ara' bach, camodd yr euogion allan, nes oedd 'na le i bawb oedd i fod yno! Treuliom noson ddifyr iawn yng nghwmni cyn-bennaeth Sambia, gyda Ben Masilo yn egluro ac yn canmol natur a gwerth y berthynas rhwng Cymru a Lesotho. Ar ddiwedd y noson cafwyd gwahoddiad gan Kenneth Kaunda i fynd i'w weld rywbryd a neges ar gerdyn â'r geiriau caredig 'barddonol':

'Blessed are those who think
                 ... of others like you do.
Yes, blessed are those who serve others
                 ... like you do.
We pray you will continue to
                 ... do as you now do.
Please keep smiling as you
                 ... continue with the wonders
                 ... you now do.
God Bless
by KOK'

Ar yr ail ddiwrnod aethom i bentre'r briodferch Hlotse, Leribe, rhyw awr o Faseru a char y Weinyddiaeth Dramor yn ein hebrwng yno. Wrth i'r car nesáu at y dref, gellid gweld y boblogaeth allan yn eu cannoedd ar ochr y ffordd, a'r seciwriti yn amlwg yr agosaf yr oeddem yn mynd at Hlotse. Cawsom ein hatal dair gwaith ar y ffordd i'r seremoni – y tro cyntaf, a'r cyfan yn Sesotho, roedd y swyddog diogelwch yn amlwg yn herio'r gyrrwr, a nes iddo yngan y gair 'Wales' roeddem ni'n meddwl bod pethau ar ben arnom! 'Wales' oedd yr allwedd felly! Digwyddodd yr un peth ddwywaith eto cyn inni gyrraedd y 'cae' ar gyrion y dref lle cynhaliwyd yr ail seremoni. Gwastatir go sylweddol oedd y 'cae' gydag 'eisteddle' bach ar gyfer pêl-droed yn un pen. Ac yna dechreuodd y band pres ddiddanu'r dorf a'r lluoedd orymdeithio o'n blaenau. Saif dau beth yn y cof o'r p'nawn hwnnw. Yn gyntaf, yn y pellter, ar ben un o'r bryniau yn amgylchynu'r cae gwelwyd tylwythau o ddynion ar gefn eu ceffylau. O bell roedd rhywun yn gallu gweld rhuban o liwiau llachar, ond fel roedd yr orymdaith yn nesáu daeth yn amlwg mai amrywiaeth eu gwisgoedd oedd yn gyfrifol: blancedi lliwgar, hetiau amrywiol (hyd yn oed rhai Davy Crockett-aidd!), baneri, si-bŵts, siwmperi amryliw – unrhyw beth oedd ar gael, mae'n debyg, ond y cyfan yn dod at ei gilydd mewn sioe ryfeddol o liwgar. Aeth ymlaen am hydoedd gyda'r gadwyn ar ochr y mynydd yn ymddangos yn ddi-ben-draw. Cymerodd tuag awr i'r cyfan gyrraedd y cae gyda'r cyfeiliant cerddorol yn y cefndir. Dilynwyd hyn gan ddawnsio traddodiadol, a'r Fam Frenhines Mamohato – yn lladmerydd cryf dros y diwylliant brodorol – yn arwain, i gymeradwyaeth byddarol y dorf. Roedd y dawnsio, pawb ar eu pengliniau a'r corff yn symud yn rhythmig, yn heintus i'w wylio! Ar gyrion y cae, wedi i'r dorf chwalu ar ôl y seremoni, cafwyd mwy o ddifyrrwch gyda'r hogia'n chwarae eu hoffer cyntefig HMI (*Home Made Instruments*) – un o'm ffefrynnau i!

Roedd Dorothi a finnau wedi cyfarfod y Fam Frenhines o'r blaen pan ymwelodd hi â Chymru gyda'i mab y Tywysog Seeiso sydd, bellach, yn Llywydd Senedd y wlad. Prif nod yr ymweliad hwnnw oedd sicrhau gefeillio rhwng Tyddewi a Matsieng, y pentref brenhinol yn Lesotho, ond ar ddiwedd y daith honno daeth cyfle iddi ymlacio yn y Wigoedd mewn noson anffurfiol. Yn anorfod bron, pan fydd y Basotho yn ymhel, roedd y gerddoriaeth yn amlwg, ac unwaith eto roedd y Fam Frenhines yn ei chanol hi yn dawnsio gyda'i pharti a'r Cymry braidd yn geidwadol yn gwylio'r cyfan. Mewn toriad yn yr hwyl aeth Manon, merch 7 oed y cyn-Gadeirydd Dafydd Idriswyn Roberts, a oedd wedi ei swyno gan y cyfan, at y Fam Frenhines i ofyn oedd modd iddi ysgrifennu ati fel *pen friend*. Meddyliodd y Fam Frenhines am funud cyn amenio'r syniad. Doedd Manon, yn amlwg, ddim am golli'r cyfle a gofynnodd i ble roedd hi i fod i ysgrifennu. Sylweddolodd 'M'e Mamohato fod Manon o ddifri, ac ar ôl oedi am ychydig eto mentrodd, 'Try the Royal Palace, Maseru'!

Yn 2001, gyda'r Uchel Gomisiynydd 'Me' Lebohang Ramohlanka wrth y llyw yn Llundain, penderfynodd Llywodraeth Lesotho cydnabod y perthynas arbennig rhwng Cymru a Lesotho drwy benodi Is-gennad neu Gonswl Anrhydeddus Lesotho yng Nghymru a chefais yr anrhydedd o lenwi'r swydd honno – y tro cyntaf i unrhyw wlad o Affrica sefydlu cenhadaeth ddiplomyddol yng Nghymru. Heddiw mae'r Is-genhadaeth yn ein cartref ni, ac fel dywedodd Gwyn Llywelyn S4C mewn cyfweliad ar y pryd, pe bai rhywun yn chwilio am loches 'byddai'n her (oherwydd lleoliad y tŷ) iddyn nhw ddod o hyd iddo yn gyntaf'! Mae hi wedi bod yn brofiad braf iawn croesawu sawl Basotho i dir sofran Lesotho yng Nghymru. Yn eu mysg daeth Tywysog Seeiso eto, y tro hwn fel Uchel Gomisiynydd Lesotho yn Llundain. Yn gyfaill i'r Tywysog Harri, cafodd Harri ei swyno gan y Basotho wedi iddo dreulio amser yn gweithio yn y wlad. O glywed Harri yn siarad yn deimladwy am Lesotho, trefnais fynd draw i Clarence House ar gais y Ddolen gan ofyn a fyddai ganddo ddiddordeb bod yn Noddwr (*Patron*) ar ein rhan. Yn dilyn cyflwyniad gen i am hanes a nod Dolen Cymru, yn 2007 dewiswyd Dolen Cymru fel yr elusen gyntaf i Harri ymgymryd â hi fel Noddwr, perthynas sydd wedi bod o fudd ariannol yn ogystal ag mewn sawl ffordd arall. Mae sefydlu'r Is-genhadaeth wedi bod yn gyfle hefyd i groesawu'r Cymry i De Mefus blynyddol yn y Wigoedd, gan sicrhau dros £20,000 at ein gwaith yn Lesotho.

Yn 2009 cefais y fraint annisgwyl o dderbyn anrhydedd sifil uchaf Lesotho mewn seremoni yn stadiwm Leribe, sef Member of the Most Loyal Order of Ramatseatsana, gŵr doeth a chynghorydd i sylfaenydd y wlad, y Brenin Moshoeshoe! Gyda'r stadiwm yn llawn penaethiaid y gwahanol dylwythau, a lliw a llun a sŵn Lesotho yn eich taro o bob cyfeiriad unwaith yn rhagor, roedd yn achlysur llawn emosiwn wrth i Is-gennad yr Almaen a finnau dderbyn yr anrhydeddau. Sefyllfa arall i'w thrysori.

Nid nod y bennod hon yw croniclo holl ddatblygiadau Dolen Cymru a wnaed eisoes gan Paul Willams yn ei lyfr *Wales' African Twin – The story of Dolen Cymru, the Wales Lesotho link*, ond yn hytrach i gyfleu rhai o'r atgofion mwyaf trawiadol neu felys o'i datblygiad hyd heddiw.

Yn 2015 dathlodd Dolen Cymru ei phen-blwydd yn 30 oed ac mae amryw yn gofyn beth sy'n gyfrifol am ein llwyddiant dros gymaint o amser.

Y wers gyntaf, mi dybiaf, oedd sicrhau perchnogaeth y syniad, ynghyd â'r wlad a ddewiswyd, gyda'r broses ymgynghori yn sicrhau hynny ar y cychwyn.

Yn ail, mi oedd sicrhau ymlyniad parhaol rhwng ein cymunedau a'r gallu i ddyfalbarhau er gwaethaf sawl ergyd yn hollbwysig. Wedi trawma'r *coup* milwrol a'r modd y goresgynnodd y Ddolen hynny, bu sawl her logistaidd. Lleoliad y Cyngor Prydeinig yn Lesotho oedd canol Maseru, yn gyrchfan ar gyfer cannoedd o Basotho gyda'i lyfrgell yn orlawn bob penwythnos a'r awch i ddysgu yn amlwg gan gymaint o fyfyrwyr. Ble well felly i sefydlu swyddfa gyntaf Dolen Cymru yn Lesotho? A gweithiodd hynny'n dda nes i'r Cyngor Prydeinig gau yn Lesotho. Wedyn, yn 2005 caewyd yr Uchel Gomisiwn yn Lesotho gan Lywodraeth San Steffan. Hwn oedd y tro cyntaf i unrhyw wlad yn y Gymanwlad golli cenhadaeth ddiplomyddol y wladwriaeth Brydeinig. Trefnodd Dolen fod cwestiynau seneddol yn cael eu gofyn i Jack Straw, y Gweinidog Tramor. Yr ateb trist oedd y bu adolygiad o genadaethau tramor Prydeinig ac nad oedd modd cyfiawnhau £0.5m yn flynyddol ar yr un yn Lesotho. Yn waeth fyth, roedd yr arian oedd yn cael ei arbed i'w ddefnyddio i 'agor is-genadaethau newydd yn Irac'. Wna i ddim gofyn i'r darllenydd farnu ar y penderfyniad, na'r deilliant oddi ar hynny! Ond mewn adroddiad gan Chatham House ychydig wedyn tynnwyd sylw at y ffaith bod swyddfa'r Ddolen ym Maseru yn gweithredu fel procsi is-genhadol werthfawr wrth iddo hwyluso ceisiadau am fisa i'r sawl sydd yn ymweld â Phrydain.

Y drydedd allwedd i'r llwyddiant oedd gosod y berthynas ar sail gyfartal a sicrhau cydraddoldeb ym mhopeth rydym ni yn ei wneud cyn belled â bod hynny'n ymarferol bosibl.

A chyfrinach olaf ein llwyddiant yw ymbweru cymunedau, yn Lesotho ac yng Nghymru, er mwyn i'r gwersi a ddysgir a'r hyfforddiant a gyflwynir greu hyder o'r newydd yn y cymunedau hyn yn lleol ac yn genedlaethol. Roedd y cytundeb yn 2014 pan arwyddodd llywodraethau Cymru a Lesotho Femorandwm Cyd-ddealltwriaeth yn arwydd o aeddfedrwydd y berthynas ac yn creu gobaith pellach ar gyfer y dyfodol.

Y Llwybr Troellog Gwleidyddol

BETH SYDD YN gyfrifol am ddatblygiad hunaniaeth mewn person ifanc? Yn absenoldeb cymhelliad gan fy rhieni mae'n syndod i mi sut y tyfodd f'ymwybyddiaeth o Gymru i'r fath raddau yn ystod fy mhlentyndod. Efallai, am fy mod i'n mynd i ysgol tu allan i'm dalgylch ac wedi cael fy nadwreiddio o'm cymuned yng ngogledd Manceinion yn weddol gynnar, wnes i erioed uniaethu â'r ardal lle roedd fy nghartref. Roedd ymweliadau haf i weld ac i aros efo fy nain Ani Thomas yn Llanberis yn ddylanwad cryf arnaf. Roedd mynd i'r becws a Newton Stores, groser yn Stryd Newton, yn rhan o'r profiad hwnnw. Yn y man hwn hefyd y mentrais fy ngeiriau cyntaf yn Gymraeg wrth imi chwarae efo Arwel (Jones), Hogia'r Wyddfa. Dysgodd Nain imi sut i gyfri at 100! A chofiaf yn iawn fynnu fy mod i'n dysgu'r ddihareb oedd wedi ei 'sgythru ar damaid o bren ar y silff ben tân; 'GORAU CYFAILL, CYDWYBOD LÂN'! Ac yn ystod pob ymweliad â Llanberis gyda'r teulu roedd ymweliad i Enfield Cottage (am enw) ym Mhontrug, lle roedd fy hen fodrybedd Jane Ellen a Magi yn byw, yn achlysur i'w werthfawrogi – cerdded drwy'r 'ardd bwthyn' fwyaf bendigedig, ac wedyn allan drwy'r giât ym mhen draw'r ardd i nôl bwcedaid o ddŵr o'r ffynnon neu hel mwyar duon, profiadau i ysbrydoli hogyn ifanc a dreuliodd gymaint o'i amser mewn dinas fyglyd fel oedd Manceinion yn y '60au. Ffermio ym Mhant Ifan, Ceunant efo'u tad oedd y chwiorydd Jane a Magi cyn symud i Bontrug. Ymweliad rheolaidd arall yn ystod fy mhlentyndod oedd y gwasanaeth ar nos Galan yn eglwys Sant Peris, Nant Peris, pentref gwreiddiol fy nheulu ar ochr mam fy nain. Mae'r atgof o leuad llawn am hanner-nos yn Nyffryn Peris gydag amlinelliad y cribau o'm cwmpas yn dal yn hudolus hyd heddiw.

Yn f'arddegau daeth chwaer mam, Eluned, ynghŷd â'i gŵr Ernest a'm cyfnither Lynda i fyw efo ni yn Prestwich wedi i Ernest golli ei waith wrth i ffatri Saunders-Roe, Beaumaris gau. Cymraeg oedd eu hiaith naturiol nhw o gwmpas y tŷ tra oedd f'ewythr yn chwilio am waith ym Manceinion, a Mam, yn naturiol, yn siarad Cymraeg efo nhw pan nad oedd fy nhad o fewn clyw. Roedd dylanwad capel Gorffwysfa, Llanberis yn dal ar Mam hefyd, a bob hyn a hyn i ffwrdd â hi fore Sul i'r capel Cymraeg yn Cheetham Hill yng ngogledd y ddinas. Soniodd hi'n fynych am ei chyfaill plentyndod, yr awdur Tomi Rowland Hughes, a'r Cynghorydd lleol R H (Robin) Owen, Pen-gwaith, ac felly roedd y cefndir hwn yn britho f'is-ymwybod am y wlad 'ddirgel' ochr draw i Glawdd Offa. Ac efallai mai'r pethau hyn wnaeth greu yr angerdd a arweiniodd ata i'n sefyll yn yr etholiadau ysgol yn Bury fel ymgeisydd seneddol ar gyfer – Plaid Cymru! Er mawr syndod i mi, o ystyried cefndir y rhan fwyaf o'r plant, deuthum yn ail i'r Ceidwadwr, gyda dim ond tair pleidlais yn ein gwahanu! Y Ceidwadwr hwnnw oedd David Trippier, a ddaeth yn Weinidog adeg Llywodraeth Margaret Thatcher ac sydd, bellach, yn Farchog ar ôl colli ei sedd yn San Steffan.

O'r dyddiau cynnar hynny a'r cam cyntaf o ddeffro a deall pwy oeddwn i, a ble oedd fy nheyrngarwch, mae dau gam arall wedi bod yn natblygiad fy ymwybyddiaeth gwleidyddol. Y nesaf oedd fy nghyfnod yn y brifysgol ym Manceinion, ac er fy mod yn ei hystyried yn anrhydedd i gael y profiad hwnnw, roedd y diffyg dealltwriaeth am Gymru gan y rhelyw o'r bobl ddeallus o'm cwmpas yn agoriad llygad. Rhaid cofio mai'r chwedegau oedd y cyfnod sydd dan sylw, degawd o chwyldro ymysg myfyrwyr mewn sawl gwlad, adeg y sefydlwyd Cymdeithas yr Iaith, a buddugoliaeth Gwynfor Evans fel Aelod Seneddol cyntaf Plaid Cymru. Roedd y trafodaethau yn yr Undeb yr un mor bwysig a pherthnasol – i mi beth bynnag – ag unrhyw ddarlith ar ddosbarthiad y system nerfau i'r fraich! Ac yn yr Undeb felly y treuliais lawer o'm hamser yn hogi meddwl a deall cymaint o frwydr oedd yn wynebu Cymru, a Duw a'n gwaredo os oedd rhaid dibynnu ar fy nghyfoedion i sicrhau llewyrch i'n gwlad! Cofiaf ysgrifennu at Gwynfor, yn ymfalchïo yn ei lwyddiant a'r holl sylw a gafodd yn y wasg yn Llundain. Gan mai 1966 oedd y flwyddyn, a finnau yn dal yn y brifysgol, creodd y fuddugoliaeth gyfle pellach i barhau â'r trafodaethau difyr ymysg ffrindiau.

Yr adeg yma hefyd, wrth ymweld â Llanberis am y penwythnos, galwais i weld Elwyn Roberts yn swyddfa'r Blaid ym Mangor ac ymaelodi â Phlaid Cymru am y tro cyntaf. Roedd yn gyfnod cyffrous gydag is-etholiadau eraill yn denu miloedd at Blaid Cymru am y tro cyntaf. Cefais y cyfle i ganfasio yng Nghaerffili (1968) a Merthyr (1972) a gweld Dr Phil Williams (cynnydd o 29%) ac Emrys Roberts (cynnydd o 27%) yn dod yn agos iawn at gipio'r seddau hynny. Ochr yn ochr â'r llwyddiannau gwleidyddol, cyfrannodd ymgyrchoedd Cymdeithas yr Iaith ac Adfer a phrofiad Tryweryn i gyd at y teimlad bod y 'chwyldro cyfandirol' ar droed yng Nghymru hefyd a bod hon yn wlad oedd am ddangos hunanhyder ac arweiniad o'r diwedd. Yn 1967 pasiwyd Deddf yr Iaith Gymraeg, a roddodd 'ddilysrwydd cyfartal' i'r Gymraeg a'r Saesneg am y tro cyntaf. Er hynny, erbyn inni gyrraedd Llanaelhaearn fel teulu yn 1970 roedd yn ymddangos bod y momentwm gwleidyddol yn edwino.

Does dim dwywaith mai dylanwad fy ngyrfa yn Llanaelhaearn oedd y trydydd cam a'r un sydd yn gyfrifol am fy ymwybyddiaeth wleidyddol fel y mae heddiw. Tan hynny, roedd fy ngwleidyddiaeth yn rhywbeth greddfol, yn ddiwylliannol yn bennaf, ac yn ymateb i heriau'r Gymraeg. Ond yn y cyfnod hwn yn Llŷn, a finnau yn mynd yno yn 26 oed, aeddfedodd fy nealltwriaeth o'r hyn oedd yn dylanwadu ar iechyd a lles pobl ac ar y fath o gymdeithas roedd rhywun yn dyheu i'w gweld. Beth oedd hynny, mewn gwirionedd, ond cymdeithas â'r modd i fod yn hunanhyderus gyda chyflogaeth a thai digonol ac addas, a'r Gymraeg yn rhan hanfodol o ddiwylliant llewyrchus ein cymunedau. A'r unig ffordd i greu cymdeithas o'r fath, yn fy nhyb i, oedd drwy sicrhau polisïau datganoledig yn seiliedig ar y sgiliau a'r asedau sydd gennym ni neu yr oedd modd eu creu yn gydnaws â chefndir ein gwahanol gymunedau.

Er i fy ngwaith yn Llanaelhaearn ganolbwyntio, yn bennaf, ar sicrhau buddiannau'r cleifion a'r agenda uchod drwy fy nghyfraniad i Tai Gwynedd, Antur Aelhaearn a Nant Gwrtheyrn, yn 1971 cefais y cyfle i symud yr agenda gwleidyddol pleidiol ymlaen yn dilyn sgwrs 'siawns' gyda Brian Morgan Edwards. Mae'n anodd wrth edrych yn ôl i gofio mor adnabyddus oedd Dafydd Wigley i drwch aelodaeth y Blaid ar y pryd, ond yn sicr roedd wedi dechrau gwneud enw iddo'i hun fel Cynghorydd llwyddiannus ar Gyngor Merthyr Tudful, ac oherwydd hynny cafodd wahoddiad gan etholaeth Meirionnydd i fod yn ddarpar ymgeisydd seneddol yno. Er bod Dafydd yn hanu o Arfon, roedd ganddo rai cysylltiadau teuluol â Meirion ac roedd y cynnig yn demtasiwn, dw i'n siŵr. Ond gwrthod a wnaeth gan ddweud yr hyn oedd yn amlwg i bawb, sef bod Meirion yn bell o Ferthyr ac, felly, dim diolch. Roedd gallu Dafydd yn amlwg, ond er hynny roedd yn dipyn o syndod clywed Brian yn dyheu i weld Dafydd yn ymgeisydd yn Arfon ar ôl iddo wrthod y cynnig ym Meirionnydd. Onid oedd Arfon yn bellach byth? Ond doedd Brian ddim am dderbyn nad oedd y peth yn bosibl, a gofynnodd imi gymryd y cyfrifoldeb dros sefydlu cangen newydd o'r Blaid gyda'r bwriad unswydd o enwebu Dafydd. Cytunais ar y sail y byddai Brian yn 'gweithio' ar Dafydd gyda chymorth eraill, tra 'mod i'n sefydlu Cangen Chwilog, ychydig tu allan i ddalgylch fy mhractis – i osgoi unrhyw feirniadaeth amlwg – ac ar 11 Rhagfyr 1971 cafwyd Noson Medd, Cawl a Gwin Cartref ym Mryn Meddyg i ailsefydlu Cangen Chwilog.

Unwaith roedd yr hanes ar led bod Dafydd nid yn unig yn fodlon rhoi ei enw gerbron ond hefyd ei fod ar y rhestr fer, roedd 'na fwy na thipyn o godi aeliau a thynnu coes am ei ymwybyddiaeth o ddaearyddiaeth Cymru! Cofiaf, fel Cadeirydd, fod y gangen yn eithaf anghrediniol y byddai Dafydd yn derbyn y gwahoddiad, ond derbyn a wnaeth. Y cyfreithiwr a'r Cynghorydd o dras amlwg, WRP George, oedd yr ymgeisydd arall a chefais y fraint o fod yn rhan o'r panel cyfweld. Oherwydd yr anghrediniaeth yn gyffredinol y byddai Dafydd yn derbyn, dim ond Cangen Chwilog ac un gangen arall a wnaeth enwebu Dafydd tra oedd gan WRP nifer sylweddol o enwebiadau. Cefais argraff ffafriol iawn o ran safon y noson, a mond wedi i Phyllis Elis gyfri'r pleidleisiau yn rhinwedd ei swydd fel Ysgrifennydd y Rhanbarth cyn bwrw ei phleidlais ei hun y gwelwyd fod Dafydd wedi cael mwyafrif o un a fe ddechreuodd ar daith ei yrfa 'seneddol'! Cafwyd sawl ymgom ac achlysur cymdeithasol – rhai ym Mryn Meddyg – i hel arian ar gyfer ymgyrch lwyddiannus Dafydd yn etholiad 1974. Galwodd heibio Bryn Meddyg wrth fynd am dro bore Sul ar ambell achlysur yn y cyfnod hwn, ac ni allaf anghofio ei alwadau gydag Alun a Geraint, y ddau blentyn a gollodd Dafydd ac Elinor rai blynyddoedd wedyn. Ar y pryd nid oedd unrhyw ddiagnosis yn hysbys – yn gyhoeddus o leiaf – ac er fy mod yn amau nad oedd pethau'n iawn, doeddwn i ddim yn hoffi, nac yn ddigon hyderus, i sôn chwaith. Natur ddynol mae'n debyg, ond dw i'n edifarhau na chodais y pwnc. Yn ystod y cyfnod hwn hefyd wnes i gyfarfod Hywel Williams, olynydd Dafydd fel Aelod Seneddol, am y tro cyntaf. Tra oeddem ym Mryn Meddyg penderfynodd Dorothi a finnau fod yn rhieni maeth a Hywel, yn rhinwedd ei swydd fel cyw weithiwr cymdeithasol, wnaeth ein rhoi ar ben y ffordd. Profiad difyr oedd maethu ar sawl achlysur, a pheth i'w gymeradwyo i unrhyw un sydd yn meddwl am y peth.

Er y llwyddiannau gyda'r ymgyrch ysgol a'r datblygiadau yn y trydydd sector yn ffrwtian yn y cefndir, erbyn canol y saithdegau roedd yr awch i wynebu her 'wleidyddol' Cymru yn dal i gnonni, a pham lai? Wedi'r cyfan, onid oedd ein gwleidyddion ni yn dal y rhan fwyaf o'r atebion i'r her iechyd hefyd? Y gallu i ddylanwadu ar bolisi cymdeithasol a datblygu'r is-adeiledd a oedd mor bwysig i ffyniant ein gwlad a llewyrch y bobl. Ond wedyn, y cwestiwn amlwg – a oedd sefyll fel ymgeisydd seneddol yn ymarferol i rywun oedd yn gaeth mewn practis meddygol drwy'r amser? Yn cymhlethu pethau oedd y ffaith bod yr etholaethau agosaf ataf naill ai yn nwylo Plaid Cymru eisoes (Dafydd Elis-Thomas wedi sicrhau Meirionnydd yn 1974) neu, yn achos Ynys Môn, roedd Ieuan Wyn Jones yn ei ymladd eisoes gyda siawns dda o'i hennill. Wedi imi drafod efo sawl un, es i am etholaeth Maldwyn am fod natur heriau gwledig y sir yn apelio ataf, ac yn 1976 cefais fy nghroesawu fel darpar ymgeisydd mewn noson ddifyr iawn yng Ngwesty'r Bodfach, Dyffryn Tanat. Hwn oedd y tro cyntaf imi glywed Y Gasgen yn canu 'Llongau Caernarfon', a mentraf ddweud mai honno yw fy hoff fersiwn oddi ar hynny! Yn nhraddodiad yr ardal, cafwyd cystadleuaeth limrig, a'r un a ragorodd ar y noson oedd yr un gan Ap Wili:

Rhyw ddoctor ddaeth draw dros y bryniau
O Wynedd yn llawn o gynlluniau
Ac yma yn ein Sir [*sic*]
Gobeithio yn wir
Bydd 'stethoscope' hwn ar ein c'lonnau.

Yno hefyd oedd Arfon Gwilym a Siân James yn cynnig croeso drwy gân, a chefais y fraint y noson honno o aros ar fferm Penybontfawr a chyfarfod Nansi Richards, y delynores deires nodedig. Gan fy mod yn dal mewn practis fel meddyg yn Llŷn tan hydref 1977 ac wedyn yn gwneud fy nghwrs ôl-radd yn Llundain, roedd bod yn ymgeisydd yn golygu cryn waith jyglo amser a chymryd ambell wythnos o wyliau yn y sir. Cynigiodd sawl un fynd o gwmpas y sir efo fi a'm cyflwyno i'r ardal, ond yr un mwyaf nodedig oedd Baldwyn Thomas, Cwm Llywi, Abercegir a oedd, fel petai, yn adnabod pawb a threuliodd oriau yn fy nhywys i bron bob cornel o'r etholaeth. Gwelais sefyllfaoedd cwbl ddieithr imi; roedd y mart yn y Trallwng yn agoriad llygad, yr un fwyaf yn Ewrop ar y pryd ac yn fwrlwm cymdeithasol, yn ogystal â bod yn fan pwysig i fasnachu. Hefyd, wrth gwrs, roedd yn fan arbennig i gyfarfod etholwyr. Wrth grwydro Maldwyn am yr eildro erioed y gwelais ambell wraig yn gwisgo ffedog fras a chlocsiau, ac yn wahanol i Lŷn yn y '70au gwelais foch wedi eu halltu yn hongian o'r nenfwd mewn sawl cegin. Roedd yr 'hen ffordd Gymreig o fyw' yn dal yma! Clywais ganu Plygain am y tro cyntaf a chael fy swyno gan ei symlrwydd. Dygymod wedyn â'r dafodiaith a'r eirfa gyfoethog sy'n nodweddu'r sir – 'y lodes hardd', 'y sietyn', 'ffordd 'dach chi', 'ffebrins', ac yn y blaen – a gwerthfawrogi bod y rhaniad ieithyddol yn y sir yn un eithaf cymhleth a bod rhaid imi fod yn sensitif i hynny. Dyma'r unig sir sydd yn ymestyn o'r ffin â Lloegr at y môr ger Machynlleth, ond eto mi oedd rhai o'r ardaloedd mwyaf Cymraeg yn ymyl y ffin.

Roedd f'ymgyrch gyntaf yn anelu at yr etholiad cyffredinol yn 1979, ac ar gyfer hynny wnaethom ni fel teulu ymgartrefu ar aelwyd Baldwyn a Meg Thomas yn Abercegir. Yno cafodd y plant amser wrth eu bodd gyda phlant Cwm Llywi – Dafydd, Mair, Ioan a Pheredur. Roeddent yn cyfoedi â'n plant ni, ac ni allaf feddwl am aelwyd fwy addas ar gyfer ymladd etholiad. Am brofiad toreithiog! Y diweddar Emlyn Hooson, Rhyddfrydwr, oedd yn dal y sedd, fel oedd ei ragflaenwyr am y 99 mlynedd cyn hynny. Nid yn annisgwyl, felly, prif neges f'ymgyrch oedd ei bod yn 'Amser am Newid'! Wrth ddilyn pryderon etholwyr, yr un sydd yn aros yn y cof yw'r effaith roedd hedfan isel yn ei chael ar y gymuned wledig. Yn arbennig, cofiaf ddau blentyn o gyrion Bro Ddyfi – un a ddioddefodd effaith sŵn ar ei glyw, a'r llall a oedd yn methu mynd allan o'r tŷ wedi i awyren ei ddychryn i'r fath raddau wrth hedfan mor isel dros y cartref ar yr union adeg roedd y bychan yn mynd trwy'r drws ffrynt. Ond sut i ymrafael â'r llu awyr? Cefais air efo Dafydd Wigley, a drefnodd inni fynd i'r Weinyddiaeth Amddiffyn yn Whitehall. Roedd gan Dafydd, fel Aelod Seneddol, fynediad at James Wellbeloved y Gweinidog a rhai *Wing Commanders* y llu tra doedd gen i ddim fel ymgeisydd. Felly o'n i yno yn swyddogol fel 'ymgynghorydd meddygol' i Dafydd. Roedd hyn yng nghanol ymgyrch yr IRA yn Llundain a'r diogelwch wrth fynd i fewn yn beth a adawodd argraff. Wedi inni gyrraedd y llawr uchaf cawsom ein tywys i ystafell nid ansylweddol a bwrdd yr un mor grand yn ei chanol. Yno, i'n cyfarfod, roedd hanner dwsin o fyddigions y llu awyr i gyd yn eu lifrai a'u medalau yn amlwg. Doeddwn i ddim yn disgwyl y fath 'driniaeth', ac aeth pethau'n ddigon hwylus nes imi gael un neu ddau o gwestiynau heriol am fy ngwleidyddiaeth a roedd rhaid imi gyfaddef fy nghefndir fel ymgeisydd ym Maldwyn. Dywedwyd dim byd amlwg ar y pryd, ond doedd fy nghynnig i gael gwrandawiad, heb fod yn Aelod Seneddol, ddim yn eu plesio. Sut mae rhywun yn gwybod, meddech chi? Am fis wedyn, torrwyd ar lonyddwch fy nghartref ym Mro'r Eifl gan hedfan isel cyson, ardal oedd heb ddiodde'r fath darfu ar y pryd!

Fy nod cyntaf o ran ymgyrchu oedd ceisio efelychu'r patrwm a welwyd mewn etholaethau eraill megis Ceredigion a Meirionnydd, lle bu'r Rhyddfrydwyr yn gryf ond wedi edwino. Ond yn lle cael eu disodli gan Lafur ym Maldwyn fe'u disodlwyd gan y Ceidwadwyr, y blaid agosaf atyn nhw o ran pleidleisiau – a syniadau. Yr ail gam, ar ôl i'r Ceidwadwyr fynd i fewn, a'r sir wedi arfer efo newid, oedd adeiladu platfform uwch ar gyfer y Blaid a chael y blaen ar y blaid unoliaethol. Fe lwyddwyd yn yr ymgyrch o derfynu rheolaeth 'ryddfrydol' yr etholaeth, ond yn anffodus y Ceidwadwr a enillodd oedd Delwyn Williams, cyfreithiwr o'r Trallwng a wnaeth gymaint o smonach yn ystod ei dymor gwleidyddol. Yn 1983 cafodd ei ddisodli gan y Rhyddfrydwr, Alex Carlile, a chafodd y blaid honno ail fywyd oherwydd hynny. A fyddai fy nod wedi llwyddo pe na bai Delwyn Williams wedi gwneud cymaint o lanast? Gyda Margaret Thatcher yn ei hanterth, dim ond 11 o Geidwadwyr a gollodd eu seddi yn yr etholiad hwnnw ac roedd fy etholaeth i'n digwydd bod yn un ohonyn nhw!

Yn y blynyddoedd wedyn llwyddwyd i adeiladu seilwaith i'r Blaid ym Maldwyn gyda changhennau'n cynrychioli pob rhan o'r sir. Sefydlwyd swyddfa mewn tŷ a brynodd y Blaid yn y Drenewydd, a phenodwyd y Cynghorydd Desley Moore fel Trefnydd. Roedd 'na rywfaint o lwyddiant ar lefel y Cyngor Dosbarth gyda Reg Taylor, y Drenewydd, wedi ei ychwanegu at Desley a Dafydd Wyn, Bro Ddyfi. Ar lefel y sir, roedd aelodau'r

Blaid fel Gwilym Fychan a Hedd Bleddyn yn cwhwfan y faner, er yn annibynnol ar y Cyngor. Sefais ym Maldwyn ddwywaith wedyn ar gyfer etholiad cyffredinol, yn 1983 ac 1987, ond er brwdfrydedd y tîm a llawer o waith caled gan bawb ni chafwyd llawer o lwyddiant. Ni fu Maldwyn yn dir ffrwythlon i Blaid Cymru, er tybiaf y byddai'r canlyniad lawer iawn yn well pe bai system cynrychiolaeth gyfrannol yn bod. Gyda'r Blaid tua'r gwaelod, roedd yn anodd ryfeddol i gamu i'r top gyda'r drefn *first past the post*. Cofiaf eiriau Glyn Davies (Aelod Seneddol Maldwyn heddiw) yn adleisio hyn wedi iddo fwrw ei bleidlais drosof yn 1979!

Yn gefn imi drwy'r ymgyrchoedd oedd fy asiant, y Parchedig Arthur Thomas, Llanfair Caereinion. Yn weithiwr diflino dros yr achos, daeth yn gyfaill agos, a phwy well i gael wrth eich ochr ar noson yr hystings cyn y diwrnod mawr? Yr arferiad oedd cynnal y noson yn Neuadd y Dref, y Trallwng, a phob ymgeisydd yn cael cyfle i annerch y neuadd orlawn a'r gynulleidfa lawn angerdd oedd yn cynrychioli pob plaid! Pwysleisiaf y gair orlawn; nid yn unig yr oedd y seddau'n llawn, ond roedd pobl yn sefyll ar hyd yr ochrau ac allan heibio'r drysau. Y drefn oedd bod pob un o'r pedair plaid yn cymryd eu tro – tua hanner awr yr un – siarad am ugain munud, ac wedyn cwestiynau o'r llawr. Adeg fy nhro i, camodd y tîm ymlaen – y Cadeirydd, y Cynrychiolydd, y Trefnydd, Dorothi a finnau – gosod y bwrdd a'r blodau (!), a dechreuodd y ddrama! Gyda chynulleidfa mor bleidiol i'w carfan nhw, roedd 'na draddodiad o heclo 'cyfeillgar' na phrofais o'r blaen, ond mwynheais y cyfan a gobeithio i'r Blaid ennill ychydig yn rhagor o ffrindiau.

Doedd fy llwybr gwleidyddol ddim bob amser yr hyn fyddai rhywun wedi ei ddisgwyl, a phan ddaeth Brian Morgan Edwards ataf a'm gwahodd i ymuno â fo mewn dirprwyaeth o aelodau Plaid Cymru, gyda Phil Williams a John Lewis, ar daith i Libya yn 1976, cefais syndod a gweld cyfle ar yr un pryd. Wedi'r cwbl, onid hon oedd y wlad oedd yn cael ei llywyddu gan y carismataidd Cyrnol Gaddafi a'r holl ddirgeledd a rhin dadleuol yn ei gylch?

Ar y pryd roedd Dr Phil yn ymchwilio sut oedd gwledydd eraill yn rheoli eu hadnoddau, ac wedi ystyried enghreifftiau megis Norwy ac Iwerddon trodd ei sylw at Libya fel yr esiampl orau o bosibl o wlad yn cael y gorau o gwmnïau mawr rhyngwladol. Trwy ei ymchwil daeth gwahoddiad gan Undeb Sosialaidd Libya i'r Blaid archwilio'r posibiliadau ar gyfer cydweithrediad mewn addysg a masnach, ac yn arbennig wrth allforio cig oen, a chynigion nhw dalu am yr ymweliad.

O ystyried cefndir y pedwar – astroffisegydd, masnachwr olew rhyngwladol, meddyg ac allforiwr cyfrifiaduron, ni allaf feddwl am well cyfuniad ar gyfer y dasg oedd yn ein hwynebu! Cawsom ein trin yn anrhydeddus. Wedi'r daith dosbarth cyntaf cynigiwyd llety yng ngwesty'r Beach yng nghanol Tripoli a char i'n cludo i bob man. Dysgais un wers iechyd bwysig yn y gwesty; nid oedd diod feddwol ar gael yn y wlad, a chymerais goctêl o wahanol suddau – gyda rhew – a dyna oedd y camgymeriad. Treuliais ddau ddiwrnod yn fy ngwely gyda'r gastro-enteritis mwyaf ofnadwy tra oedd y tri arall ar eu gorchwylion 'busnes'. Dysgais lawer am y wlad yn ystod yr wythnos roeddem yno. Roedd natur unbenaethol Gaddafi yn wybyddus i bawb, ond er y ddelwedd yn y blynyddoedd cyntaf o'i 'deyrnasiad', roedd ei record o gyflwyno gwelliannau addysg ac iechyd er lles y bobl yn un clodwiw. Daeth yn eglur hefyd bod y penaethiaid iechyd yn cael eu hethol gan y gweithlu, rhywbeth oedd yn apelio ataf yn fawr, er bod dewis pwy oedd ar y rhestr mae'n debyg yn gorfod bod yn dderbyniol i'r Cyrnol a'i gyfeillion!

Yn hwyr un prynhawn aethom i rali yn Silouk ger Benghazi, cartref gwladgarwr a ymladdodd yn erbyn yr Eidalwyr trefedigaethol yn y 1930au. Roedd gyrru drwy'r tywod mewn 4x4 ar draws yr anialdir crasboeth yn annioddefol, ond torrwyd ar unrhyw ddiflastod fel y dyneswyd at safle'r rali. Yma i'n croesawu roedd rhai o'r brodorion wedi'u gwisgo o'u pen i'w sawdl yn eu gwisg draddodiadol – ychydig ohonynt i ddechrau, yn y pellter, ond fel yr aeth ein car yn ei flaen, cynyddodd y nifer i gannoedd a daeth yn nes ac yn nes atom nes bod y car bron yn stond ac wynebau'r dorf yn pwyso yn erbyn ffenestri'r car. Cymerodd y filltir olaf tua thri-chwarter awr, ond roedd yr hyn oedd i'w weld ar ben y daith yn gwneud y cyfan yn werth-chweil. Yno, yng nghanol yr anialwch, safai stadiwm godidog, ac wedi inni gael ein tywys i'n seddau, cawsom gyfle i werthfawrogi'r cyfan. Roedd y môr o wisgoedd yn drawiadol a sŵn y dorf gyffrous yn ymylu ar y dychrynllyd; dyma'r tro cyntaf imi glywed *uvulation*, y sŵn mae'r merched yn ei wneud wrth ddefnyddio eu tafod bach i fynegi eu cyffro – a sŵn cyfarwydd iawn imi bellach o 'mhrofiadau yn Lesotho. Roedd yr amrywiaeth yn y dorf y noson honno yn adlewyrchu maint y wlad gyda rhai o'r de yn dywyll Affricanaidd eu gwedd a charfan y gogledd o dras Arabaidd.

Roedd uchafbwynt y noson i ddod; clywyd sïon bod Cyrnol Gaddafi ei hun ar y ffordd, ond aeth awr heibio a dim golwg o neb, dwy awr heibio a'r nos wedi hen gau amdanom a dim golwg ohono eto nes inni glywed sŵn tu allan i'r stadiwm yn awgrymu bod 'rhywbeth' yn digwydd. Mae'r hyn a welsom wedyn wedi ei selio yn fy nghof am byth. Degau o stalwyni Arabaidd wedi eu haddurno yn lliwgar yn arwain y ffordd, eu marchogion yn dal fflam bob un, ac yng nghanol y cyfan y dyn ei hun yn cael ei groesawu gyda sioe o dân gwyllt. Sôn am fynediad! Roedd tafodau bach y merched yn fwy prysur nag erioed a'r sŵn yn fyddarol. Ni allaf ddweud fy mod i wedi gwerthfawrogi'r araith awr a hanner a ddilynodd, ond fel golygfa ysblennydd, rhywbeth wna i byth mo'i anghofio. Profiad arall sydd yn aros yn y cof oedd yr ymweliad i Leptis Magna, y gaer Rufeinig ar lan Môr y Canoldir. Mi oedd yn dal mewn cyflwr rhyfeddol o dda ac yn cystadlu fel atyniad â'r Colisewm yn Rhufain, ond oherwydd y ffrwgwd rhwng y Gorllewin a Libya nid oedd unrhyw ddiwydiant twristiaeth ar ei chyfyl, a ni a'n tywysydd oedd yr unig rai yno. Roedd ein tywysydd, Mabroak Dredi o'r Undeb Sosialaidd Arabaidd, yn ŵr hynod o garedig a chynorthwyol wrth iddo'n tywys i bob man.

Roedd yr ymweliad yn un herfeiddiol a phob un ohonom yn sylweddoli hynny. Ond, ar yr ochr bositif, cynigiodd y daith fewnwelediad i ffordd o fyw oedd yn ddieithr iawn i'r rhan fwyaf o bobl yn y Gorllewin. Yr hyn oedd yn annisgwyl oedd natur y sgwrs tua diwedd y daith, pan gynigiodd ein tywysydd weld faint o gyfraniad y byddai modd ei roi i'r pedwar heddychwr ar gyfer eu brwydr hwy am annibyniaeth, rhywbeth roedd Cyrnol Gaddafi yn coleddu fel ffordd o herio'r drefn yn y Gorllewin. Deallais drwy Brian ychydig wedyn bod £25,000 wedi cyrraedd coffrau Plaid Cymru.

Mae'r ffordd mae Libya wedi cael ei thrin yn ystod y blynyddoedd diwethaf yn fy nhristáu yn fawr. Wrth gwrs, roedd gan Libya ei hagenda gwleidyddol ei hun, ond onid oedd hynny'n wir amdanom ni hefyd – sef ein bod yn manteisio ar ei holew? Bellach, mae'r wlad mewn llanast. Cofiaf Tony Blair yn cofleidio Cyrnol Gaddafi ar yr adeg roedd yn defnyddio *rendition* i gael ei ddwylo ar y rhai oedd yn 'gyfrifol' am droseddau yn erbyn y Gorllewin. Ychydig wedi hynny croesawyd rhai o'r un bobl i lywodraethu yn Libya wedi i Brydain arwain y frwydr i waredu'r wlad o Gaddafi. Prawf os oedd angen bod gwleidyddiaeth yn gêm fudr! Bellach, gallaf feddwl ein bod yn medi'r hyn rydym ni wedi ei hau dros y blynyddoedd a fu. Yn sicr roedd Gaddafi yn unben, ond roedd 'na drefn addysg ac iechyd o safon, a thrwyddi draw roedd y wlad yn llawer mwy heddychlon a sefydlog nag y mae hi ar hyn o bryd.

Dysgais o'r profiad hwn, ac o sawl profiad wedyn, mor bwysig yw gweld achos yn ei gyfanrwydd cyn ei farnu. Efallai mai uchafbwynt profiad o'r fath oedd yr amser a dreuliais ddwywaith mewn 'cynhadledd' yn Caux, uwchben y llyn ger Montreux yn y Swistir. Aethom yno fel teulu wedi i Initiatives for Change fy ngwahodd i gymryd rhan, a thrwy wahoddiad yn unig roedd rhywun yn cael mynychu'r achlysur. Ei arbenigrwydd oedd cael pobl oedd mewn sefyllfa ryfel, gwrthdrawiad cymdeithasol neu'n cael eu herlid ar wahanol gyfandiroedd i ddod at ei gilydd o gwmpas byrddau trafod a chreu gwell dealltwriaeth a chyfeiriad i'w bywydau – lleoliad perffaith ar gyfer cymodi'r carfanau rhyfelgar sydd wrthi yn y Dwyrain Canol ar hyn o bryd! Doedd 'na ddim tâl i fynychu'r 'gynhadledd', dim ond cyfraniad yn ôl eich gallu, ac wrth i bawb gael eu rhannu i wahanol dîmau i baratoi bwyd, cynnal a chadw'r lle, trin y gerddi ac yn y blaen, crewyd ysbryd arbennig o gydweithrediad rhwng pobl ddieithr iawn i'w gilydd. Yno, wnes i gyfarfod y Dalai Lama ac ymladdwyr o Bacistan, India a Kashmir, a chefais y cyfle i fod yn lladmerydd dros y cenhedloedd bychain a'r ieithoedd llai mewn un sesiwn drafod.

Wedi tri chynnig ym Maldwyn, penderfynais ildio'r awenau heb feddwl llawer mwy am yrfa wleidyddol, ond maen nhw'n dweud unwaith bydd y *bug* gwleidyddol wedi eich 'brathu', does dim modd ei anwybyddu, ac efallai bod hynny'n wir yn fy achos i. Yn 1989, gydag etholiad Senedd Ewrop ar y gorwel, penderfynais ymgeisio am enwebiad gan Blaid Cymru ar gyfer sedd Gogledd Cymru. Roedd hyn yn dipyn o fenter ar fy rhan i gan fy mod yn ymwybodol o ddiddordeb Dafydd Elis-Thomas yn y sedd, ond roedd cyfrannu ar lefel Ewropeaidd i ddatblygiad polisïau megis iechyd, yr amgylchedd ac ieithoedd llai eu defnydd yn apelio ataf yn fawr. Ond doedd y cyfeiriad yma ddim i fod imi chwaith gyda Dafydd, nid yn annisgwyl gyda'i broffil uchel, fel aelod seneddol yn San Steffan yn ennill y ras. Roedd 'na wobr gysur serch hynny pan ofynnwyd imi fod yn Gadeirydd ar ymgyrch Dafydd. Profodd hynny'n fwy o bleser nag oeddwn wedi disgwyl, oherwydd am y tro cyntaf cefais gyfle i gydweithio â phobl o etholaethau tra dieithr imi yn y Gogledd-ddwyrain.

Cynhaliwyd cyfarfodydd yr ymgyrch Ewropeaidd yng Nghorwen gyda chynrychiolwyr o bob etholaeth yn bresennol. Fy arferiad oedd mynd gyda'm cyfaill Gareth Morgan, Llanfair-pwll, cynrychiolydd etholaeth Môn, ar y daith tuag awr a hanner o hyd. Un noson yng nghanol yr ymgyrch, yn dilyn y busnes arferol a ninnau ar y ffordd adref, cafwyd profiad ysgytwol! Roedd hi'n dywyll, yng nghanol gaeaf, a ninnau newydd ymadael â Chorwen ar yr A5, heibio'r troad am y Bala. I'r rhai sy'n gyfarwydd â'r daith, yn dilyn y goleuadau ar y dde, ceir wal isel iawn a phalmant cul, peth eithaf annisgwyl yn y wlad, ond yr hyn wnaeth beri arswyd inni'n dau oedd gweld drychiolaeth neu 'Ladi Wen' yn eistedd ar y wal a honno yn ddelwedd sgerbydol a dychrynllyd ei golwg. Mewn anghrediniaeth, troais at Gareth i ofyn a oedd wedi gweld yr un peth â fi? Mi oedd ac, yn gytûn, penderfynwyd chwilio am le i droi a mynd yn ôl. Filltir yn ddiweddarach, mewn cryn gyffro, yn ôl â ni, ond y tro hwn doedd 'na ddim byw i'w weld! Doedd 'na ddim lle i'r ddrychiolaeth ddianc ac felly i ble yr aeth hi? Mae'r hanes yn ddirgelwch hyd heddiw.

Nid enillodd Dafydd, ond daeth yn ail i Lafur gyda chynnydd o 7.9% yn y bleidlais i Blaid Cymru.

Er gwaethaf fy mhrofiad ym Maldwyn ac ar lefel Ewropeaidd, roedd y *bug* gwleidydda yn dal yno, ac unwaith eto yn 1995 roeddwn yn ymladd am enwebiad ar gyfer sedd seneddol, y tro hwn ym Meirionnydd Nant Conwy, wedi i Dafydd Elis-Thomas gamu o'r neilltu. Cofiaf yn gynnes y teithiau di-rif i hystings gyda fy nghyd-ymgeiswyr, Eurig Wyn ac Eifion Lloyd Jones, yn ymddangos ar nosweithiau oer yng nghanol gaeaf mewn pentrefi oedd megis enwau ar y map tan hynny. Profiad difyr, ond gyda'r cyfreithiwr lleol Elfyn Llwyd wedi ei gefnogi gan ei ragflaenydd, roedd yn mynd i fod yn fynydd anodd i'w ddringo. Er hynny roeddwn yn fodlon fy mod wedi cael y cyfle, ac er nad oedd gwobr am ddod yn ail i Elfyn yn y cyfri o'n i wedi dod i ddeall rhan arall, ysbrydoledig o'n cenedl yn well. Ond, ac ond pwysig, hwn oedd y cynnig olaf ar unrhyw fwriad o gael gyrfa mewn gwleidyddiaeth!

Mae'n wir y cefais sawl un yn trio dwyn perswâd arnaf, wedi imi ymddeol, i sefyll ar gyfer y Cyngor Sir ym Môn, ond erbyn hynny roedd fy mryd ar y trydydd sector yn bennaf, ac yn arbennig Nant Gwrtheyrn a Dolen Cymru. Roedd un eithriad pan gytunais i gadeirio cangen Pentraeth, Talwrn a Rhoscefnhir o'r Blaid, a rhaid imi gyfaddef heb lawer o hwyl – a hynny yn bennaf oherwydd mater sydd yr un mor bwysig heddiw – dyfodol Wylfa.

Gyda'r gangen yn gefnogol iawn imi, ddiwedd 2009 cefais y cyfle i annerch y pwyllgor etholaeth ar 'ynni niwclear a'i beryglon a'r posibiliadau eraill o gyflogaeth gydag ynni amgen'. Oherwydd y datganiadau cyson gan Ieuan Wyn Jones, yn gyntaf fel aelod seneddol ac wedyn fel aelod o'r Cynulliad, o'n i o dan yr argraff bod y pwyllgor etholaeth o blaid Wylfa B ac yn eithaf gofalus a phetrus am fy nghyflwyniad. Roedd yn syndod felly i ddau ffigwr amlwg yn y Blaid – John Wynne Jones ac Edward Morus Jones – ddod ataf ar y diwedd i ddweud mai dim ond un person yn yr ystafell oedd yn anghytuno â fi y noson honno (a doedd Ieuan ddim yn bresennol), sef Dylan Wyn Rees, yr ymgeisydd ar gyfer San Steffan.

Ers rhai blynyddoedd bellach dw i wedi bod yn weithredol gyda PAWB – Pobl Atal Wylfa B – a mae'r rhesymau am hynny yn weddol amlwg:

- Pryderon am iechyd gyda gwastraff ymbelydrol gwenwynig yn cael ei storio ar y safle am dros 150 o flynyddoedd, a dim cynlluniau sut i'w waredu
- Y posibilrwydd o ddamwain, yn fecanyddol neu'n ddynol; gyda'r Wylfa presennol wedi ei ddirwyo yn agos at £500,000 gan yr Arolygiaeth Niwclear yn y '90au oherwydd torri rheolau iechyd a diogelwch, nid oes llawer o ffydd gen i yn y rheini sy'n dweud i'r cyfan fod yma, a hynny'n ddiogel, am 40 mlynedd. Onid oedd hyn yn wir yn Fukushima hefyd? Pawb yn ei groesawu oherwydd y gwaith a ddaeth yn ei sgil 40 mlynedd yn ôl a hynny i un o'r ardaloedd tlotaf yn Siapan. Heddiw, oherwydd y ffrwydriadau yn yr adweithyddion, mae'r economi wedi gwanhau yn ddychrynllyd gan fod 160,000 o bobl wedi gorfod gadael eu cartrefi, a llawer iawn ohonyn nhw am weddill eu hoes
- Cefais y cyfle i ymweld â Fukushima ddwywaith – y cyntaf gyda'r mab Cian yn Nachwedd 2013 – a gweld drosof fy hun gymaint o broblemau oedd yn wynebu'r bobl wedi iddyn nhw orfod gadael ffermydd, tai, ffatrïoedd, ceir ac unrhyw feddiant personol. Daeth hyn yn fwy byw eto yn Hydref 2014 wedi i dîm rhyngwladol deithio i Fukushima

gyda'r Groes Werdd, elusen o'r Swistir. Roeddwn i'n cynrychioli PAWB ac yno hefyd roedd Brian Jones, CND Cymru, Malcolm Carroll, Greenpeace, a Selwyn Jones, Cymdeithas yr Iaith. Cynhaliwyd trafodaethau gyda rhai o'r miloedd o efaciwîs ac ymweld â nhw yn eu cartrefi dros dro. Yr hyn oedd fwyaf trawiadol am y profiad oedd eu methiant i fynd ag unrhyw ddeunyddiau efo nhw wrth iddyn nhw adael eu tai, ac felly nid oedd unrhyw luniau o'r teulu na phethau personol i'w gweld a nid oedd modd, hyd yn oed, iddyn nhw ymweld â beddau eu hanwyliaid. Ar y cyfrif olaf bu tua 2,000 o bobl farw oherwydd y trawma o orfod gadael eu cartrefi a'u cymuned, a gyda nifer cynyddol o bobl – plant yn arbennig – yn dioddef o nodiwlau ar y thyroid disgwylir i nifer yr achosion o gancr gynyddu dros y blynyddoedd nesaf

- Yn yr oes hon mae'n rhaid ystyried y posibilrwydd o ymosodiad terfysgol. Eisoes codwyd pryderon am nifer y *drones* sy'n hedfan dros orsafoedd niwclear yng ngwlad Belg a Ffrainc, ac mae ymosodiadau *cyber* i chwalu'r systemau oeri yn gwbl bosibl

- Mae'r maes awyr yn y Fali tua munud hedfan o'r Wylfa, a gydag ymarferion yn yr ardal yn ddyddiol pwy a ŵyr beth fyddai'r canlyniadau pe bai damwain awyr neu ymosodiad gan rai o'r peilotiaid tramor sy'n cael eu hyfforddi yno? – y *green-on-blue attacks* fel rydym ni wedi eu gweld yn Afghanistan, Ffrainc ac America – pan fydd y sawl sydd yn cael eu hyfforddi yn troi ar yr hyfforddwyr

- Y newid yn yr hinsawdd sy'n anodd i'w ragweld dros oes yr orsaf a chyfnod y gwastraff ar y safle. A fydd y môr yn codi i lefel beryglus ac effeithio ar y safle yn ystod y ganrif a hanner nesaf?

- Bydd effaith Wylfa B ar yr amgylchedd lleol yn niweidiol iawn. Ar y safle dros 500 acer, rhyw 11 gwaith maint y safle presennol, mae 'na Safle o Ddiddordeb Gwyddonol Arbennig (SSSI), ac ar y cyrion ar yr Arfordir Treftadaeth ceir sawl dynodiad amgylcheddol o'r radd bwysicaf – Ardal o Gadwraeth Arbennig (SAC) ac Ardal Gwarchodaeth Arbennig (SPA) yn dynodi eu harwyddocâd ar lefel Ewropeaidd

- Bydd yr effaith ar yr iaith Gymraeg yn nacaol o gofio bod dros 80% o boblogaeth yr ardal hon yn siarad Cymraeg pan adeiladwyd yr orsaf bresennol. Trist oedd darllen adroddiad Estyn ar ysgol Cemaes yn 2006 pan adroddwyd mai 4% neu 3 plentyn o 75 yn yr ysgol oedd yn byw ar aelwyd Gymraeg
- Y tyndra a ddaw yn sgil y gofyn am dai ar gyfer cymaint o weithwyr newydd i'r ardal. Amcangyfrifir mai 20% yn unig o'r gweithlu a ddaw o ogledd Cymru a'r cyffiniau
- Ac, yn olaf, beth fydd yr effaith ar dwristiaeth ar yr ynys? Faint o bobl mewn gwirionedd fydd yn awyddus i ymweld ag ardal ag un o'r safleoedd adeiladu mwyaf yn Ewrop?

Ond wedi sôn am y rhesymau dros bryderu am orsaf niwclear newydd, mae cyfeillion PAWB yn llawn sylweddoli'r angen i greu gwaith ar gyfer pobl ifainc ar yr ynys, ac yn 2013 es ati i lunio rhaglen ar gyfer gwaith ac ynni amgen a gyhoeddwyd o dan y teitl *Maniffesto Môn*. Dangoswyd fod modd creu tua 1,650 o swyddi gan ddefnyddio dulliau ynni amgen a rhyw 1,300 o swyddi ychwanegol mewn meysydd eraill, megis prosesu bwyd, pysgota, technoleg gwybodaeth a thwristiaeth ddiwylliannol, ac yn ôl Magnox (gohebiaeth bersonol) 600 o swyddi am 20 mlynedd wrth i'r orsaf bresennol gael ei dadgomisiynu. Mantais fwyaf y maniffesto oedd ei fod yn defnyddio'r adnoddau sydd ar gael yn lleol, ac ar yr un pryd yn cynnig nifer addas o swyddi i gyfateb i'r rhestr 'ceiswyr gwaith' a'r sgiliau sy'n debygol o fod ar gael yn lleol.

Dosbarthwyd *Maniffesto Môn* yn weddol eang gyda'r nod o ddenu cefnogaeth, ac at ei gilydd cefnogol iawn oedd yr ymateb. Beth oedd yn annisgwyl oedd yr ymateb pan gefais y cyfle i'w gyflwyno i bwyllgor etholaeth Plaid Cymru. Yno yn bresennol y tro hwn oedd Ieuan Wyn Jones, a oedd wedi hen hoelio ei gefnogaeth i Wylfa B. Roedd ei ymateb yn siom rhyfeddol imi ac i sawl un arall yn yr ystafell. Roedd yn amlwg fod ei ymateb yn reddfol yn dilyn ei argyhoeddiad dros Wylfa B a heb ystyried yn wrthrychol gynnwys yr hyn oedd ger ei fron. Efallai nad oedd wedi ei ddarllen hyd yn oed, gymaint oedd ei gamsyniadau am ei gynnwys, a gwrthododd yr argymhellion yn llwyr. Yr hyn sy'n fy mhoeni byth ers hynny yw'r anghysondeb rhwng polisi Plaid Cymru'n genedlaethol, sy'n gwrthod ynni niwclear fel y ffordd ymlaen, a'r polisi yn lleol yn yr unig etholaeth lle mae'n berthnasol. Mae hyn yn cael ei weld yn ddigon naturiol fel rhagrith, ac mae'n gyhuddiad sy'n cael ei anelu at y Blaid yn gyson ac yn anodd i'w wadu.

Clywir esgus tila yn aml gan rai o wleidyddion Plaid Cymru mai Llundain sy'n penderfynu ar bolisi ynni niwclear, ond ni chofiaf yr un ddadl adeg boddi Tryweryn pan ddaeth pob aelod seneddol o Gymru at ei gilydd i ymladd yn ei erbyn. Rhaid imi gyfaddef fy mod i'n dyheu am ychydig o'r ysbryd hwnnw yn ein gwleidyddion, yn fwy o arwyddbost na'r duedd bresennol i fod yn geiliogod y gwynt. Mae'r gymhariaeth â'r Alban, lle mae'r SNP wedi sefyll yn gadarn yn erbyn ynni niwclear ac eto wedi ennill tir rhyfeddol, yn cynnig arweiniad inni. Yr eironi yw, yn yr unig arolwg barn sydd wedi ei gynnal ar y pwnc[2] yn 2010 – cyn trychineb Fukushima – roedd 91% o boblogaeth yr ynys yn credu bod defnyddio ynni adnewyddol yn "syniad da" neu yn "syniad da iawn"' a gosodwyd ynni niwclear yn bedwerydd ar y rhestr o ddewis ynni tu ôl i bŵer solar, peiriant tonnau a ffermydd gwynt. Wrth ofyn cwestiwn am swyddi ynni, 74% a roddodd 'ynni amgen/adnewyddol' fel eu dewis cyntaf, yn bell o flaen ynni niwclear.

Am fod sefydlu gorsaf niwclear newydd yn rhan annatod o bob agwedd ar ein bywydau – polisi ynni, cyflogaeth, datblygu cymunedol, tai, iaith, twristiaeth a'r amgylchedd – hynny yw, mae'n llawer mwy nag ynni yn unig, dw i'n ystyried y frwydr i atal Wylfa B yn gymaint o flaenoriaeth. Mae'n un sy'n sugno cymaint o amser fel nad yw f'ymwneud â gwleidyddiaeth Plaid

---

[2] Ymchwil gan yr Adran Gwyddorau Cymdeithasol, Prifysgol Bangor

Cymru fel y cyfryw yn bod bellach, ac mae hyn yn dristwch imi. Daw y dydd eto, gobeithio!

I gloi, mae'n werth nodi sylw Peter Walker, Ysgrifennydd Ynni yng Nghabinet Margaret Thatcher ar ddechau 1986, chwe wythnos cyn y drychineb yn Chernobyl – 'Nuclear Power,' meddai, 'is the safest form of energy yet known to man.' Dw i ond yn gobeithio bod gwleidyddion heddiw yn dysgu wrth yr agwedd orhyderus honno.

Perthynas â'r Iaith

Pan oeddwn yn blentyn ar yr aelwyd yng ngogledd Manceinon, prin y byddai rhywun yn medru darogan y bywyd Cymraeg sydd gen i rŵan, ac eto yr adeg hynny eginodd f'ymwybyddiaeth o Gymru a'r iaith. Cyfeiriais eisoes at yr amser roedd fy modryb a'i theulu'n treulio gyda ni a'r Gymraeg oedd yn rhan annatod o'u bywydau. Soniais hefyd am fy mhrofiad fel plentyn o aros ar aelwyd Nain bob haf. Er hynny, yr hyn sydd yn fy rhyfeddu rŵan yw fy mod i wedi coleddu'r iaith yn gynnar, gan mor ysbeidiol oedd fy nghyffyrddiad â'r Gymraeg. Roedd yr iaith hyd yn oed yn wrthun i rieni fy nhad, a chofiaf fy mam yn cywilyddio am hyd yn oed grybwyll y Gymraeg yn eu presenoldeb. Ar yr un pryd, roedd fy ysgol gynradd yng ngofal y ddwy Wyddeles o Swydd Corc, f'ysgol uwchradd yn cynnig y patrwm traddodiadol o addysg Seisnig, ac felly nes i'r teulu brynu Glyn Padarn, Pen-y-Gilfach, prin oedd fy nghymelliad i arddel y Gymraeg.

Gyda chymorth sawl un fel y soniais eisoes daeth yr iaith yn weddol rwydd imi o'r arddegau hwyr ymlaen, ond roedd fy mhrofiad mewn practis meddygol yn Llanaelhaearn, Llŷn yn mynd i'm gwthio i lefel wahanol o werthfawrogiad a dealltwriaeth o'r Gymraeg fel oedd yr ymgom â'r cleifion a'r gymuned yn mynd yn ei blaen. Gyda dros 90% o'r boblogaeth [100% o'r boblogaeth frodorol] yn siarad Cymraeg, yr iaith honno oedd y norm i mi ac iddyn nhw bob dydd – nid yn unig yn y feddygfa ond hefyd y capel, yr eglwys, yr ysgol, Urdd, Eisteddfod a phob achlysur cymdeithasol – ac felly roedd yn groes i'r graen bod bron y cyfan o'r papurau oedd yn dod o Gaernarfon neu Gaerdydd ar eu cyfer yn uniaith Saesneg.

Trefnais fod ambell i bapur, megis Tystysgrif Feddygol bersonol, ar gael yn Gymraeg, ond roedd y rhan fwyaf tu allan i'm rheolaeth i. Y ffurflen fwyaf cyffredin oedd y 'Med 3' neu 'bapur doctor', chwedl Max Boyce. Wedi imi bendroni'n hir iawn am y ffordd orau i unioni'r cam, a heb gael unrhyw hwyl gyda'r Adran Les, penderfynais fynd ati i gyhoeddi 'Med 3' fy hun, yn Gymraeg, oedd yn edrych yr un ffunud â'r fersiwn Saesneg. Cymerodd dipyn o amser imi fentro ei dosbarthu, ond ar ôl dwys ystyried rhoddais y cyntaf i Aneurin Talfan, bachgen oedd yn gweithio yn ffatri Ferodo, Caernarfon ar y pryd, gan egluro beth oedd y sefyllfa a phe bai'n cael unrhyw drafferth gyda'i gyflogwr neu'i dâl salwch, y dylai adael imi wybod. Doedd 'na ddim problem. Derbyniodd Ferodo y 'papur', cafodd Aneurin ei dâl ac am gyfnod roedd pawb yn hapus. Mentrais efo ail glaf a thrydydd ac yn y blaen nes oedd y niferoedd yn yr ugeiniau heb unrhyw broblem. Yna un diwrnod daeth y *Cambrian News* ar y ffôn yn gofyn y cwestiwn heriol – a oeddwn wedi paratoi'r ffurflenni fy hun?

Aethon nhw ymlaen i egluro bod y Rheolwr Adran ym Mhorthmadog wedi ufuddhau gyda'r ffurflen Gymraeg newydd, yn credu mai datblygiad newydd gan y Swyddfa Gymreig oedd hyn mewn ymateb i bwysau am statws gwell i'r iaith. Ond wedi i'r Adran Iechyd a Nawdd Cymdeithasol yng Nghaerdydd ddod yn ymwybodol o'r 'Med 3 newydd', ofynnon nhw i'r swyddfa ym Mhorthmadog am adroddiad fel y medrai eu swyddfa yn Llundain benderfynu 'a oedd y ffurflen yn anghyfreithlon, ac a ddylid ei derbyn neu gymryd camau i atal eu defnydd'. Cafwyd datganiad ymhellach ymlaen gan yr Adran i ddweud 'nad oedd y ffurflenni yn gyfreithlon gan mai fersiwn Saesneg yn unig oedd wedi ei rhagnodi gan San Steffan' – a 'phe bai y ffurflen yn cael ei chyhoeddi yn ddwyieithog byddai dwywaith y maint'. Wnes i ymddeol o'r practis yn fuan wedyn, ond nid cyn i 20 o feddygon eraill yn yr ardal arwyddo deiseb yn galw am gyfreithloni'r ffurflen Gymraeg a'r Dr Arthur Boyns, Blaenau Ffestiniog, yn cael cyflenwad gen i at ei ddefnydd. Mae'n werth nodi peth arall yn y cyd-destun hwn. Dros y blynyddoedd, cafodd ambell

'Med 3' ei danfon yn ôl ataf gan yr awdurdodau yn gofyn am eglurhad pellach ar gyflwr y claf. Yn achos y rhai 'swyddogol' Saesneg roedd y claf, nid yn annisgwyl, wedi llenwi'r darn roedd ef/hi yn gyfrifol amdano yn yr iaith fain, ond o gael y ffurflen Gymraeg gen i yn yr iaith honno y cwblhawyd y cyfan – enghraifft amlwg o newid cod ieithyddol yr unigolyn ar sail ei amgylchedd uniongyrchol. Gwers bwysig wrth gynllunio iaith!

Roedd Cymdeithas yr Iaith yn trefnu ymgyrchoedd yn fynych yn ystod fy nghyfnod mewn practis, ac er nad oeddwn yn aelod amlwg na chyson o'r Gymdeithas, does dim dwy waith fy mod yn uniaethu'n gryf â'u nod. 'Tai a Gwaith sy'n Cadw'r Iaith' oedd y slogan ar y pryd, a phwy allai ddadlau efo hynny? Cofiaf fod yn ocsiwn cwmni Huw Tudor, gwerthwyr tai ym Mhwllheli, pan oedd cymaint o'n tai yng nghefn gwlad yn gwerthu fel tai haf ar draul anghenion pobl ifainc lleol. Cododd y morthwyl unwaith, dwywaith a'r trydydd tro, ar gynnig Dafydd Iwan am fwthyn ger Mynytho, ond yr eiliad cyn i'r morthwyl lanio am y tro olaf i gwblhau'r dêl, tynnwyd y cynnig yn ôl gan greu anhrefn llwyr. Daeth yr arfer o werthu tai mewn arwerthiant i ben yn yr ardal am rai blynyddoedd ar ôl hynny. Cefnogwyd sawl protest arall gennym yn y cyfnod hwnnw. Yn 1972 cafodd Dorothi wŷs Saesneg am beidio â thalu dirwy o £2 am drosedd parcio ym Mhwllheli. Nid trosedd 'pwrpasol' mo hwn, ond cafodd ei dal wedi iddi fynd i chwilio am 'dedi-arth' a gollwyd wrth grwydro'r dref! Cynigiodd £1.88c wedi iddi dynnu pris y stamp, yr amlen a'r papur, sef y gost o orfod danfon am wŷs Gymraeg. Gwrthodwyd hynny gan Emrys Jones, yr ynad, gyda'r sylw sarhaus [nad oedd yn wir] 'ni fuasech wedi ei ddeall yn Gymraeg beth bynnag'! Ni thalodd hi'r balans byth. Cofiaf inni beidio â thalu ein treth car oherwydd mai yn Saesneg yn unig yr oedd ar gael. At ei gilydd, llwyddodd y pwysau cyhoeddus i newid polisi, ond methodd un cynnig â chyflawni ei nod. Gyda'r arwyddion parcio ar y stryd fawr ym Mhwllheli yn uniaith Saesneg, trefnais *parc-in* ar b'nawn Mercher, prynhawn y farchnad a'r prysuraf bob wythnos. Y

nod oedd dwyn perswâd ar Adran Ffyrdd a Phontydd Cyngor
Sir Caernarfon i godi arwyddion dwyieithog. Roedd pump
ohonom ni yno, ond wedi aros o leiaf ddwy awr yn meddwl y
byddai tocyn parcio'n anorfod, ddaeth yr un warden traffig ar
ein cyfyl!

Ond yn ôl at y byd meddygol ac un o'r achosion mwyaf
diddorol oherwydd yr egwyddorion wnaeth godi yn ei sgil.
Daeth claf Cymraeg o Lithfaen i'm gweld yn y feddygfa gyda
hanes o fod wedi disgyn a brifo ei phen-glin. Wedi imi ei
harchwilio, doedd dim opsiwn ond ei danfon i Ysbyty Môn
ac Arfon ym Mangor i dynnu llun pelydr-x. Yr arferiad oedd
danfon y claf gyda nodyn a chais am archwiliad, a gwnes i
hynny yn iaith y claf. Dim byd yn anarferol yn hynny, ond
roedd yr ateb a gefais yn ôl o'r ysbyty yn hollol annisgwyl
– yn Hindi! O ganlyniad, doedd gen i ddim clem beth oedd
canfyddiad yr archwiliad 'blaw gair y claf ei hun. Ond, sut i
ymateb? Yn gam neu'n gymwys, gan fod gen i gysylltiad da
iawn ar y pryd efo Clive Betts, gohebydd y *Western Mail*, mi
godais y ffôn arno. Gofynnodd am gael gweld copi o'r ateb,
ac yn naïf, efallai, danfonais gopi ffacs ymlaen iddo. Beth nad
o'n i'n ei ddisgwyl oedd y llythyr Hindi yn ei gyfanrwydd ar
ddudalen flaen y *Western Mail* y bore wedyn. Mi wn fod hyn
wedi achosi cryn benbleth yn y Swyddfa Gymreig a doedd
y Cyngor Meddygol Cyffredinol yn Llundain ddim yn hapus
chwaith. A ddylid fy ngheryddu am ddatgelu hanes y claf yn
gyhoeddus? Dw i'n falch o gael dweud nad oedd y claf yn
poeni, ac ni chlywais ddim yn ffurfiol wedyn o Gaerdydd
na Llundain. Esgorodd y digwyddiad ar gartŵn difyr yn y
Western Mail. Mae'n ddiddorol wrth edrych yn ôl, a chyn lleied
o statws gan y Gymraeg ar y pryd, i weld mor ddadleuol oedd
ei defnydd yn medru bod yn y byd iechyd. Roedd yn arferiad
gen i, drwy Margaret Rose yn y *dispensary*, i ddefnyddio iaith
y claf ar labeli poteli ffisig neu dabledi – cyfarwyddyd tebyg
i, 'Cymerwch un dabled ddwy waith y dydd ar ôl bwyd' neu,
gyda chleifion Saesneg, yn eu hiaith briodol nhw. Daeth hyd
yn oed hyn yn destun cwyn gan un o aelodau prin y Blaid

Lafur yn yr ardal, a'm cyhuddodd yn y wasg o arferion perygl iawn.

O edrych drwy fy ffeiliau o'r cyfnod, dw i'n rhyfeddu at nifer yr achosion a oedd yn destun ymgyrchu neu ohebiaeth. Yn amrywiol eu natur, rhai yn ymwneud â'r sector cyhoeddus, rhai â'r sector preifat neu'n wirfoddol.

Rhwng 1973 ac 1975 wnes i ymrafael ar fwy nag un achlysur â'r Adran Dreth ym Mangor, neu fel oedd pennawd eu llythyrau yn ei ddweud 'Inland Revenue, Collector of Taxes, 2nd Floor, Glyn House, High Street, Bangor, Caernarvonshire'! Ffocws yr ymrafael oedd fy ffurflen dreth ar gyfer 1972/73. Aeth yr achos at y Comisiynwyr gyda'r canlyniad bod dyfarniad o £634.68 yn f'erbyn a phenyd o £20. Yn yr un cyfnod, gwrthodais gardiau uniaith Saesneg Talu Wrth Ennill ac Yswiriant Gwladol ar fy nghyfer i a'm staff. Er fy mod i'n talu'r cyfraniadau'n rheolaidd, roedd rhaid wrth gerdyn a ffurflen i gadarnhau'r cyfan a gwrthodais lenwi yr un uniaith Saesneg. Ysgrifennais at yr Adran Iechyd a Nawdd Cymdeithasol yn Fleetwood, ond gyda'r ateb canlynol prin eu bod yn dirnad yr angen: 'I can only confirm there is no National Health Service literature available in Welsh.' Daliais ati nes imi gael ateb pellach: 'Your request that all future correspondence to you be written in Welsh has been noted. However, I am sure you will appreciate that your suggestion is impractical as the Department does not have the facility to correspond in Welsh, or indeed any other of the large number of native languages [sic] spoken by the various nationalities employed in the National Health Service. The Department will therefore continue to send all future correspondence in English and may I suggest that you also continue to write in English.'

Yn 1973 cwynais yn ffurfiol i'r Prisiwr Dosbarth am y diffyg gwasanaeth Cymraeg wedi imi gael llythyr yn Saesneg o'r swyddfa ym Mangor. Pan ofynnais ar y ffôn am gael trafod y mater yn Gymraeg, dywedwyd y byddai'n rhaid imi siarad yn Saesneg os oedd angen yr wybodaeth arnaf. O ganlyniad, ysgrifennais at Gyngor Lleyn [sic] i dynnu eu sylw at y diffyg a chefais gefnogaeth y Cyngor ac arweiniad gan y Parchedig Robert Williams yn cynnig y dylid ysgrifennu at y Swyddfa Gymreig ynghyd â'r swyddfa dan sylw ym Mangor a Goronwy Roberts AS. Yn yr un cyfarfod, pasiwyd i gefnogi fy nghais i'r Adran Gwasanaethau Cymdeithasol i ddarparu ffurflenni Cymraeg yn lle y rhai uniaith Saesneg.

Mae gen i lu o enghreifftiau unigol o roi proc i'r 'drefn' oherwydd eu diffyg darpariaeth Gymraeg. Dyfynnaf yn llythrennol bob tro:

- Trwydded ci. Aeth lythyr i'r Weinyddiaeth Amaeth, Pysgodfeydd a Bwyd oherwydd y diffyg ffurflen gais
- RAC. Llythyr gan y Rheolwr Aelodau. 'Rydym ni fel cwmni o dan y gyfreth Saesneg, a fel cwmni o dan yr gyfreth yma mae na rhaid ini ysgriffenu i'r aelodau yn Saesneg. Mae na ddrwg genni o byti hyn, ond does dim byd y gallwn ni – y Saeson, gwneud dros yr aelodau Cymraeg yn eich iaith mwyaf cyfrifol.'
- Yn 1976, gwnaeth Dorothi gais i'r Ganolfan Drwyddedu Cerbydau, Adran yr Amgylchedd am ddogfen gofrestru'r car yn ddwyieithog ond ateb negyddol yn Saesneg a gafwyd: 'We are constrained by size as far as the Registration Document is concerned – you will appreciate that even now the information is a bit cramped and the print is rather small [and] to have a bilingual form is just out of the question' ac i lythyr gen i rai blynyddoedd wedyn, 'Mae'n flin gennyf bod rhaid rhoi heibio'r syniad am y tro oherwydd y costau ychwanegol trwm y byddai hyn yn ei olygu.'
- Caniatâd Cynllunio. Llythyr o Gaernarfon gan Glerc y Cyngor Sir i ddweud 'nid ydyw wedi bod yn bosibl hyd yn hyn i baratoi ffurflenni Cymraeg o dan y Ddeddf Gynllunio. Pa fodd bynnag gallaf eich sicrhau fod y Cyngor yn ymdrechu i fabwysiadu'n gyfangwbl bolisi dwy-ieithog.'
- Y Gwasanaeth Trallwyso Gwaed (Awdurdod Glannau

Merswi oedd yn gyfrifol ar y pryd). Cyfeiriwyd fy nghais am wybodaeth yn y Gymraeg i'r Swyddfa Gymreig

- Cymdeithas Cynllunio Teulu [FPA] (Rhanbarth Cymru). Ymateb gan y Rheolwr Rhanbarthol, 'If you would care to send a translation of your letter we will then do our best to assist you with your enquiry.'
- Telecom Prydeinig. Wrth imi wneud cais am fil yn Gymraeg, awgrymwyd fy mod i'n talu mwy. Dyfynnaf o'r ateb: 'Gellir gwneud trefniadau i gyflwyno'ch cyfrif teleffon yn Gymraeg ond eich cyfrifoldeb chi fyddai cost yr ymarfer, a fyddai'n amrywio yn ôl yr amser ysgrifenyddol a gymerai.' Rai blynyddoedd wedyn, gwnaeth llawer ohonom ymuno yn ymgyrch y mudiad CEFN i brynu cyfranddaliad o £1 yr un yn y cwmni BT preifat fel bod modd inni ddylanwadu ar eu polisi
- Porthladd Caergybi. Ysgrifennais amryw o lythyrau at reolwr y porthladd yn tynnu sylw at y diffyg dwyieithrwydd ar arwyddion y porthladd, i gydnabod canran uchel o'r gweithwyr oedd yn siarad Cymraeg ac i groesawu pobl i'r wlad. Chefais i byth ateb. Ar drywydd arall ym mhorthladd Caergybi, ar y ffordd i Iwerddon gyda'r teulu, roedd rhaid imi lenwi cerdyn uniaith Saesneg o dan y Ddeddf Atal Terfysgaeth neu wynebu wythnos o wyliau gartref
- Banc NatWest. Llythyr gan y Rheolwr ym Mhwllheli gyda'm cerdyn banc yn uniaith Saesneg. Cefais ymddiheuriad wedyn a'r awgrym bod 'materion fel hyn yn gyson dan sylw, ac efallai rhyw ddiwrnod y cawn weld trawsffurfiad mewn llawer o bethau'. Dros genhedlaeth yn ddiweddarach, camu yn ôl mae gwasanaeth Cymraeg Banc NatWest gyda Manceinion yn gyfrifol amdanom bellach
- Heddlu Gogledd Cymru. Derbyniais docyn cosb sefydlog uniaith Saesneg am barcio ym Mangor. Wrth ymateb i'm cwyn, eglurodd y Prif Gwnstabl Cynorthwyol fod y ffurflenni 'wedi cael eu ffurfio a'u hargraffu yn ganolog gan y Swyddfa Gartref a'r Swyddfa Gymreig'. Aeth ymlaen i

ddweud 'gwn fod tocyn dwy ieithog wedi cael ystyriaeth ond am fod y drefn yn weithredol dros Brydain Fawr, nid oedd yn ymarferol wneud hynny'. Cefais ddirwy o £18 am beidio â'i dalu

- Heddlu Trafnidiaeth Brydeinig. Daeth llythyr uniaith Saesneg wedi i Dorothi barcio yng ngorsaf Bangor heb docyn. Dirwy £30. Mae'r maes parcio NCP yn yr orsaf wedi bod yn destun gwrthdaro gen i ers rhai blynyddoedd ac mae fy ffeil drwchus gyda NCP yn cadarnhau eu hamharodrwydd i roi cyfarwyddyd na chyfle i ddefnyddio'r Gymraeg wrth gael tocyn. Ar wahanol adegau dw i wedi cael pedwar tocyn, amryw o lythyrau gan gyfreithiwr yn gweithredu ar ran NCP, dirwyon yn amrywio o £85 i £90 a bygythiadau gan gasglwr dyledion. Cefais fy rhyddhau rhag unrhyw dâl ar dri achlysur wedi imi gael llythyr cefnogol i'm hachos gan Meirion Prys Jones, Prif Weithredwr Bwrdd yr Iaith Gymraeg, ar ôl i Alun Ffred Jones, Gweinidog dros Dreftadaeth Cymru, ysgrifennu llythyr yn gofyn i 'swyddogion y Bwrdd Iaith i roi blaenoriaeth i'm cwyn yn erbyn NCP'.
- Gwnes i gais i Gofrestrydd Genedigaethau Is-ranbarth Ogwen am ffurflen ddwyieithog ar gyfer cofrestru ein mab Cian ar restr practis meddygol. Gwrthodwyd hynny. Nid oedd y ffurflen ar gael yn Gymraeg oherwydd mai'r Adran Nawdd Cymdeithasol oedd yn gyfrifol. Ddeng mlynedd yn ddiweddarach yn 1985 gofynnais eto, y tro hwn drwy'r Swyddfa Gymreig, ond yr un oedd natur yr ymateb ac eithrio y cyfarwyddyd y tro hwn mai'r Cofrestrydd Cyffredinol oedd yn gyfrifol
- Wrth ymarfer fel meddyg yn Llanaelhaearn roedd yn arferiad cyffredin i'r Adran Iechyd a Nawdd Cymdeithasol ysgrifennu ataf i ofyn am adroddiad ar iechyd claf. Roedd yn arferiad hefyd i'm talu ag archeb Giro uniaith Saesneg, ac ym Mai 1972 penderfynais ddadlau dros archeb Cymraeg am y £3.40 oedd yn ddyledus imi. Cefais ateb i ddweud nad oedd yn bosibl i 'ddarparu archeb Giro

neu siec yn Gymraeg gan fod rhaid i bob offeryn talu gydymffurfio â threfniadau cyfrif yr Adran a ddarperir ar gyfer y Deyrnas Gyfunol yn gyfan gwbl'. Doeddwn i ddim yn ddyn hapus ac ysgrifennais lythyr eithaf blin yn eu cyhuddo o anwybyddu eu cyfrifoldeb wrth ddiystyru un o'r ieithoedd mwyaf cyfoethog, a dim rhyfedd felly bod ieithoedd fel y Gymraeg wedi mynd yn lleiafrif yn ei gwlad ei hun. Awgrymais ei bod yn hen bryd iddyn nhw 'wynebu eu cyfrifoldeb i'n gwlad ac ad-drefnu'r gwasanaeth i adlewyrchu gwir anghenion Cymru'. Gwrthodais yr archeb ac yn y diwedd gwelwyd yr olygfa ryfeddol o ddyn yr adran yn dod i'r tŷ gydag arian mân yn ei law a minnau yn gorfod arwyddo i ddweud fy mod wedi ei dderbyn!

Mae gen i lu o enghreifftiau eraill o lythyru ac ymgyrchu, ond wna i ddim manylu oherwydd mae'r darlun yn weddol glir. Hyd yn hyn mae'r enghreifftiau uchod yn canolbwyntio ar ymateb biwrocrataidd Saesneg cymaint o gyrff. Isod ceir sawl enghraifft o frwydrau i greu is-adeiledd gwell.

Mae gan yr Alban, Gogledd Iwerddon ac Ynys Manaw eu Cofrestrydd Cyffredinol eu hunain, ond nid Cymru sydd, hyd heddiw, yn cael ei gwasanaethu gan Gofrestrydd dros Gymru a Lloegr. Yn fuan ar ôl imi ddechrau fy ngradd Meistr yn Llundain, deallais gymaint o ddiffyg oedd hyn o safbwynt Cymru. Yn aml roedd rhywun yn gweld ystadegau, er enghraifft, yn cael eu cyhoeddi ar sail Lloegr, Cymru a Lloegr, Prydain neu'r Deyrnas Gyfunol ac mor aml roedd y defnydd yn llac gyda chyfnewid difeddwl a diystyr rhwng y gwahanol rai. Fel esiampl o'r diffyg yn y drefn bresennol, ysgrifennais erthygl yn 1983 yn cyfeirio at y nifer a gyflogid ar y tir, neu mewn perthynas â'r tir yng Nghymru (18%), o'i gymharu â Lloegr (2–3%), a bod anghydbwysedd o'r fath yn debygol o guddio rhai ystadegau penodol ar gyfer Cymru fyddai'n addas ar gyfer rhaglen atal damweiniau neu drais fel esiampl. Yn 1981 penderfynais ymatal rhag llenwi ffurflen y

Cyfrifiad a hynny am ddau reswm. Y cyntaf oedd fy nghred bod angen Cofrestrydd ar gyfer Cymru, a'r ail oedd y ffaith bod 'na gwestiwn ar y ffurflen Cyfrifiad yng Nghymru am allu pobl i ysgrifennu a darllen y Gymraeg ond nid oedd cwestiwn cyfatebol ar gyfer y Saesneg i bobl Lloegr. Cefais gefnogaeth i'r egwyddor o gael Cofrestrydd ar gyfer Cymru o sawl cyfeiriad, gan gynnwys Cyngor Sir Gwynedd, Cynghorau Dwyfor, Arfon, Meirionnydd ac Ynys Môn, Awdurdod Iechyd Gwynedd a Phwyllgor Cynghorau Cymru. Yn 1981 gofynnodd Dafydd Wigley AS gwestiwn yn San Steffan am greu swydd o'r fath, ond gwrthododd Mrs Thatcher. Gofynnodd Dafydd Elis-Thomas AS yr un cwestiwn yn 1984, ond eto gwrthododd ar sail 'cyfreithiol, gweinyddol ac economaidd'. Cefais ddirwy o £10 am beidio â llenwi'r ffurflen, ond crewyd cryn fomentwm tu ôl i'r ymgyrch ar y pryd. Yn anffodus, nid oes symud oddi ar hynny. Bellach mae'r grym sydd gan Lywodraeth Cymru i ddeddfu wedi dileu rhai o'r dadleuon yn erbyn penodiad o'r fath. O ran dehongli data, statws a pharch i'r genedl mae'r achos cyn gryfed ag erioed.

Yn Hydref 1976 bûm yn cadeirio cyfarfod ym Mhwllheli gyda rhyw 80 yn bresennol i drafod ffurfio 'Mudiad Addysg Gyflawn' a 'fuasai'n rhoi mwy o degwch i'r Gymraeg ac i godi safon yr iaith yn yr ysgolion'. Ymysg y siaradwyr oedd Nia Royles, athrawes yn Ysgol Maes Garmon a chynt o Ysgol Rhydfelen. 'Tristwch,' meddai, 'yw bod rhaid byw yn ardaloedd Saesneg ein gwlad i gael addysg Gymraeg... trueni na allwn ddysgu oddi wrth brofiadau ein gilydd', gan gyfeirio at wrthwynebiad John Morris, yr Ysgrifennydd Gwladol, i gefnogi agor ysgol Gymraeg ym Mangor. Siaradwr arall oedd Elwyn Evans, Prifathro Ysgol David Hughes, Porthaethwy, gynt o Ysgolion Maes Garmon a Glan Clwyd. Canmolodd y ddau ganlyniadau'r polisi iaith yn yr ysgolion hyn gan nodi, er mwyn lleddfu ofnau, 'bod safon y Saesneg fel pwnc fynychaf yn uwch nag yn yr ysgolion cyfun cyffredin'. Roedd 'na rywfaint o wrthwynebiad gyda thua 25 o bobl yn gadael oherwydd eu pryderon am yr effaith y byddai addysg Gymraeg yn ei gael ar hyder a gallu eu plant i gyflawni

Diwrnod priodas fy mam a 'nhad o flaen 28 Stryd Newton, Llanberis, cartref fy mam.

Efo fy nghyfaill, Ginger, yn yr iard gefn yn 77 Clifton Road, Prestwich, gogledd Manceinion.

Nain a'm modryb, Eluned, ger Ceunant Mawr, Llanberis – lle arbennig i mi.

Yn fy ngwisg Ysgol Ramadeg wrth imi ymweld â'm hysgol gyntaf yng ngogledd Manceinion. Y ddwy Wyddeles wrth y llyw a'm cyfnither, Lynda, yn y cefn ar y chwith gyda'm chwaer Deirdre yn eistedd o'i blaen.

Glyn Padarn, Pen y Gilfach, Llanberis – f'angor yng Nghymru wedi imi gyrraedd yn 14 oed.

Fy hen fodryb, Jane Ellen Williams, Llanberis yn 97 oed yn mwynhau'r cylchgrawn pop *Sgrech*!

Graianfryn, Raca ger Deiniolen, cartref cyntaf Dorothi a finnau. Dorothi a'i mam yn addurno'r Mini Moke!

Dyddiau difyr i'r plant – (o'r chwith i'r dde) Dafydd, Rhiannon, Cian ac Angharad o flaen Bryn Meddyg, Llanaelhaearn.

James Connolly (Conali), yr ail fleiddgi Gwyddelig yn y teulu, gyda Dorothi yn ei edmygu.

Dafydd a Cian yn Rockfield Studios, Sir Fynwy, yng nghanol recordio albwm cyntaf y Super Furries, *Fuzzy Logic*, a ryddhawyd yn 1996.

Angharad a Rhiannon gyda Dorothi yn Stadiwm y Mileniwm ar Nos Galan 1999/2000 ar gyfer y dathliadau a chyfraniadau'r Manics a'r Furries.

Derbyn Medal am Gyfrifoldeb Cymdeithasol a Gwobr fel Gwirfoddolwr y Flwyddyn ar gyfer Alumni Prifysgol Manceinion. Yn rhannu'r achlysur gyda Rose ac Emrys Williams, fy chwaer Deirdre a Dorothi.

Wythnos yng Ngholeg Harlech gyda Geraint Percy Jones.

Cael fy urddo gan yr Archdderwydd Elerydd yn Eisteddfod Genedlaethol Abergwaun yn 1986.

Y teulu yn Caux, ger Montreux yn y Swistir ar gyfer cynhadledd heddwch a chymodi.

Y plant yn ymweld â siop Penrhos yn Rhoscefnhir gyda'r mulod, Loopy a Swift, oedd ar eu gwyliau yn y Wigoedd o'u gwaith ar draeth y Rhyl.

Y teulu oll yn y Wigoedd ar ddydd Calan oer yn 2015.

'O, ie – be nesa'?!'

eu potensial. Er hynny, crynhowyd ysbryd y noson gan eiriau clo Mr Evans, 'Gyda'r Gymraeg yn gyfrwng mae'r disgyblion yn elwa, mae cymdeithas yn elwa ac mae'r genedl yn elwa.' Amen i hynny.

Ym Mehefin 1975 cyflwynodd y Cyngor Meddygol Cyffredinol brofion iaith Saesneg gorfodol ar gyfer mewnfudwyr meddygol i wledydd Prydain. Cododd hyn gwestiwn amlwg am yr angen am brofion Cymraeg yng Nghymru os sail y profion oedd yr angen i gyfathrebu mewn iaith roedd y claf yn gyfforddus ynddi. O dderbyn nad oedd yn bosibl i benodi rhai oedd yn medru'r Gymraeg i bob swydd yng Nghymru, awgrymais y dylai rhai penodiadau fod yn amodol ar rugledd yn y Gymraeg o fewn cyfnod rhesymol, yn union fel y sefyllfa yn y Ffindir neu Wlad Groeg ar y pryd. Cafodd yr egwyddor gryn gefnogaeth, gan gynnwys sylw cefnogol o gyfeiriad Coleg Brenhinol y Meddygon Teulu yn ddiweddar, ond ar y pryd, roedd yn destun dirmyg yn y cylchgrawn *Private Eye*!

Mae'n hawdd dehongli rhai o'r digwyddiadau uchod fel rhai ysgafn a'u hanwybyddu, ond onid oeddynt yn symptomatig o sefyllfa'r iaith ar y pryd? Rhai yn gweld yr iaith yn her uniongyrchol i'w hawdurdod, eraill yn ddirmygus oherwydd nad oeddent yn cymryd yr iaith 'o ddifrif' fel iaith fyw pobl bob dydd? I mi, roedd fy nefnydd o'r Gymraeg mewn ardal lle mae'n brif iaith y bobl yn fodd i ddanfon neges i'r gymuned honno nad ydych yn eilradd o'i herwydd. Ar yr un pryd roedd yn ymgais gennyf i ymbweru'r unigolyn.

Nid oedd y profiadau uchod yn unigryw i mi, wrth gwrs, ac erbyn dechrau'r 1980au roedd sôn cynyddol am ddiwygio Deddf yr Iaith Gymraeg 1967 i sicrhau statws mwy grymus i'r iaith a hepgor rhai o'r rhwystredigaethau a amlygwyd mor aml. Ar ddechrau 1983 cynhaliodd Cymdeithas yr Iaith Gymraeg gynhadledd yn Aberystwyth yn galw am Ddeddf Iaith newydd i wella statws yr iaith a oedd, yng ngeiriau Menna Elfyn, Cadeirydd Grŵp Statws yr Iaith, yn 'gwbl annigonol' gan fod y Gymdeithas yn gorfod 'gweithredu fel Ombwdsman

Iaith oherwydd y nifer sylweddol o gwynion'. Wrth siarad yn yr un gynhadledd, disgrifiais Ddeddf 1967 fel un a ddibynnai 'i bob pwrpas ar fympwy'r Ysgrifennydd Gwladol ac ar wahanol swyddogion mewn cyrff cyhoeddus'. Ychwanegais fod angen 'deddf lawer mwy eglur ar gyfer y rhai sy'n gweithredu mewn meysydd cyhoeddus, deddf a fyddai'n caniatáu hawl statudol i alluogi'r Cymro Cymraeg i fodoli fel Cymro'. Yn sgil y Gynhadledd sefydlwyd Gweithgor Deddf Newydd yr Iaith Gymraeg o dan Gadeiryddiaeth yr Athro Dafydd Jenkins, a'r Dr Meredydd Evans yn Ysgrifennydd, i roi ystyriaeth wrthrychol i faint y diffyg yn Neddf yr Iaith Gymraeg 1967. Cyn-Gyfarwyddwr Urdd Gobaith Cymru, J Cyril Hughes, oedd yn gyfrifol am hel y dystiolaeth a fe'i cyflwynwyd yn Nhachwedd 1984 mewn Cynhadledd Genedlaethol o dan Gadeiryddiaeth y Gwir Barchedig Gwilym O Williams. Hwyluswyd yr achlysur gan yr Urdd, a rhoddwyd Siartr drafft, a luniwyd gan Toni Schiavone, gerbron yn cynnig y ffordd ymlaen.

Diwygio ac ychwanegu at Ddeddf Iaith 1967 oedd prif ffocws y Siartr, ynghyd â sefydlu Awdurdod yr Iaith gyda'r nod o 'hybu a grymuso'r defnydd a wneir o'r Gymraeg, a chryfhau ei statws'. Roedd y pwyslais yn bennaf ar hawliau addysg a statws yr iaith yn y llysoedd. Cefais i'r fraint o fod yn aelod o'r Gweithgor a gweithio wrth ochr rhai o hoelion wyth a phennau mwyaf disglair y genedl. Cafwyd sylwadau ar y drafft gan bobl o bob cyfeiriad, yn eu mysg yr Arglwydd Gwilym Prys Davies, Ned Thomas, Dafydd Orwig a Chymdeithas yr Iaith. Yn 1986 llwyddodd Dafydd Wigley i gael 'Mesur Deng Munud' yn Nhŷ'r Cyffredin pan gyflwynodd fesur Deddf Iaith newydd yn adeiladu ar brofiad a sylwadau'r Gweithgor. Cynigiwyd y dylid cael Comisiynydd ar gyfer y Gymraeg, tebyg i'r hyn oedd ar gael yng Nghanada. Tua'r un adeg cyflwynodd yr Arglwydd Gwilym Prys Davies fesur gyda nod tebyg gerbron Tŷ'r Arglwyddi. Yn amlwg, gyda phwysau'n cynyddu am ddeddfwriaeth newydd, nid oedd yn annisgwyl i Peter Walker AS, yr Ysgrifennydd Gwladol, sefydlu tîm ymgynghorol o wyth o Gymry Cymraeg i'w gynghori ar faterion yn ymwneud â'r iaith.

Ond roedd gen i bryder am natur yr ymgynghoriad ar fater mor bwysig. Wedi'r cyfan, onid oedd 'na lu o gyrff yn y sector gwirfoddol yn gweithio ar ran y Gymraeg, bob un â'i brofiad a'i gyfraniad i'w gynnig wrth gynllunio'r ffordd ymlaen? Y diffyg democratiaeth yn y broses hon wnaeth fy nghymell i alw ynghyd rai o'r mudiadau oedd fwyaf blaenllaw yn eu gwaith dros y Gymraeg, a chynhaliwyd cyfarfod gyda dwsin ohonynt yng ngwesty'r Belle Vue, Aberystwyth ar 25 Mai 1986. Yn bresennol roedd cynrychiolwyr o'r canlynol: Rhieni Dros Addysg Gymraeg; Undeb Cenedlaethol Athrawon Cymru; Eisteddfod Genedlaethol Cymru; Mudiad Ysgolion Meithrin; Cefn; Merched y Wawr; Cymdeithas yr Iaith; Adfer; Cyngor Llyfrau Cymraeg; Urdd Gobaith Cymru; Cyngor y Dysgwyr; Canolfan Iaith Genedlaethol Nant Gwrtheyrn

Nod digon syml oedd gen i ar y pryd, sef cyfnewid gwybodaeth am y gwaith roedd pob mudiad yn ei wneud a cheisio cael llais unedig gan y sector ar gyfer deddfwriaeth newydd i'r iaith. Yn annisgwyl imi, arweiniodd y drafodaeth lawn tân at gynnig gan Wayne Williams, Cymdeithas yr Iaith, yn galw am i'r cynulliad fod yn un 'parhaol', a derbyniwyd hynny yn unfrydol. Arweiniodd y brwdfrydedd at ddatganiad yn enw 'Cabinet Iaith y Cymry'. Bwrdwn y neges oedd datgan 'yn gadarn ac yn glir' yr alwad am 'Ddeddf Iaith newydd yng Nghymru – deddf a fyddai'n sicrhau statws cyflawn i'r Gymraeg yng Nghymru' am fod cymaint o newid agwedd wedi bod yn y wlad ers y Ddeddf Iaith yn 1967. Yn ogystal, galwodd y 'Cabinet' ar y Swyddfa Gymreig i 'gydymffurfio â chanllawiau Adroddiad Kuijpers ar ran Senedd Ewrop, a osododd hawliau sylfaenol ar gyfer pob un o ieithoedd rhanbarthol Ewrop'. Datblygwyd 'Cyfansoddiad' ar gyfer y 'Cabinet Iaith':

Teitl y corff fydd y CABINET IAITH

Amcan
I sicrhau sefyllfa yng Nghymru lle mae'r iaith Gymraeg ym meddiant pawb yng Nghymru ac yn iaith gyntaf y genedl hon.

Fel bod modd cyrraedd yr amcan, rhaid sicrhau:

- Cyfundrefn gyflawn ac effeithiol o addysg Gymraeg o oed meithrin hyd addysg uwch, fel y bydd pob disgybl, boed yn frodor neu'n fewnfudwr, yn llwyr feddiannu'r iaith
- Cyfundrefn effeithiol i ddysgu Cymraeg i Oedolion
- Cyfundrefn sy'n dysgu hanes a diwylliant Cymru i'w holl bobl
- Bod diwydiant, llywodraeth leol a chyrff cyhoeddus eraill yn sicrhau fod y Gymraeg yn gyfrwng rheoli yn eu gweinyddiad

Pwysleisiwyd yr angen am gynllun strategol cynhwysfawr, deddfwriaeth newydd a chydweithrediad effeithiol rhwng y prif fudiadau Cymraeg i hwyluso cyrraedd y targedau uchod. Roedd 'na ychydig o sensitifrwydd gan yr Eisteddfod Genedlaethol am fod yn aelod o 'gorff' gyda chyfansoddiad ar wahân i'w chyfansoddiad ei hun, ond wedi i'r ddwy 'ochr' gael barn gyfreithiol daeth yn amlwg nad oedd unrhyw rwystr i'r Eisteddfod ddanfon sylwedydd i'r Cabinet Iaith, ac felly y bu. Heb y Gymraeg, heb Eisteddfod, a gan mai nod y Cabinet Iaith oedd diogelu a hybu'r iaith Gymraeg, roedd y cyfaddawd yn dderbyniol i bawb. Serch hynny, nid oedd Bedwyr Lewis Jones, fel cynrychiolydd yr Eisteddfod, yn hapus â'r gair 'Cabinet' oherwydd ystyr y gair a olygai atebolrwydd y cyrff cysylltiol iddo, a newidiwyd i Fforwm Iaith Genedlaethol i adlewyrchu yn fwy cywir natur y corff.

Danfonwyd copi o'r ddogfen gyfansoddiadol at yr Ysgrifennydd Gwladol. Yn amlwg, roedd pethau'n poethi, ac mewn ymateb, yng Ngorffennaf 1988, yn seiliedig ar argymhellion ei dîm ymgynghorol sefydlodd Peter Walker Fwrdd yr Iaith Gymraeg gyda 14 o aelodau a John Elfed Jones yn Gadeirydd. Roedd diffyg cynrychiolaeth o'r sector trydyddol yn amlwg. Gwyddai aelodau'r Fforwm y byddai'r allt yn un serth i'w dringo cyn cael llwyddiant, a chafwyd cadarnhad o hynny pan ddywedodd yr Ysgrifennydd Gwladol nad oedd unrhyw ymrwymiad i gyflwyno deddf newydd. Mae'n wir y sefydlwyd cyfres o is-bwyllgorau arbenigol gan Fwrdd yr Iaith, gan gynnwys un i edrych ar ddeddfwriaeth, ond roeddem i gyd yn ymwybodol o eiriau Mrs Thatcher, y Prif Weinidog, yng nghynhadledd y Ceidwadwyr yn Llandudno ym Mehefin y flwyddyn honno, pan aeth un cam ymhellach na Peter Walker a datgan nad oedd angen deddfwriaeth newydd am fod 'y cyrff gwirfoddol yn gwneud gwaith mor ardderchog'. Yr eironi, wrth gwrs, oedd bod yr un cyrff roedd hi'n eu canmol yn dweud bod ei angen!

Ddiwedd 1988 roedd 'na bryder yn gyffredinol ynglŷn â beth yn union oedd Bwrdd yr Iaith yn ei gyflawni. Ar yr un pryd cafwyd rhai sylwadau yn gyhoeddus gan Gadeirydd y Bwrdd na leddfodd dim ar ein pryderon, ac felly yn Ionawr 1989 ysgrifennais ato ar ran yr aelodaeth i ofyn am 'gopi o benderfyniadau is-bwyllgorau Bwrdd yr Iaith ynghyd â'r nodau mae'r Bwrdd wedi eu gosod iddo'i hun ar gyfer y dyfodol'. Ychydig yn annelwig oedd yr ateb: 'Nid yw'r Bwrdd wedi gosod amserlen bendant ynglŷn ag unrhyw agwedd o'i waith'. Ar yr un pryd, mynegodd y Cadeirydd obaith y Bwrdd y 'byddai canllawiau (defnydd o'r iaith) i'r Sector Cyhoeddus a'r Sector Preifat yn ymddangos o fewn terfynau amser rhesymol... a rwy'n falch o fedru dweud... ein bod bellach yn nesáu at ddiwedd y dasg benodol a gobeithiwn eu cyhoeddi yn y gwanwyn'. Daeth y gwanwyn heb eu cyhoeddi.

Ym Mehefin, ar ran y Fforwm Iaith Genedlaethol, estynnais wahoddiad i John Elfed drafod cyraeddiadau Bwrdd yr Iaith gyda'r Fforwm oherwydd ein pryder am y diffyg cynnydd amlwg bron flwyddyn ar ôl ei sefydlu. Cytunwyd ar 14 Medi fel dyddiad ar gyfer ei gyfarfod, ond am y tro cynigiodd fod John Walter Jones, Cyfarwyddwr y Bwrdd, a Ron Jones, Cadeirydd Gweithgor Prosiectau Arbennig y Bwrdd, yn dod i'n cyfarfod yn yr Hen Goleg, Aberystwyth ar 29 Mehefin 1989. Cawsom gyfarfod buddiol wrth i'r ddau gyflwyno strategaeth y Bwrdd a chafodd yr aelodau gyfle i'w hystyried dros yr haf. Erbyn Medi, roedd aelodau'r Fforwm yn edrych ymlaen yn eiddgar at gyfarfod y Cadeirydd, oherwydd yn y cyfamser roedd Bwrdd yr Iaith wedi cyhoeddi eu canllawiau ar gyfer Cyrff Cyhoeddus a Diwydiant. Syndod felly oedd cael neges gan y Cadeirydd i ddweud nad oedd yn deall bod angen y cyfarfod ym mis Medi gan fod y Cyfarwyddwr a Ron Jones wedi cyfarfod â ni eisoes. Anfonais lythyr ar Awst 22ain yn ei gwneud hi'n hollol glir nad oedd unrhyw gamddealltwriaeth am y trefniant a'n bod ni yn ei ddisgwyl yn Aberystwyth ar 14 Medi. Fe ddaeth.

Roedd y cyfarfod yn un o'r achlysuron hynny sy'n hollol fyw yn y cof. Fel Cadeirydd y Fforwm cyflwynais gefndir sefydlu'r achos a chrynodeb o'n hymdrechion fel aelodau i sicrhau statws priodol i'r iaith. Roedd nifer y mudiadau wedi cynyddu i 15 erbyn hynny ac roedd cynrychiolaeth o bob un yn bresennol. Cedwais at y sgript, fel petai, gan gadw at yr hyn roedd y cynrychiolwyr am i mi ei ddweud, a chloi gyda chred y Fforwm bod gwir angen Deddf Iaith newydd. Gadawodd ymateb John Elfed ni'n gegrwth! 'Iawn,' meddai, "Dan ni wedi clywed barn Cymdeithas yr Iaith, a chaf fi glywed gan bawb arall rŵan'! Er yr ateb haerllug, a doeddwn i ddim yn aelod o'r Gymdeithas ar y pryd beth bynnag, symudais ymlaen heb oedi dim i ofyn i bawb adrodd yn eu tro beth oedd barn y corff roedden nhw'n ei gynrychioli. Yn ddieithriad, cefnogodd yr aelodaeth yr alwad am Ddeddf Iaith newydd. Cafodd John Elfed gyfle i ddweud ei ddweud, ond daeth yn amlwg mai canu cân yn nes at ei dalfeistr na'n cân ni oedd o. Eglurodd i ddechrau mai Bwrdd a sefydlwyd ac nid Comisiwn am 'resymau technegol', a hynny ar gais Peter Walker gan fod ei angen 'hyd dragwyddoldeb'. Iawn cyn belled. Ond roedd o'r farn nad oedd Deddf Iaith newydd yn 'ymarferol iawn' a bod modd cryfhau statws yr iaith drwy fân-diwnio y Ddeddf Iaith bresennol ynghyd â 'newidiadau i ddeddfwriaeth addysg a hawliau cyfreithiol presennol'. O ddarllen erthygl o'r cyfnod gwelaf fod Winston Roddick, Cadeirydd Gweithgor Deddfwriaeth y Bwrdd, yn gwadu unrhyw gyndynrwydd ar eu rhan i gynnig deddf newydd, cyhuddiad a wnaed gan John Osmond yn y *Western Mail* ar y pryd a adleisiodd ein profiad ni – a 15 o gyrff yn dystion i'r cyndynrwydd hwnnw! Ni allaf hawlio mai yr achlysur hwnnw oedd yn gyfrifol am newid agwedd John Elfed a'r Bwrdd, ond aeth John oddi yno heb unrhyw amheuaeth beth oedd barn y mudiadau ar lawr gwlad ac ar flaen y gad wedi iddo fethu'n hollti.

Fe gafwyd Mesur drafft gan Fwrdd yr Iaith yn y man ac ysgrifennais at y Cadeirydd wedi i aelodau'r Fforwm ei ystyried. Am fod gan aelodau'r Fforwm eu cyfansoddiadau unigol a'u hatebolrwydd eu hunain, roedd f'ymateb yn gorfod bod yn gyffredinol ar ran yr holl aelodaeth, a dyfynnaf: 'Trafodwyd y mesur am y tro cyntaf yn ein cyfarfod 11eg o Ionawr 1990. Pasiwyd yn unfrydol y cynnig canlynol:

1 'Mae angen Deddf Iaith newydd a Bwrdd Iaith statudol. Rydym yn unfrydol wrth argymell i aelodaeth unigol y Fforwm y dylid gwrthod mesur drafft y Bwrdd Iaith fel ateb i'n cais am Ddeddf Iaith newydd onibai bod yno newidiadau sylfaenol iddo. Cefnogwn, felly, y newidiadau i'r mesur drafft a argymhellir gan yr Arglwydd Gwilym Prys-Davies.'

2 Mynegodd yr aelodaeth 'ei anfodlonrwydd ar y ffordd y cyflwynwyd y mesur drafft i'r Ysgrifennydd Gwladol yn gyntaf a wedyn gofyn yn hwyrfrydig am ymgynghoriad cyhoeddus'.

3 'Cytunwyd yn unfrydol bod y Fforwm yn cefnogi'r cynnig a ddeilliodd o Gynhadledd ddiweddar yr Urdd.'

Erbyn Gwanwyn 1990 roedd 22 o fudiadau Cymraeg wedi ymuno â'r Fforwm – model delfrydol o'r hyn y dylai Bwrdd yr Iaith fod! Er bod gwahanol gymdeithasau o fewn y Fforwm yn gweithredu drwy ddulliau gwahanol, roedd y Fforwm yn llais unedig yn gweithredu fel corff democrataidd dylanwadol ar faterion yn ymwneud â buddiannau'r iaith a'i chymunedau. Nid oedd ymateb Cadeirydd y Bwrdd i'r pwysau cynyddol heb ei fin, ac ym mis Awst roedd rhaid ymateb i rai o'i gyhuddiadau pan alwodd John Elfed am undod a dyfynnaf, 'to avoid engaging in nonsensical factional rows to no purpose'. Wnes i ymateb yn gyhoeddus – 'suffice it to say that there has been total unanimity amongst the 22 Welsh language bodies who are members of the National Language Forum. Between them they represent the vast majority of Welsh opinion – Welsh-speaking and non-Welsh speaking alike in as much as they are interested in the future of the language... The failure of the Board to recognise such legitimate aspirations in their original proposals showed a naivety difficult to comprehend in the current climate. The Board has had to live with the consequences – isolation, lack of confidence from the community and a lack of credibility as the Welsh population doubted the Board's vision of where the future of Welsh lay... The *raison d'être* of the National Language Forum has been to ensure that we build an adequate and secure future for the language based on the common ground that undoubtedly exists throughout Wales. It is not in our interest to see factionalism develop – hence our unanimity'.

Yn yr un cyfnod, daeth ambell berl i law i'n cynnal; llythyr gan yr actores Nerys Hughes, 'Although my Welsh is woefully rusty, I am aware that it is our very identity, and one of the most beautiful and rich languages which must be protected and encouraged... please let us have a new Welsh Language Act. It is vital.' Neges gan Julie Christie, 'Language is one of the roots of Welsh identity. It is vital to Wales's identity and, being our oldest language, Britain's heritage. I found that only through learning Welsh could I start to really understand Welsh culture.' Yn yr un modd, Philip Madoc, 'Please accept my support for legislation that acknowledges the position of the Welsh language in our society today and the need to preserve it as an absolute part of our inheritance', ac Alwyn Cambrensis, Archesgob Cymru, 'Gwerthfawrogaf yn fawr eich llafur diflino fel Fforwm. Gan hynny carwn gefnogi yr alwad am ddeddfwriaeth bellach i gydnabod gofynion cyfoes.'

Roedd ymgyrch y Fforwm i sicrhau Deddf Iaith newydd yn ddi-ildio ar ddechrau'r 1990au. Trefnwyd deiseb 'gyhoeddus' yn y *Western Mail* a'r *Daily Post* gyda 300 o Gymry amlwg yn datgan eu cefnogaeth i Ddeddf Iaith newydd, ac yn Chwefror 1992 cynhaliwyd Lobi Dorfol yn y Grand Committee Room yn San Steffan gyda gwleidyddion Cymreig o wahanol bleidiau yn ein hannerch. Mae'n werth nodi y cafodd y Fforwm gefnogaeth i'r egwyddor o Ddeddf newydd gan 28 allan o 38 aelodau seneddol Cymreig yn wreiddiol, ond fel yr aeth amser ymlaen, oherwydd y gwendidau yn y Mesur drafft, cefnwyd ar y gefnogaeth honno yn raddol. Nid rŵan yw'r amser i ddisgrifio gweddill taith y Mesur yn fanwl. Digon yw dweud bod 'na rai mân newidiadau cyn iddo fynd gerbron y Senedd, ond dim digon i ddileu pryderon y Fforwm a'n hargymhelliad ni oedd ei wrthod, yn bennaf am fod cymalau yn sôn am ddefnydd 'ymarferol' a 'rhesymol' yn 'iselhau y Cymry', yng ngeiriau'r Athro Hywel Teifi Edwards. Nid oedd yr egwyddor o statws swyddogol i'r iaith Gymraeg yng Nghymru yn bod yn y Mesur, a dim ond wedi i'r llywodraeth ddrafftio wyth o Aelodau Seneddol Torïaidd o Loegr i'r Pwyllgor Seneddol yr aeth drwodd i'r statud yn Hydref 1993. Oherwydd ei ddiffygion gwrthododd rhai o'n Haelodau Seneddol ei gefnogi, gan gynnwys Dafydd Wigley, Alex Carlile a Ted Rowlands. Daeth yr enghraifft gyfoes hon o *gerrymandering* yn destun llythyr a chwyn gen i at Monsieur Jacques Delors, Llywydd y Comisiwn Ewropeaidd, pan fynegais bryder am 'y camddefnydd o'r broses ddemocrataidd yng Nghymru', ac er nad oedd ganddo unrhyw swyddogaeth i ymyrryd uniaethodd â ni yn ei ymateb pan ddywedodd, 'Gallaf ddeall eich pryder yn iawn'.

Wrth i amser fynd heibio roedd rhaid i'r Fforwm gynnig ymateb cadarnhaol ac unedig i'r ffactorau oedd yn milwrio yn erbyn y Gymraeg, ac er bod Deddfwriaeth newydd yn hollbwysig, roedd angen hefyd diwygio'r drefn addysg ac ymateb yn adeiladol i her y mewnlifiad. Mewn cyfarfod yn Aberystwyth yn ystod haf 1990 penderfynodd y Fforwm baratoi 'strategaeth gynhwysfawr' a fyddai'n 'sicrhau ffyniant yr iaith Gymraeg ar gyfer y ganrif nesaf'. Fel Cadeirydd nodais mewn datganiad ein bwriad – '...rydym yn gwbl unfryd fod angen gosod y nod yn glir rŵan fel bod polisïau gan gyrff cyhoeddus a phreifat yn cael eu llunio i sicrhau dyfodol i un o drysorau mwyaf ein hetifeddiaeth. Bydd y Fforwm yn derbyn tystiolaeth o wahanol gyrff ac unigolion, o'r wlad hon a thu draw. Rydym yn chwilio am syniadau cyffrous, gwreiddiol ac ymarferol o ble bynnag ddôn nhw ar gyfer y dasg aruthrol sydd yn ein hwynebu.'

Er mwyn ennyn cefnogaeth i'r gwaith hwn, bu'r Fforwm yn

trafod a gohebu ag amryw o gyrff cyhoeddus a chymdeithasau. Yn eu mysg roedd CBI Cymru, y Cynghorau Sir, y pleidiau gwleidyddol, CYTÛN, Awdurdod Datblygu Cymru, Bwrdd Datblygu Cymru Wledig a gwahanol arbenigwyr iaith. Yn ail hanner 1990, rhwng swyddi yng Nghlwyd a Swydd Ayr, cefais y cyfle i fwrw ati o ddifrif i lunio dogfen ddrafft ar gyfer strategaeth y Fforwm. Cafodd pawb o'r aelodaeth gyfle i gyfrannu syniadau a beirniadaeth greadigol, a mawr oedd fy nyled i'r aelodaeth am eu hymateb ar y pryd. Wrth lunio'r ddogfen cefais gyfle ar sawl achlysur i ddianc i lonyddwch fferm Rhwngddwyborth yn Llŷn, lle lluniais y rhan fwyaf o'r braslun gwreiddiol.

Beth felly oedd cynnwys y strategaeth a sut es i ati i'w datblygu? Roedd geiriau W F Mackey, arbenigwr iaith o Ganada, yn creu'r meddylfryd priodol, 'Mae'r iaith yn ffynnu mewn system gymdeithasol, gellid ei galw yn eco-system, lle mae'r elfennau oll: cartref, gwaith, ysgol a chymuned yn rhyngweithio; mae unrhyw bolisi iaith nad yw'n ystyried y ffactorau yma wedi'i dynghedu i fethiant.' O adeiladu ar fy mhrofiad o lunio strategaethau yn y byd iechyd, rhoddodd y ffactorau sail i'r gwaith, ond yn gyntaf edrychais ar ddemograffi'r Gymraeg a rhoddais ystyriaeth i statws cyfoes yr iaith ar draws sbectrwm o weithgarwch yng Nghymru. Edrychais hefyd ar brofiadau ieithoedd llai mewn gwledydd eraill cyn defnyddio 'canllawiau' Mackey yn sail i argymhellion a Rhaglen Weithredol hollbwysig.

Dilynwyd trwch y ddogfen 140 tudalen gan sawl Atodiad, a'r rheini'n cynnwys Deddf yr Iaith Gymraeg, 1967; Mesur yr Iaith Gymraeg, Dafydd Wigley *et al.*,1986; Mesur Gweithgor Deddf Newydd yr Iaith Gymraeg, yr Arglwydd Gwilym Prys Davies *et al.*, 1986; Mesur yr Iaith Gymraeg, Bwrdd yr Iaith Gymraeg 1991 ynghyd â Chynnig Kuijpers, Senedd Ewrop 1988 a dogfennau polisi ar gyfer y Sector Cyhoeddus a Busnes a gyhoeddwyd gan Fwrdd yr Iaith.

Roedd her ynghlwm â phob un o'r penodau yn y Rhaglen Weithredol a olygodd gryn waith ymchwil, ond mae'n rhaid imi gyfaddef y cefais bleser aruthrol wrth lunio'r ddogfen hon. Roedd aelodau'r Fforwm am weld strategaeth uchelgeisiol gyda'r nod yn y pen draw o adfer yr iaith Gymraeg fel iaith ar wefusau pawb yn y wlad. Yng ngeiriau'r ddogfen, 'Ni ddylai'r iaith Gymraeg – iaith genedlaethol Cymru – fyth ein gwahanu fel pobl. Mae'r iaith Gymraeg yn perthyn i bawb yng Nghymru beth bynnag fo eu cefndir, man eu geni neu eu dosbarth.'

Yn ganolog i'r strategaeth, a gafodd sêl y 23 mudiad neu grŵp[3] oedd yn perthyn i'r Fforwm yn 1991 roedd cydnabyddiaeth nad oedd cefndir ieithyddol Cymru yn unffurf. Er hynny, y gred oedd bod angen yr un nod ar gyfer Cymru gyfan dros dymor hir. Argymhellodd y Strategaeth y dylid gosod cyfnodau gwahanol i ardaloedd gyrraedd y nod gyda'r hyd i adlewyrchu'r ganran oedd yn siarad Cymraeg yn ôl Cyfrifiad 1991. Roedd rhaid, meddai'r ddogfen, 'sicrhau nad yw'r un gymuned yn cael ei dieithrio oddi wrth y broses dadeni a bod pawb yn teimlo'n rhan o'r un bwrlwm ac yn cyrraedd yr un hyder yn y Gymraeg mewn bywyd cyhoeddus'. Yn fras, rhannwyd Cymru fel a ganlyn:

ARDALOEDD

CYFNOD 1 >50% yn siarad Cymraeg. Y Gymraeg fydd y 'norm' mewn gweinyddiaeth gyhoeddus o fewn pum mlynedd.

CYFNOD II 20–49% yn siarad Cymraeg. Y Gymraeg fydd y 'norm' newn gweinyddiaeth gyhoeddus o fewn deng mlynedd.

CYFNOD III <20% yn siarad Cymraeg. Y Gymraeg fydd y 'norm' mewn gweinyddiaeth gyhoeddus o fewn cyfnod i'w benderfynu gan Gomisiwn Iaith.

---

[3]   Adfer, Canolfan Iaith Clwyd, Canolfan Iaith Genedlaethol Nant Gwrtheyrn, Cefn, CYD, Cydweithgor Dwyieithrwydd yn Nyfed, Cymdeithas y Cyfamodwyr, Cymdeithasau Tai Gwledig Cymru, Cymdeithas yr Iaith Gymraeg, Llef, Merched y Wawr, Mudiad Ysgolion Meithrin, Pont, Pwyllgor Cydenwadol yr Iaith Gymraeg Arfon, Rhieni Dros Addysg Gymraeg, Undeb Cenedlaethol Athrawon Cymru, Undeb Cenedlaethol Myfyrwyr Cymru, Undeb Myfyrwyr Cymraeg Aberystwyth, Undeb Myfyrwyr Colegau Bangor, Urdd Gobaith Cymru, Y Colegiwm Cymraeg, Y Gymdeithas Feddygol, Yr Eisteddfod Genedlaethol

Ac fel mae'r cymal olaf yn awgrymu, un o gonglfeini'r Strategaeth oedd sefydlu Comisiwn Parhaol yr Iaith Gymraeg – 13 o aelodau parhaol a 6 wedi eu hethol gan y sector gwirfoddol a'r gweddill yn cynrychioli'r Cynghorau, Addysg, Iechyd, yr Eglwysi, Diwydiant a'r Undebau Llafur a'r Cadeirydd wedi ei ethol gan aelodaeth y Comisiwn. Roedd yn ddealladwy y byddai arbenigwyr ar gymdeithaseg iaith a chynllunio ieithyddol yn cael eu cyfethol.

Yn gefn i'r Comisiwn oedd yr argymhelliad i sefydlu Uned Gynllunio Ieithyddol Genedlaethol a chanddi'r cyfrifoldeb o gyfarwyddo a chefnogi ymdrechion cyrff cyhoeddus a phreifat wrth lywio eu cynlluniau iaith. Roedd yn ofynnol, yn ôl y ddogfen, i sefydlu fframwaith Datblygu a Chynllunio Ieithyddol o fewn dalgylch pob Cyngor Dosbarth neu Fwrdeistref a'r 'aelodaeth yn adlewyrchu cyfraniad y sector gwirfoddol yn ogystal â'r sector preifat a'r sector cyhoeddus'. O ystyried natur gynhwysfawr y Strategaeth – 113 o argymhellion i gyd – arwynebol iawn yw'r modd y gellir ei hystyried yma ond mae'n werth nodi ychydig o'r uchafbwyntiau eraill:

- Cyfle i bob plentyn dan bum mlwydd oed yng Nghymru gael addysg feithrin drwy gyfrwng yr iaith Gymraeg
- Y Gymraeg i fod â statws craidd ym mhob ysgol o fewn amser penodol
- Sefydlu Colegau Bro Cymraeg mewn Ardaloedd Cyfnod I fel y 'norm' ar gyfer addysg drydyddol, Ardaloedd Cyfnod II a III yn dilyn yr un patrwm ymhen pum mlynedd o 1996 a 2001
- Sefydlu Prifysgol Gymraeg lle mae'r iaith yn hanfodol ar gyfer pob agwedd ar weithgarwch y Brifysgol
- Rhwydwaith o ganolfannau iaith ar hyd a lled Cymru
- Pob Awdurdod Iechyd yng Nghymru i lunio cynllun ieithyddol
- Cefnogi'r ymgyrch i gael cwrs meddygol drwy gyfrwng y Gymraeg
- Swyddfa Cofrestrydd Cyffredinol i Gymru

- Sefydliad Ieithyddiaeth a Pholisi Cymdeithasol Cymru
- Ac, wrth gwrs, statws cyflawn i'r Gymraeg yng Nghymru gyda chorff annibynnol – Bwrdd Cymodi Ieithyddol – i ystyried cwynion ynglŷn â rhagfarnau yn erbyn y Gymraeg
- Yn tanlinellu'r cyfan awgrymwyd fod angen ymgyrch i boblogeiddio'r iaith Gymraeg a'i 'marchnata' yn effeithiol, awgrym a gyflwynwyd gan Gyngor yr Iaith mor bell yn ôl ag 1978

Wrth gloi, roedd y strategaeth yn cynnig, mewn Rhaglen Weithredol, arweiniad ar ba gorff dylai fod yn gyfrifol am weithredu y gwahanol argymhellion, amserlen ar gyfer y cyfan, a'r costau arfaethedig boed yn gostau cyfalaf neu refeniw.

Lansiwyd y ddogfen *Strategaeth Iaith 1991–2001* ddechrau Mehefin 1991 yn Siambr Cyngor Dinas Caerdydd gyda'r Arglwydd Faer, y Cynghorydd J P Sainsbury, yn cynnig Derbyniad Dinesig ar gyfer yr achlysur. Y diwrnod wedyn rhoddodd y wasg sylw teilwng i'r cyfan. Roedd pennawd tudalen blaen y *Western Mail*, er enghraifft, yn darllen 'WELSH FOR ALL' a'r tu fewn erthygl o sylwedd yn dwyn y teitl 'Challenge to restore Welsh to nation's lips'. Yn yr un wythnos roedd *Meddai'r Cymro* yn datgan mor 'werthfawr oedd y ddogfen' a 'bod y Fforwm i'w ganmol am gyhoeddi am y tro cyntaf erioed, fe dybiwn, fap o'r llwybr y mae'n rhaid inni ei ddilyn i gyrraedd y Gymru Gymraeg.' Rhoddodd y *Daily Post* sylw cadarnhaol yn yr un modd, 'The comprehensive *Strategaeth Iaith 1991–2001* seeks to set up a definite and completely practical framework and timetable to ensure the goodwill apparent towards the language throughout Wales at this time is transformed into positive action.'

Ond, sut i symud ymlaen? Sut i gyflawni'r her yn y strategaeth? O'n i'n llawn sylweddoli maint cyfraniad cwbl wirfoddol swyddogion fel Eleri Carrog, yr Is-gadeirydd, Sion Meredith, y Trysorydd, a Felicity Roberts, yr Ysgrifennydd, a llawer o aelodau eraill, ond o'm profiad i nid oedd yn ymarferol i sicrhau ymgyrch weithredol rymus gan ddibynnu ar drefniant o'r fath. Doedd 'na ddim dewis ond i gyflogi rhywun i'n cynorthwyo yn y dasg a chyflwynais gais i Teledwyr Annibynnol Cymru (TAC) ar gyfer Cydlynydd/Trefnydd, rhywun a fyddai'n 'datblygu a gweinyddu gweithgarwch y Fforwm Iaith Genedlaethol'. Mynegwyd cryn ddiddordeb yn y swydd a chafwyd ymateb hael iawn gan TAC i'w hariannu. Cawsom rodd dros ddwy flynedd i dalu cyflog a chyhoeddi'r strategaeth i gynulleidfa genedlaethol, ac roedd hyn, ynghyd â chyfraniadau gan aelodaeth y Fforwm ac unigolion cefnogol, yn ddigon i gyflogi'r Cydlynydd, Ifan Llewelyn Jones.

Dechreuodd Ifan ar ei waith ar 15 Gorffennaf 1991 a'i dasg gyntaf oedd dosbarthu'r ddogfen i'r byd a'r betws, ac am dasg oedd honno! Gallaf ddyfynnu o adroddiad cyntaf Ifan i'r Fforwm, 'Fy ngwaith pennaf ers mis Awst (1991) oedd danfon copïau i Brif Weithredwyr pob Cyngor Sir, Bwrdeistref a Dosbarth yng Nghymru gyda llythyr o gyflwyniad. Danfonais gopïau at Gyfarwyddwyr 'cwangos' y Swyddfa Gymreig, prif weision sifil y Swyddfa Gymreig, pob Aelod Seneddol ac Aelodau Senedd Ewrop o Gymru. Danfonais gopïau hefyd at brif gwmnïau cyhoeddus a phreifat Cymru yn ogystal â Chyfarwyddwyr y cyrff gwirfoddol.' O weld y rhestr heddiw, gallaf ychwanegu yr aeth y strategaeth at bob Awdurdod Iechyd, yr Heddluoedd, pob Coleg Prifysgol a sefydliadau Addysg Uwch yng Nghymru – rhyw 197 i gyd, gyda 645 o dalfyriadau yn mynd i benaethiaid Adrannau a Chadeiryddion pwyllgorau parhaol y Cynghorau. Mi oedd yn codi calon dyn i weld yr ymateb fel y daeth i law. Roedd maint a natur y gwerthfawrogiad i'w groesawu, ac mewn rhai ymatebion yn fy synnu. Ai am mai hwn oedd y tro cyntaf yn ei hanes i Gymru cael strategaeth gynhwysfawr ar gyfer y Gymraeg oedd yn gyfrifol am hynny – bod 'na ddisgwyl 'cudd' am arweiniad clir? Beth bynnag oedd y rheswm, roedd yn braf gweld cymaint o gyrff yn rhannu ysbryd a gweledigaeth ein nod. Isod nodir ychydig o'r enghreifftiau calonogol o'r llu a ddaeth i law:

- Cyngor Bwrdeistref Taf-Elái – '... it was decided that my Council co-operate with the Language Strategy of the National Language Forum.'
- Cyngor Bwrdeistref Merthyr Tydfil – '... congratulate you on a very comprehensive document which is most impressive in terms of layout and content.'
- Cyngor Bwrdeistref Islwyn – '... the Council broadly support the principles behind the Strategy to secure a safe and prosperous future for the Welsh language.'
- Cyngor Bwrdeistref Brycheiniog – '... the Council fully supports your *Language Strategy 1991–2001* to secure a safe and prosperous future for the Welsh language throughout Wales.'
- Cyngor Dosbarth Caerfyrddin – 'Cytuno'n llwyr:... gorau po gyntaf y gwelwn bolisïau sy'n gosod yr iaith Gymraeg ar sail diogel fel nad yw ei dyfodol yn destun pryder. Rhyddha sefyllfa o'r fath gymaint mwy o ynni ar gyfer anghenion datblygu economaidd, cymdeithasol a diwylliannol y genedl.'
- Cyngor Dosbarth Meirionnydd – '... yn gyffredinol mae'r Cyngor yn cefnogi yr amcan o geisio adfer yr iaith Gymraeg i bawb yng Nghymru fel a osodwyd allan yn y ddogfen strategol.'
- Awdurdod Iechyd Clwyd – 'Cadarnhaf i'r Awdurdod Iechyd hwn ymateb yn ffafriol iawn i'r Strategaeth. Mae'r Awdurdod wedi ymrwymo i ddatblygu ymhellach y defnydd o'r iaith Gymraeg yn ei holl weithgareddau o fewn Clwyd ac yn ei berthynas â gweddill Cymru.'
- Llyfrgell Genedlaethol – 'Mae'r Strategaeth yn amlwg yn ffrwyth ystyriaeth manwl a gofalus tros gyfnod hir a'r casgliad cyntaf y mae'n rhaid dod iddo yw fod angen strategaeth i gadarnhau ac i wella safle'r Gymraeg. Mae'r ddogfen yn werthfawr ynddi hi ei hun felly.'

- Cynulliad Merched Cymru – 'Cefnogwn yr argymhellion a gynigir yn y ddogfen yn llwyr.'
- Sefydliad y Merched – '... cefnogi egwyddorion sylfaenol y Strategaeth. Croesawn gynnig y Strategaeth i ethol chwe aelod o'r sector gwirfoddol i'r Comisiwn Parhaol a'r pwysigrwydd a'r cydnabyddiaeth a roddir i rôl y sector gwirfoddol yn y Strategaeth gyfan.'
- Ond, efallai, yr esiampl wnaeth ein calonogi fwyaf oedd honno gan Gyngor Defnyddwyr Cymru a wnaeth gyhoeddi Datganiad i'r Wasg wedi iddyn nhw drafod y ddogfen:

'CYNGOR DEFNYDDWYR CYMRU YN CROESAWU AGWEDD UNIGRYW A CHYNHWYSFAWR Y STRATEGAETH IAITH'

'Heddiw (Dydd Mawrth 15 Medi) cyhoeddodd Cyngor Defnyddwyr Cymru ei gefnogaeth gref i *Strategaeth Iaith 1991–2001* y Fforwm Iaith Genedlaethol, gan ei disgrifio fel dogfen radical ac arloesol, sydd yn cynnig agwedd gynhwysfawr ac eang ar ddyfodol yr iaith Gymraeg a datblygiad dwyieithrwydd yng Nghymru.

'Prif gryfder y ddogfen hon yw ei bod hi'n gosod yr iaith yn ei chyd-destun llawn, yn y cartref, y gwaith, yr ysgol a'r gymuned, gan gydnabod bod yr holl elfennau hyn yn gyd-gysylltiol.

Roeddem yn feirniadol o argymhellion Bwrdd yr Iaith Gymraeg am Ddeddf Iaith Newydd am nad oedd yr argymhellion yn ymestyn yn ddigon pell i hyrwyddo'r iaith mewn meysydd y tu hwnt i'r sector cyhoeddus, megis byd busnes a siopa... mae'r Strategaeth hon yn ymdrin â'r meysydd hyn.'

Wedi imi gadeirio'r Fforwm am naw mlynedd, ac i Ddeddf yr Iaith Gymraeg 1993 gyrraedd y statud er gwaethaf ei gwendidau, penderfynais ildio'r Gadair i Eleri Carrog yn 1995. Roedd yn amserol wedi imi gael fy mhenodi'n Gyfarwyddwr Meddygol llawn-amser ym Mhowys, a olygodd weithio yn y sir honno yn ystod yr wythnos a theithio adref ar gyfer y penwythnos.

Allwedd i unrhyw lwyddiant ar gyfer y Strategaeth Iaith oedd ei dehongli a'i gweithredu ar lefel leol. I wneud hynny, roedd angen patrwm ar gyfer Cynllun Iaith Ardal lle roedd pob sector

– cyhoeddus, preifat a'r sector gwirfoddol – yn cydgynllunio ar gyfer y dadeni arfaethedig. Llinos Dafis wnaeth lunio'r ddogfen ddeheuig ar gyfer hyn a chafodd ei lansio ym Mangor yn Nhachwedd 1994. Yn anffodus, collwyd momentwm yn fuan wedi hynny gyda'r nawdd ar gyfer swydd Trefnydd yn dod i ben ac ymddiswyddiad anorfod Ifan Llewelyn.

O edrych yn ôl, a oedd y Fforwm yn llwyddiant? Yng ngeiriau John Osmond yn y *Western Mail* ar y pryd, roedd wedi sicrhau fod y sector gwirfoddol Cymraeg wedi gwthio'r Bwrdd Iaith o'i sefyllfa wreiddiol yn 1988/89 o geisio cyfaddawdu rhwng agwedd y llywodraeth, oedd ddim yn gefnogol i ddeddfwriaeth newydd, a'r mudiadau Cymraeg oedd yn grediniol fod angen. Ymateb 'pragmataidd' y Bwrdd ar y cychwyn oedd diwygio'r ddeddfwriaeth oedd yn bod eisoes, nes iddynt weld unfrydedd y mudiadau iaith mewn cyfarfod ar-y-cyd. Hwn oedd y llwyddiant cyntaf. Yn ail, credaf fod y gwaith a wnaed gan aelodaeth y Fforwm o sicrhau'r strategaeth gynhwysfawr gyntaf erioed ar gyfer y Gymraeg yn arwyddocaol bwysig. O ystyried yr agenda hyderus a llawn dychymyg, prin oedd unrhyw un yn feirniadol ohono. Credaf fod y sector gwirfoddol wedi gwneud y weledigaeth heriol o ddadeni'r Gymraeg, a gwneud Cymry benbaladr yn gwbl hyderus yn yr iaith, yn destun balchder i bawb. Dylai hynny gynnig 'gwaddol' i'r Senedd bresennol fod yn adeiladu arno wrth gynllunio ar gyfer yr iaith heddiw.

Yn Ôl ac Ymlaen

ER FY MOD i wedi ymddeol, hyd heddiw nid wyf yn ei chael hi'n hawdd ymlacio gartref ac ysgrifennwyd talp helaeth o'r gyfrol hon dros y môr yn Iwerddon, ar lan yr Iwerydd yng ngorllewin Conamara, ymhell oddi wrth alwadau neu ddylanwadau arferol! Mae gen i le i ddiolch yn fawr iawn i'r wlad honno am gymaint o ysbrydoliaeth ac, ie, cymhelliad i weld fy nghenedl fy hun yn rhagori ar yr hyn ydi hi heddiw. O'r dyddiau cynnar yn y chwedegau, a chyfarfod teulu fy ngwraig am y tro cyntaf, mae ein perthynas â'r wlad wedi bod yn gyson, yn flynyddol, hyd yn oed pan oedd yr helyntion yn y 'Gogledd' yn eu hanterth a bechgyn o filwyr o Ddeiniolen a Phenygroes yn ein cyfarch yn Gymraeg wrth iddyn nhw warchod y ffin rhwng de a gogledd ger Newry. Roedd yn bwysig inni fod y plant yn deall cefndir eu mam, yn deall cefndir y gwahaniaethau yn y wlad honno, a gwerthfawrogi pwysigrwydd y teulu, beth bynnag fo'i natur neu'i lun.

I'r rhan fwyaf ohonom dyw bywyd ddim bob amser yn gyfforddus iawn, ond dw i wedi bod yn ffodus iawn i gael cefnogaeth y teulu ar yr adegau roedd ei angen. Roedd y cyfnod yn Llanaelhaearn yn y '70au yn gyfnod o'r fath – practis 24 awr y dydd yn ddi-dor drwy'r flwyddyn, ymladd am ddyfodol i'r ysgol, sefydlu Antur Aelhaearn, creu Ymddiriedolaeth Nant Gwrtheyrn ac, yng ngeiriau fy nghyfaill y diweddar Dr Dafydd Huws, 'Fe elli di losgi'r gannwyll yn y ddau ben ella, Carl, ond nid yn y canol hefyd'! Rhybudd yn wir. Roeddwn wedi cymryd mis o seibiant o'r gwaith yn Llanaelhaearn yn 1975, y tro hwnnw i wneud locwm ar Eday yn ynysoedd Orkney, ynys ag 160 o bobl, ac er bod y feddygfa'n agored am bum niwrnod yr wythnos, ni welais fwy na dau glaf ar unrhyw fore, ac fel rheol ddaeth neb i'm gweld! Taniwn y cynhyrchydd trydan dîsl peth cyntaf, cynnal y feddygfa am awr, cerdded neu seiclo at y traeth perffaith milltir o hyd – a byth neb arno – siarad â'r morloi ac adref am de a darllen. Cyfle i brofi bywyd gwahanol, archwilio claf mewn *box-bed*, defnyddio pwmp petrol llaw a'r paradocs a'r peth mwyaf poenus a wynebais mewn meddygaeth erioed – gorfod dweud wrth fachgen ifanc ei fod wedi colli ei wraig wedi iddi eni plentyn ar dir mawr Orkney ac yntau yn fewnfudwr o Loegr, heb unrhyw deulu i'w gynnal ar yr ynys. Erbyn diwedd y '70au roedd angen toriad amgenach arnaf, ac aeth Dorothi a'r plant a fi i ffwrdd i Le Fretou yn Ffrainc a swydd Mayo, Iwerddon am dri mis gyda Dorothi'n dysgu'r plant yn 'ysgol mam' bob bore. Talodd hwn ar ei ganfed, a gyda'r batris wedi magu nerth newydd, doedd dim edrych yn ôl! Ond roedd hynny yn wers imi ddisgyblu fy hun a deall beth yw terfynau'r corff. Mae'n anodd symud mynyddoedd weithiau hyd yn oed os ydy'r awydd yno!

Mae gyrfaoedd ein plant wedi bod yn heriol – Dafydd yn cael ei siarsio gan Dafydd Whittall, Prifathro Ysgol David Hughes, Porthaethwy, i wneud meddygaeth gyda'i lefelau 'A' gwyddonol cyn iddo benderfynu ffurfio'r Super Furry Animals gyda Gruff Rhys ar ôl cyfnod yn Ysgol Gelf, Wimbledon. Bu'r symudiad hwn yn yr arfaeth ers inni weld Dafydd yn cystadlu mewn cystadlaethau celf yn ifanc iawn ac yn ennill pres i brynu drymiau. Cian, ar y llaw arall, yn dangos ei fentergarwch yn gynnar wrth drefnu gigiau yn 14 oed – nid y bandiau yn unig ond y neuaddau, y cludiant a'r bownsars. Cofiaf un achlysur ym Mhorthmadog pan oedd o wedi methu a chael y bownsars angenrheidiol a Dorothi, finnau a Dafydd Wigley yn gorfod llenwi'r bwlch – a dangos ein hoedran! Ymunodd Cian â chwrs gradd Astudiaethau Ffilm yng Nghasnewydd cyn ymuno â'r band. Graddiodd Rhiannon mewn Dylunio Tecstiliau ym Mhrifysgol John Moores yn Lerpwl, ac Angharad mewn Dylunio Theatr yn y Coleg Cerdd a Drama yng Nghaerdydd – y pedwar, gyda llaw, yn *alumni* cyn hynny o'r Adran Gelf gynhyrchiol iawn yng Ngholeg Menai, Bangor. O ble mae'r genynnau'n dod, dywedwch?

Defnyddiodd Angharad ei thalentau wrth greu setiau ar gyfer Dolen Cymru a Nant Gwrtheyrn yn yr Eisteddfod, a dim un gwell nag un y Nant yn Eisteddfod Abergwaun gan ddefnyddio llun yr Eifl trwy gydweithrediad Marian Delyth. Er bod y genod yn gweithio yn achlysurol nawr wrth fagu'r plant, mi oedd 'na adeg pan oedd Rhiannon yn rhan o dîm rheoli'r Super Furries, a chofiaf un tro pan oedd y band yn ymddangos ar raglen Jools Holland i'r teulu cyfan ymwneud â'r achlysur wedi i Angharad gael cais i addurno'r llwyfan ar gyfer y sioe. Tad a Mam balch y noson honno! Dw i'n ymwybodol hefyd mai gweithio'n llawrydd mae pob un o'r plant a'u partneriaid – dim un yn y sector cyhoeddus, dim sicrwydd beth fydd incwm o'r naill flwyddyn i'r llall, ac mor wahanol felly i yrfaoedd diogel am oes Dorothi a finnau. A mae sefyllfa o'r fath yn peri rhywfaint o bryder i unrhyw riant; sut fydden nhw'n dygymod â sefyllfa o'r fath a'r pwysau mae hynny'n ei roi arnyn nhw?

Cofiaf ddyddiau cynnar y Super Furries a gweld erthyglau mewn cylchgronau megis *New Musical Express* a'r *Melody Maker* yn cyfeirio yn wythnosol bron at eu hymwneud â chyffuriau ac alcohol. Ni allaf anghofio'r profiad o hedfan yn ôl o Siberia adeg Gŵyl Reading yn 1997, gŵyl olaf y tymor i'r band, a Dafydd yn holi a fydden yn medru bod yno i'w gweld. Cael a chael oedd hi, ond wedi imi gyrraedd Heathrow ar ôl deuddeg awr o deithio aeth Dorothi a fi yn syth i'r maes, jyst mewn pryd i'w gweld ar y sgrin anferth wrth ochr y llwyfan o flaen y dorf o 50,000. Sôn am wrthgyferbyniad â'm sefyllfa rai oriau ynghynt! Wedi mwynhau'r gerddoriaeth, braf felly oedd gweld yr hogia yng nghefn y llwyfan wedyn a chael y cwtsh arferol, sgwrs am y perfformiad a rhyw sicrwydd eu bod yn dal yn ddynol, yn gall ac yn iach – yn groes i'r argraff yn y papurau!

Bydd yn ddiddorol gweld a ydy'r cenedlaethau i ddod yn medru manteisio yn llawn ar eu doniau diamheuol. Mae Dafydd, Rhiannon, Angharad a Cian wedi eu bendithio â 10 o blant rhyngddyn nhw – Ani, Cai, Noa, Eithne, Pabo, Lleucu, Aran, Ioan, Santiago a Moi – pob un yn bersonoliaeth unigryw ac, yn ein golwg ni, yn dalent arbennig. Wrth gwrs, 'gwyn y gwêl y frân ei chyw' ac ydy, mae rhywun yn cofio pan o'n i'n ifancach a chlywed neiniau yn adrodd sut oedden nhw wedi gwirioni ar eu hŵyr neu wyres, ond 'does dim yn newid. Fel'na ydw i heddiw! Dw i'n falch o gael dweud hefyd, er gwaethaf gwahanol gefndiroedd partneriaid ein plant, bod pob un o'r wyrion yn cael eu magu i siarad Cymraeg yn iaith gyntaf!

Saunders Lewis a ddywedodd 'os ydach am fod yn rhydd, rhaid i chi weithredu fel eich bod yn rhydd yn barod', ac er nad wyf yn cytuno â sawl gosodiad gan Saunders, mae'r meddylfryd hwnnw yn sylfaenol i'm ffordd o feddwl. Roedd y gwaith o sefydlu Antur Aelhaearn, Nant Gwrtheyrn, Dolen Cymru a gwahanol ymgyrchoedd ieithyddol, gan gynnwys y Strategaeth Iaith, â'i nod o adfer y Gymraeg i bawb yn adlewyrchu'r meddylfryd o greu rhyddid a hunan-gymorth.

Ers dyfodiad y chwareli i Fro'r Eifl yn y 19eg ganrif, gwelwyd patrwm o gydweithrediad, gyda'r siopau lleol a bysus Moto Coch yn enghreifftiau neilltuol, ac adeiladwyd ar y traddodiad hwnnw dros y blynyddoedd diwethaf. Pan fydd cymaint o negyddiaeth am ddyfodol cefn gwlad, ceir yn yr ardal batrwm o hunan-gymorth perthnasol i heddiw, ac yn 2012 gofynnais i wahanol gyfeillion groniclo hanes y gwahanol fentrau cydweithredol cyfoes yn y fro – o Glynnog Fawr trwy Lanaelhaearn i Lithfaen a Nant Gwrtheyrn – a chyhoeddwyd y cyfan gan Wasg Carreg Gwalch mewn cyfrol yn dwyn y teitl *Cryfder ar y Cyd* yn y gyfres Syniad Da.

Cyfeiriais eisoes at y berthynas hollbwysig, a ddaeth mor amlwg yn ystod f'amser yn Llanaelhaearn, rhwng ffyniant cymunedol a lles ac iechyd yr unigolyn. Mae Bro'r Eifl yn cynnig cyfle arbennig i wneud ymchwil i'r perwyl hwn. Cofiaf yng nghanol y saithdegau annerch cyfarfod blynyddol yr Ymddiriedolaeth Genedlaethol yn Llandudno a thraethu am bwysigrwydd cydbwysedd rhwng yr amgylchedd ffisegol a'r amgylchedd cymdeithasol ac y byddai sicrhau dyfodol y naill heb y llall yn fuddugoliaeth Pyrrhaidd. Roedd hynny ar adeg pan oedd delwedd yr Ymddiriedolaeth yn un uchelael. Bellach, mae'r egwyddor wedi ei derbyn i raddau helaeth, ond dyw ei gweithredu ddim yn gyflawn o bell ffordd. Yr un oedd fy neges yn Narlith Goffa Wynford Vaughan-Thomas, y darlledwr a fu farw yn 1987. Yn ddyn amlwg yn ei frwdfrydedd dros gefn gwlad Cymru ac yn Llywydd y gymdeithas Ymgyrch Diogelu Cymru Wledig, mae'r neges yr un mor berthnasol i'r corff hwnnw heddiw.

Bellach dw i'n Gyfarwyddwr ac yn aelod annibynnol yn cynrychioli'r trydydd sector ar Fwrdd Iechyd Cyhoeddus Cymru, ac mae'r genhadaeth, o dan Gadeiryddiaeth Syr Mansel Aylward, yn gefnogol iawn i'r egwyddor o ennyn hyder a datblygu cymunedol er gwella iechyd. Ar ôl bod yn lladmerydd dros y syniad ers 40 mlynedd a mwy, dw i'n gwerthfawrogi yn fawr sut mae natur yr agenda iechyd wedi newid, a bellach mae 'penderfynyddion', fel sicrhau cymunedau hyfyw a hyderus, yn brif-ffrwd i'n polisïau iechyd ni, ac yn cael eu hystyried cyn bwysiced, os nad yn bwysicach i lesiant pobl nag unrhyw wasanaethau a ddarperir gan y gwasanaeth iechyd fel y cyfryw.

O dro i dro dw i'n cael cais am gyngor ynglŷn â dilyn gyrfa fel meddyg, ac mae'n rhaid imi ddweud, er gwaethaf y rhwystredigaethau, nad wyf yn edifarhau o gwbl fy mod wedi dilyn y trywydd hwn. Mae'r ddisgyblaeth mor eang ac mae 'na agoriad addas i unrhyw un beth bynnag yw eu cefndir a'u diddordeb – o lawfeddygaeth i weinyddiaeth y gwasanaeth, o waith academaidd i waith labordy, o iechyd cyhoeddus i feddygaeth teulu, ac yn y blaen. Dw i'n tristáu felly wrth weld cymaint o bryder am recriwtio i bractis yng nghefn gwlad heddiw, ac yn arbennig gan fy mod i wedi cael profiad mor 'gyfoethog' yn fy nyddiau cynnar yn Llanaelhaearn. Mae fy mhrofiad fel meddyg wedi datgloi cymaint o gyfleon, wedi rhoi mewnwelediad ar gymdeithas heb ei hail ac wedi creu cylch o brofiad. O'm dyddiau cynnar mewn practis, pan ddysgais gymaint am y dylanwadau ar iechyd o fewn cymdeithas, cefais ddarlun llawnach am y math o wasanaeth iechyd roedd ei angen a beth oedd yn creu cymdeithas iach – peth sy'n lliwio cymaint ar fy meddylfryd am iechyd a pholisi iechyd heddiw. Nid oes modd osgoi chwaith fanteision materol gyrfa fel meddyg, ymhell tu hwnt i unrhyw beth roedd fy rhieni yn medru ei ddirnad. Pwy fyddai wedi darogan ar ddechrau fy ngyrfa, er enghraifft, mai gwaith celf fyddai un o'm prif ddiddordebau?

Fis Tachwedd 2011 daeth llythyr hollol annisgwyl imi o 10, Stryd Downing yn cynnig OBE. Nid yn unig yn annisgwyl, ond parodd gryn benbleth imi pwy oedd yn gyfrifol am f'enwebu a sut i ymateb. Roeddwn eisoes wedi cael y fraint o gael f'urddo fel Eiflfab yn Aelod o'r Derwyddon gan Orsedd y Beirdd yn Abergwaun yn 1986 am 'wasanaethau lleol, cenedlaethol a rhyngwladol', ac yn Lesotho, yn 2009, cefais anrhydedd sifil ucha'r wlad honno gan y Brenin Letsie III. Rŵan roedd y sefydliad Seisnig am gydnabod fy nghyfraniad hefyd. Roedd 'na un cymal yn y llythyr yn cynnig i'r seremoni fod yn lleol, os nad oeddwn yn awyddus i fynd i Lundain, a dyna'n union a drefnais. Daeth Hugh Daniel, yr Arglwydd Raglaw, i'r Wigoedd ac estynnwyd gwahoddiad i ryw 20 i fore coffi a drefnwyd i gydfynd â'r seremoni uniaith Gymraeg. Ni chodwyd tâl, ond yn hytrach awgrymwyd y byddai cyfraniad ar gyfer gwaith Dolen Cymru yn Lesotho yn cael ei groesawu. Casglwyd £800 ar gyfer yr achos! Cefais fy meirniadu ar Trydar am dderbyn yr anrhydedd a chefais un llythyr beirniadol, ond os ydy o'n dal yn bryder i rywun newidiais i ddim ar fy naliadau a'm angerdd dros fy ngwlad fy hun! Annisgwyl hefyd oedd y Fedal am Gyfrifoldeb Cymdeithasol Alumni Prifysgol Manceinion yn 2014, ac yn ddiweddar cydnabuwyd fy ngwaith fel meddyg wrth i Goleg Brenhinol yr Ymarferwyr Teulu (RCGP) f'anrhydeddu yn Gymrawd y Coleg. Mae'n ddiddorol imi sut mae rhywun yn cychwyn ar daith bywyd heb unrhyw amcan am ennill gwobr na bri a chael eich anrhydeddu o sawl cyfeiriad a gwlad. Er hynny, braf oedd eu derbyn a dw i'n ddiolchgar i'r sawl sydd wedi dangos eu gwerthfawrogiad, ac wrth gwrs, i'r sawl sydd wedi cynnal yr achosion efo fi dros y blynyddoedd.

Mae'r gymhariaeth rhwng Cymru ac Iwerddon yn ddiddorol. Gan mlynedd yn union yn ôl, penderfynodd criw dethol y dylai'r wlad adael yr ymerodraeth Brydeinig, ac o leiaf ar gyfer 26 o siroedd llwyddwyd i wneud hynny. Heddiw, er gwaethaf yr heriau ariannol yn 2008, mae'r Weriniaeth yn un o'r gwledydd mwyaf cyfoethog (5ed yn yr OECD – 28 gwlad), mae Google a Facebook wedi sefydlu eu pencadlysoedd Ewropeaidd yno, mae'r bobl yn hyderus ac wedi llwyddo i ddiosg unrhyw ymdeimlad o israddoldeb oedd yn bodoli adeg yr ymerodraeth. Y tristwch, wrth gwrs, wrth gyrraedd eu sefyllfa heddiw, yw mai prin fod yr iaith Wyddeleg wedi ennill ei phlwyf yn y Weriniaeth a chilio i'r gorllewin i gymunedau bychain y mae hi, heblaw am rai elfennau dosbarth canol yn Nulyn ac ambell fan arall. Hoffwn feddwl y byddai modd i Gymru bontio rhwng y ddau fyd – llewyrch, hyder a'r iaith yn ffynnu trwy'r cyfan – ond mae angen gweledigaeth ac arweiniad gwleidyddol i lwyddo i wneud hynny.

Cofiaf wrando ar anerchiad Peter Walker, Ysgrifennydd Gwladol Cymru rhwng 1987–1990, yn y Deml Heddwch yng Nghaerdydd. Roedd newydd ddychwelyd o Georgia yn yr Undeb Sofietaidd yn llawn brwdfrydedd am yr hyn a welodd ac yn ei chanmol fel esiampl y dylai Cymru ei harddel. Diddorol, oherwydd o fewn ychydig fisoedd roedd Georgia wedi datgan ei hannibyniaeth – gwlad arall oedd wedi mynnu hunan-barch. Mae'n werth nodi, o'r 10 gwlad a ymunodd â'r Undeb Ewropeaidd yn 2004, fod gan bump ohonyn nhw boblogaeth lai na Chymru. Bydd ymchwilwyr y dyfodol yn cael modd i fyw yn edrych ar esblygiad y genedl Gymreig ddiwedd yr 20fed ganrif a dechrau'r 21ain ganrif. Mae hyn yn adeg ddiddorol i fyw yng Nghymru â'n hyder yn codi a statws y genedl yn graddol dyfu. Heb os, mae dyfodiad y Cynulliad a deddfwriaeth i'r iaith wedi cyfrannu tuag at hynny, ond mae 'na sawl cam arall sydd ei angen, ac efallai mai'r pwysicaf o'r rhain yw ymgyrch 'marchnata'r brand – Cymru y genedl'. Yn gyfochrog, mae angen strategaeth genedlaethol i hyrwyddo'r iaith. Ceir enghreifftiau mewn gwledydd eraill o ddefnyddio symbolau neu nodweddion y wlad i greu hunaniaeth gryfach. Mae'r mwyafrif o Gymry yn gefnogol iawn i'r Gymraeg, ac efallai mai'r iaith, gan ei bod yn symbol o hunaniaeth mor arbennig ac unigryw i ni, yw'r man cychwyn.

Fel petai i gadarnhau y berthynas rhwng iaith a chenedligrwydd, stori fach am fy hen fodryb Jane Ellen. A hithau tua 90 oed yn cyflwyno Dorothi i ymwelydd dieithr Cymraeg, o gofio mai Gwyddeles yw Dorothi oedd erbyn hyn wedi meistroli'r Gymraeg – 'Dyma Dorothi,' meddai hi. 'Roedd hi'n arfer bod yn Saesnes a rwan mae hi'n Gymraes!' Nid pwynt gwleidyddol mo hwn ond roedd yr hunaniaeth a'r berthynas rhwng iaith a chenedl yn gryf iawn yn ei meddwl hi.

Ym Mawrth 1985 ysgrifennais erthygl yn *Y Faner* am yr angen am Ganolfan Dehongli'r Iaith – rhywbeth fyddai'n cynnig wyneb ar gyfer y Gymraeg i'r byd. Cynigiais sawl pennawd ar gyfer arddangosfa barhaol fyddai'n cyfleu holl agweddau ein hiaith genedlaethol. Yn fras, awgrymais y penawdau canlynol ar gyfer y Ganolfan (heb eu golygu o'r gwreiddiol):

- Olrhain hanes yr iaith o'r 6ed ganrif hyd heddiw a'i datblygiad yng nghyd-destun yr ieithoedd Celtaidd eraill
- Cyflwyniad i gynulliadau sy'n nodweddiadol o'n diwylliant – e.e. yr Eisteddfod leol a chenedlaethol, Cymanfa Ganu, Noson Lawen, Talwrn y Beirdd a'r diwylliant pop
- Dangos demograffi'r iaith yn ystod y can mlynedd diwethaf – ei mannau cryf a gwan
- Sefydliadau unigryw i Gymru fel yr Urdd – Llangrannog a Glan-llyn, Merched y Wawr, S4C, Papurau Bro a'n diwydiant cyhoeddi llewyrchus
- Statws cyfreithiol yr iaith – ein hanes o'r Deddf Uno ymlaen, Brad y Llyfrau Gleision, Deddf Addysg 1870, defnydd y Welsh Not, Deddf Llysoedd Cymru 1942, Adroddiad Syr David Hughes Parry 1965, Deddf yr Iaith 1967, Adroddiad Comisiwn Roderic Bowen 1972, Cyngor yr Iaith, ac yn y blaen

- Y mudiad iaith – darlith Saunders Lewis *Tynged yr Iaith* a'r datblygiad ers hynny
- Y mudiad dysgu – dosbarthiadau nos, Wlpan, cyrsiau haf a Chanolfan Iaith Nant Gwrtheyrn
- Y Wladfa a breuddwyd Michael D Jones
- Addysg Gymraeg – safle'r iaith o fewn ysgolion, cyfrwng i rai pynciau, canolfannau ar gyfer mewnfudwyr
- Polisïau cyflogaeth – enghreifftiau o hysbysebu, pobl wrth eu gwaith yn defnyddio'r iaith
- Teimlaf hefyd fod 'na le yn ogystal i ran o'r ganolfan gynnig arddangosfa gyfnewidiol – h.y. dilyn thema wahanol, dyweder, bob chwarter e.e. – sefyllfa'r iaith Gymraeg dramor i Gymry alltud a'u defnydd o'r iaith, yr iaith yn y Wladfa, safle'r ieithoedd lleiafrifol o fewn Ewrop, polisïau'r pleidiau gwleidyddol tuag at yr iaith ac yn y blaen.

Gorffennais yr erthygl trwy ddweud 'y dylid anelu at wneud y cyfan yn sioe deilwng o sylw i unrhyw ymwelydd â Chymru, ac o Gymru, yn Gymraeg neu'n ddi-Gymraeg. Gyda chanolfan lawn dychymyg a bywiogrwydd, a'i neges wedi ei marchnata gyda chyhoeddusrwydd effeithiol, rwy'n ffyddiog y gwnaiff y ganolfan ddenu digon o ddiddordeb i fod yn atyniad llwyddiannus a phroffidiol.' Cafodd gefnogaeth frwd gan y Cynghorydd Dafydd Orwig, Cadeirydd Cyd-bwyllgor Polisi Dwyieithrwydd Cynghorau Gwynedd ar y pryd, ond cyfaddefodd fod y 'gost yn broblem ar amser anodd iawn i lywodraeth leol'. Dim newid yno! Wrth reswm, mae modd diweddaru'r papur, ond mae'r hyn yr oedd yn ei gynnig yr un mor afaelgar imi heddiw ag ydoedd 30 mlynedd yn ôl! Pwy fydd yn gafael ynddi tybed?

Beth felly yw dyfodol yr hen wlad? Mae 'na wendidau sylfaenol yn y berthynas rhwng Cymru a Lloegr sy'n creu diffyg ymddiriedaeth yn y naill wlad fel y llall, a does dim rhaid edrych ymhellach na'r wasg yn Llundain bron yn feunyddiol i weld prawf o hynny. Cofiaf sgwrs â phennaeth y Comisiwn

Ewropeaidd yng Nghymru rai blynyddoedd yn ôl – meddai fo, gyda mynegiant cynnil, 'Does dim dwywaith, ma 'na dyndra rhwng Cymru a Lloegr... mae'n rhywbeth nad yw pobl yn awyddus i siarad amdano fo yn gyhoeddus, ond mae'n hollol amlwg imi.'! Dyw hynny ddim yn sail dda ar gyfer perthynas ffrwythlon yn y dyfodol. Ys dywed yr hen ymadrodd, 'Y ffordd orau i broffwydo'r dyfodol yw barnu profiad y gorffennol.'! Mae hon yn genedl sy'n cyffroi, mae'n haeddu gwell na bod tua'r gwaelod ar restrau llewyrch Ewrop bron i bum canrif ers yr uniad â Lloegr yn 1536. Ychwanegwch at hynny ymdeimlad cymaint o'n pobl, gan gynnwys miloedd o'r di-Gymraeg sydd wedi eu hamddifadu o'r iaith, fod y Gymraeg yn em gwerthfawr yn ein hunaniaeth a'n bod yn poeni am ei dyfodol. Amlygwyd pwysigrwydd yr iaith i'n hunaniaeth mewn sgwrs gydag Albanes, Uwch Reolwr yn y gwasanaeth iechyd yn Llundain, dro yn ôl a fynnodd, yn groes i'r disgwyl, fod hunaniaeth Cymru gymaint yn gryfach na'r Alban oherwydd y Gymraeg! Dw i'n gredwr mawr bod yr iaith yn cyfrannu tuag at sefydlogrwydd y gymuned a'i gweithlu. Dylai hyn gael ei farchnata i ddarpar-gyflogwyr sydd wastad yn chwilio am gyfle i leihau trosiant yn y gweithlu. A phwy all anwybyddu Catalunya, y 'dalaith' gyda'i hunaniaeth ieithyddol gref ac, eto, y 'rhanbarth' sy'n arwain diwydiant yn Sbaen – y *motor-region* pennaf! Siawns bod neb yn awgrymu bod Cymru a'r Gymraeg yn llai teilwng o lwyddiant cyffelyb? Fel mae ein cenedl yn aeddfedu, mae dirfawr angen gweledigaeth gyffrous sy'n cyfateb i her a photensial ein gwlad. Dangosodd tîm pêl-droed Cymru yn ystod haf 2016 gymaint yw awydd y Cymry i fynegi eu cenedligrwydd. Yn absenoldeb ennill yr un cwpan, cystadleuaeth na fedal, roedd y croeso a'r balchder drwch y genedl yn enfawr, er nad oedd y rhan fwyaf yn ymddiddori yn y gamp o wythnos i wythnos. Pa esboniad arall sydd? O gael yr arweiniad gwleidyddol ac ymateb i'r ymdeimlad yma o genedligrwydd cynhenid, dw i'n rhagweld blynyddoedd difyr o'n blaenau!

Yng ngeiriau'r Gerdd 'Hon' gan T H Parry-Williams – 'Ni allaf ddianc rhag hon' ond 'Ni fuaswn yn dewis dianc rhag hon chwaith'! Y genedl o gymunedau, gyrfa fel meddyg a'r gonglfaen, y teulu – tri phegwn fy mywyd a phob un yn ddylanwad rhyfeddol arnaf. Diolch amdanynt!

Nant Gwrtheyrn

Carl Clowes

yl Lolfa

£4.95